旅日進步經濟學者・中國統一運動先驅
劉進慶教授逝世十周年紀念

劉進慶文選

我的抵抗與學問

上　卷

人間出版社

中華秋海棠文化經貿協會致敬紀念出版

劉進慶教授

1931~2005

寄於劉進慶文集出版

敦品勵學

愛鄉愛華

劉張翠華

2014年8月27日

劉進慶夫人為本書題寫劉進慶座右銘

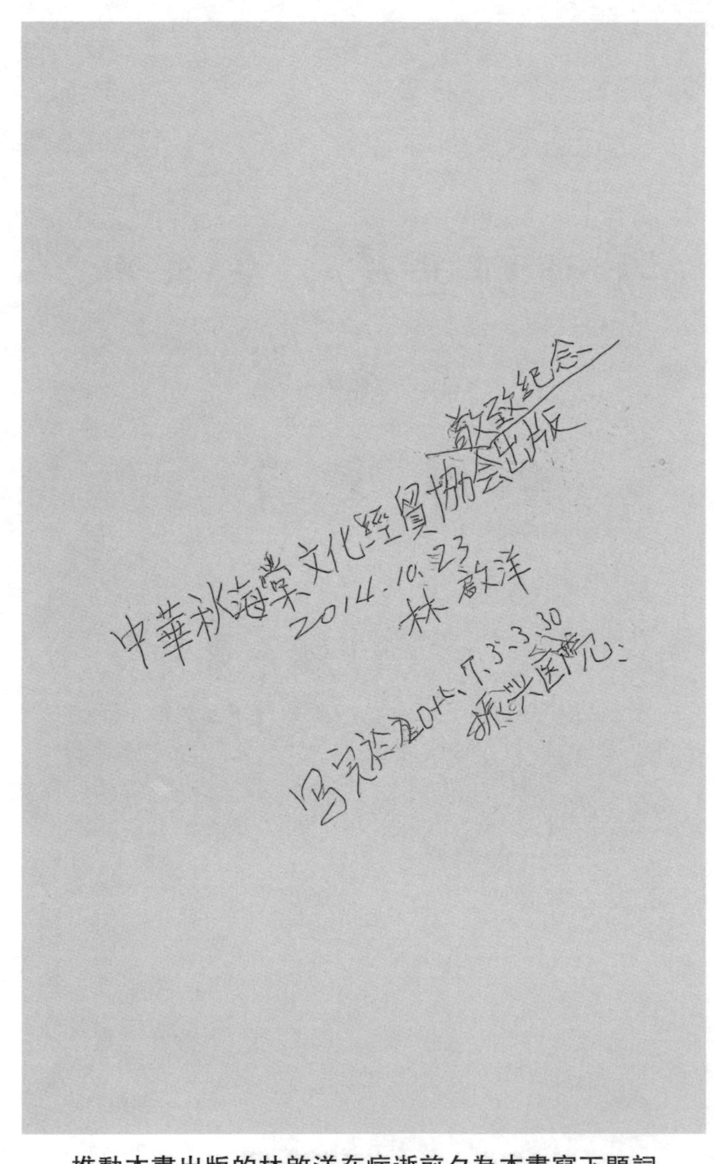

中華秋海棠文化經貿協会出版
敬致紀念
2014.10.23
林啟洋

推動本書出版的林啟洋在病逝前夕為本書寫下題詞

志士の遺塁に見た極限の世界

東京大学大学院
劉　進　慶
（中　国）

長州藩から多くの明治維新の立役者を出したことは歴史の事実である。このたびの「日本近代化の先覚者研究セミナー」を山口県で行う意味は、このような歴史的地理的背景もあろうが、しかし、参加者がじかに志士発祥の地を踏んでこの問題にとりくむことに、なんらかの意義がなければならない筈だ、と考えながら山口に赴むいた。

それは弱肉強食の理論だ

東京大学大学院
許　介　鱗
（中　国）

私が「日本近代化の先覚者」研究セミナーに参加したのは、与えられた「日本近代化」の論調に引きずられて受動的に受けとめるのではなくして、明治維新そのものとその後の歩みの意味を、主体的に再検討することにあった。

今までの日本におけるアジア観は、ヨーロッパ人のイメージで作られていた。すなわち、ヘーゲルの『世界史の哲学』

一九六八年正在東京大學攻讀
博士學位的劉進慶以及許介鱗

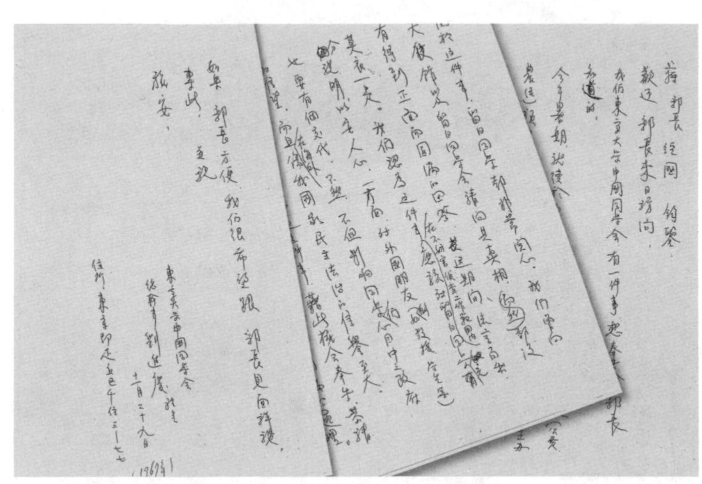

蔣部長經國　鈞鑒：
歡迎部長來日訪問，
我們東京大學中國同學會，有一件事想奉[illegible]
[illegible]
如果部長方便，我們很希望跟部長見面詳談。
專此，並致
旅安，
東京大學中國同學會
總幹事　劉進慶　敬上
十一月二十九日
住所：東京都[illegible]

為營救國民黨秘密逮捕的東大同學劉佳欽與顏尹謨
劉進慶在蔣經國訪日期間以無預警方式親呈陳情書

陳中統事件について

『暖流』14期，東大中国同学会，1972年8月，pp.122-125　(1)

劉進慶

〔まえがき〕

劉頴事件が起って1年半後の1969年2月、岡山大学大学院医学研究科に留学する陳中統君が帰国中、劉頴事件ときわめて類似した経過をたどって、治安当局に逮捕されたまま、現在に至っている。この間、岡山大学では、大学関係者のみでなく、地方ぐるみの陳君救援運動を続けてきた。これに対し、われわれは、情報交換の不備もさることながら、この事件が劉頴事件とほぼ同じ時期、同じ性質のものであるにもかかわらず、これまでそれをなおざりにしてしまった。われわれはこの怠慢、無自覚を深く悔いて自責にたえない。このたび岡山大学関係者のご協力をいただいて、ここに陳中統事件についての覚書を披露し、おくればせながら、陳君救援の隊列の一翼に加わらしてもらいたい。

〔陳君の略歴〕

全く不明。

△3月10：
蔣経国国防
長など政府
△5月9日：
△5月12日
△6月4日：
大使館を通
△7月8日：
使、末文化
言行に関す
通じ軍法会
△8月1日：
らる。
△8月8日：

劉進慶為營救返台被捕的岡山大學
台灣留學生陳中統而撰寫的救援文

一九七二、一、十五

台湾问题研究会会刊

第〇号

本会以唤起我海外同胞对台湾前途之关心，共同研討有关台湾的各种问題，藉公論以谋求解决之途径為趣旨。

台湾问題研究会成立沿革

一、緣起

衆所週知，台湾的前途亦就是我们的前途。為台湾的前途開拓光明大道，乃是每一位熱愛鄉土的同胞所不可逃避的责任。因此我们怀着沉重的心情參加集会研討，企望能為廣大的同胞群衆提供一个不分党派，立場的对話的場所。

本会於1971年8月14日首次集会以後，至同年12月26日的第十次会正式成立為止，国际间局勢的激变使人有一葉知秋的預感。尤其对於台湾的前途關係依戚的中共在联合国獲得正式地位以後，更使本会加速成長。今後本会的發

第九次会　12月18日於代代木
討論有关組会问題。
第十次会　12月26日於初台
本会正式成立。会中并选出委員会人員。

三、構想

台湾问題研究会今日成立了。今後本会将是我海外学友僑胞的共同研討的公開場所。我们希望藉此公開的討論，蔚成公論，期能唤起我海外同胞对台湾前途的关心，以求真正解決的途径。

七十年代初期劉進慶在日本所參與的
「台灣問題研究會」及其會刊《改造》

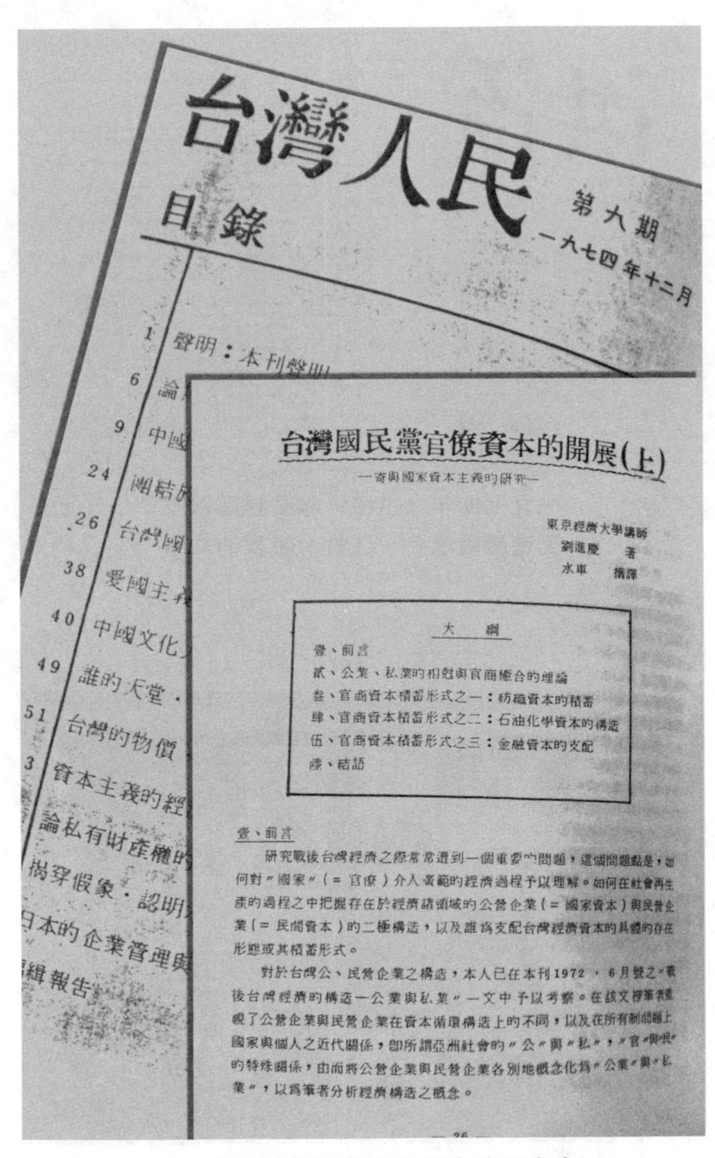

台灣人民

目錄

第六期

一九七四年十二月

1 聲明：本刊聲明

6 論

9 中國

24 團結

26 台灣國

38 愛國主義

40 中國文化

49 誰的天堂・

51 台灣的物價

3 資本主義的經

論私有財產權的

揭穿假象・認明

日本的企業管理與

編輯報告

台灣國民黨官僚資本的開展(上)

—寄與國家資本主義的研究—

東京經濟大學講師
劉進慶 著
水車 摘譯

大綱

壹、前言
貳、公業、私業的相剋與官商癒合的理論
叁、官商資本積蓄形式之一：紡織資本的積蓄
肆、官商資本積蓄形式之二：石油化學資本的構造
伍、官商資本積蓄形式之三：金融資本的支配
陸、結語

壹、前言

研究戰後台灣經濟之際常常遭到一個重要的問題，這個問題點是，如何對〃國家〃（＝官僚）介入廣範的經濟過程予以理解。如何在社會再生產的過程之中把握存在於經濟諸領域的公營企業（＝國家資本）與民營企業（＝民間資本）的二極構造，以及誰爲支配台灣經濟資本的具體的存在形態或其積蓄形式。

對於台灣公、民營企業之構造，本人已在本刊1972・6月號之〃戰後台灣經濟的構造—公業與私業〃一文中予以考察。在該文裡筆者重視了公營企業與民營企業在資本循環構造上的不同，以及在所有制問題上國家與個人之近代關係，即所謂亞洲社會的〃公〃與〃私〃，〃官〃與〃民〃的特殊關係，由而將公營企業與民營企業各別地概念化爲〃公業〃與〃私業〃，以爲筆者分析經濟構造之概念。

— 26 —

劉進慶的日語論文經漢譯之後發表在
北美台灣左派刊物《台灣人民》雜誌

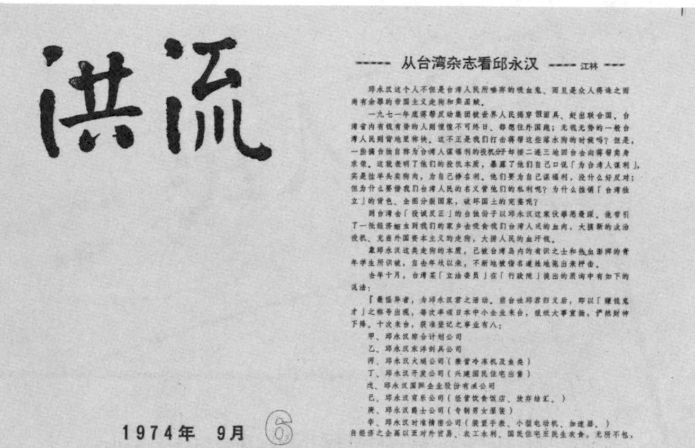

洪流

----- 从台湾杂志看邱永汉 ----- 江林 ---

邱永汉这个人不但是台湾人民所唾弃的吸血鬼、而且是众人得诛之而尚有余辜的帝国主义走狗和卖国贼。

一九七一年底蒋帮反动集团被世界人民揭穿假面具、赶出联合国，台湾省内有钱有势的人则惶惶不可终日、都想往外国跑；无钱无势的一般台湾人民则背地里称快，这不正是我们打击蒋帮这些落水狗的时候吗？但是，一些搞台独自称为台湾人谋福利的投机分子却接二连三地回台去向蒋帮卖身求荣。这就表明了他们的投机本质，暴露了他们自己口说「为台湾人谋利」，实是挂羊头卖狗肉，为自己争名利。他们要为自己谋福利，没什么好反对；但为什么要借我们台湾人民的名义营他们的私利呢？为什么推销「台湾独立」的货色、企图分裂国家，破坏国土的完整呢？

回台湾去「投诚反正」的台独份子以邱永汉这家伙罪恶最深。他带引了一批经济蛔虫到我们的家乡去吸食我们台湾人民的血肉，大搞新的政治投机、充当外国资本主义的走狗，大捞人民的血汗钱。

象邱永汉这类走狗的本质，已被台湾岛内的有识之士和热血澎湃的青年学生所识破，自去年秋以来，不断地被指名道姓地揪出来抨击。

去年十月，台湾某「立法委员」在「行政院」提出的质询中有如下的说法：

「最怪异者，为邱永汉君之活动。前台独邱君归义后，即以「赚钱鬼才」之称号出现，每次率领日本中小企业来台，报纸大事宣扬，俨然财神下降。十次来台，获准登记之事业有八：

甲、邱永汉综合计划公司

乙、邱永汉东洋剑具公司

丙、邱永汉大绒公司（兼营冷冻机及鱼类）

丁、邱永汉开发公司（兴建国民住宅出售）

戊、邱永汉国际企业股份有限公司

己、邱永汉育乐公司（经营饮食饭店、放弃结汇。）

庚、邱永汉爵士公司（专制男女服装）

辛、邱永汉时准精密公司（装置手表、小型电动机、加速器。）

自经济之全面以至对外贸易、农工水利、国民住宅至民生衣食，无所不包，

1974年 9月 6

- 7 -

一九七四年《洪流》雜誌封面以及
劉進慶用筆名「江林」發表的文章

劉進慶與七十年代以來共同推動
中國統一運動的旅日同志們合影

憶劉進慶兄的人生哲學

抵抗與學問（Resistance and Learning）

許介鱗

許介鱗，東京大學法學博士，台灣大學名譽教授、日本文教基金會台灣日本綜合研究所所長。曾任台灣大學政治學系教授、法學院院長、社科院院長、東京大學客座教授。

我跟進慶兄都是在日本殖民統治台灣的1930年代出生的，進慶兄是昭和六年，我是昭和十年生，相差四歲。在進入昭和時代，日本的後進資本主義也發達為高度的帝國主義，日本的富國強兵主要是靠侵略戰爭奪來。在我們出生的1930年代，日本帝國已經不能滿足於台灣與朝鮮的殖民地掠奪，開始發動1931年瀋陽事變，將中國大陸的東北殖民地化，建立日本的傀儡國家「滿洲國」，1937年再進一步發動蘆溝橋事變，將華北收入日本管轄旗下，進而向東南亞進軍侵略。美英不能坐視日本的為所欲為，即與中國和荷蘭組成ABCD（America, Britain, China, Dutch）聯合戰線，從經濟上封鎖抵制日本，因此中日戰爭擴大為太平洋戰爭。當時我們是出生不久的孩童，尚未能察覺自己的處境與國際政治的險惡，但是此時代背景的變化，影響我們後來鑽研學問時，得以從殖民地的「馴民」覺醒，對暴政懂得抵抗。

特別是在1941年12月8日，日本「奇襲」珍珠港（日本不稱「偷襲」）之後，日本當局到處張貼「鬼畜米英」的標語，在課堂上老師也解釋「鬼畜米英」的含意，總之美英都是魔鬼畜生，宣傳世界上只有日本是「代天行道、打擊不義」。

在殖民地台灣，也盛傳「桃太郎」的故事，民間老少就跟隨唱幾句「桃太郎さん」的童謠，我們在孩提時期，也不知道這是不是日本當局特別設計，潛移默化補強軍國主義思想。但是我們逐漸長大，成為會思考的少年時即產生疑問，桃太郎有什麼理由要征討「鬼之島」？就算在島上有鬼群生活，然而，他們安居樂業和平共存，從來沒有打擾過日本國土，日本憑什麼要征討「鬼之島」，桃太郎只為了奪取「鬼之島」的寶物，就可以征伐「鬼之島」嗎？1874年日本出兵「征台」，1894年「奇襲」清軍，翌年趁戰勝硬要奪取寶島台灣，難道這就是「維護正義」嗎？

日本人嘲笑「支那人」（大陸人）愚蠢，殖民教育我們要堅守「台灣人」氣質，不要與奸詐的「支那人」同流合汙。日本人擁有「大和魂」，是一等國民；台灣人努力學習「大和魂」，雖血統不同也可以提升為二等國民；愚蠢的大陸人永遠沒得救，根本是「ちゃんころ」（清國奴）。在皇民化教育雷厲風行的時期，台灣青少年的腦袋都被灌輸軍國主義的思想，同時注入日本「必勝」的信念。想不到1945年8月15日，昭和天皇親自宣布「終戰詔書」，日本戰敗投降，從此「神國日本」的神話破滅了，台灣脫離日本的殖民地統治，復歸中國。

「台灣人」的意識形態，隨著時局的轉移變化真大。僅隔日本投降的這一天8月15日，昨天還高唱「天皇陛下萬歲」、「大日本帝國萬歲」的台灣人，現在高呼「蔣委員長萬歲」、「中華民國萬歲」，而且書讀越多的知識分子轉向越快。台灣人意識形態的表露拋棄，連狗都不想去吃。

台灣光復一年多之後，爆發了震驚全島的「二二八事件」，國民政府軍的槍口對準反抗的台灣民眾，而不反省政權的腐敗與惡政。1949年末，在國共戰爭慘敗的國民黨軍退守到台灣來，當局視接觸共產思想或馬克思主義的左派，就如毒蛇猛獸的匪徒，在全島展開「剿匪」的白色恐怖政治。

我跟劉進慶兄是在1960年代的東京大學校園認識，那時劉進慶兄和涂照彥兄是在東大「赤門」進去左側的經濟學部大樓研究，我是在東大「正門」進去右側的法學部研究室冥想。經濟學部與法學部只隔總圖書館，距離不遠；同樣的，法政與經濟在社會科學領域是孿生兄弟。我專攻的是憲政，劉、涂兩位皆學經濟，涂兄的研究主題是戰前日本帝國主義下的台灣，劉兄正在研究台灣戰後經濟的發展。我們一同組成小型讀書會，有少數台灣來的留學生也參加。讀書會用韋伯(Max Weber) 的作品《新教倫理與資本主義精神》為共同討論的範本。韋伯的經濟理論可說是「唯心論」，強調精神的作用，與馬克思 (Karl Marx) 的「唯物論」(materialism) 強調物質的效用不同。我們身處海外，尚且避開討論馬克思的理論與哲學，為的是避免被國民黨小混混打小報告，被貼上標籤說是馬克思主義的信徒。有一個流傳的笑話，當時有留日學生回台，行李中有一冊韋伯的書籍被海關官員查扣，並警告在台灣不准看馬克思的書，國民黨政權的官員沒有學問，連馬克斯・韋伯（Max Weber）與卡爾・馬克思（Karl Marx）都分辨不出來。另舉1970年代我親身經歷的實例，我是台灣大學教授，向法學院圖書館申請購買圖書，書單也經過圖書委員會審查通過而購買了，其中對於《朝日年鑑》，政府有關單位註明：《朝日年鑑》必須專櫃保管，只許教授閱覽，其他學生不可以看。我仔細推敲，為什麼管制如此嚴格呢？發現《朝日年鑑》有介紹各國的新聞，其中有兩頁多記述對岸中國大陸的情況。政府「恐共」到這種程度，也難怪台灣學生對中國大陸的常識，差不多等於是「白目」。

儘管在1960、70年代，台灣島內對政治思想及言論尚存嚴厲的管制，但在日本則是正逢經濟高度成長，政治言論百花齊放的時期。有一次，我在東大的校園傾聽著名的歷史評論家羽仁五郎的演講，他指責當時的首相佐藤榮作是「惡黨」，嚴厲批判日本佐藤政權反動的諸措施，他的立場堅定毫無遜色。在實施戒嚴的台灣，仍然是蔣介石獨裁專制時代，台灣民眾在「白色恐怖」政治下徬徨，較聰明的知識分子，也是在「敢怒而不敢言」的狀態。

留日學生為什麼佩服劉兄的為人，因為他投入學問之餘，也是一位熱心聯繫鄉親、照顧後進的行動派。當他擔任東京大學中國同學會會長時，發生留日同學劉佳欽和顏尹謨兩人回台時，以他們在日本參與反政府組織為理由，被秘密逮捕送軍法處法辦的事件。劉進慶兄是同學會會長，毅然出面究明真相，進行救援活動，雖然兩人仍被判十年和十五年徒刑，但是劉兄仍不氣餒，整合各大學的留日學生組織，向台灣當局提出台灣民主化建議書，配合當局稱為「國是建議書」，內容包括解除戒嚴令、釋放政治犯、國會議員民主選舉等。

有理智的人遇到「惡政」，自然會產生「抵抗」的心。論語曰:「吾嘗終日不食，終夜不寢，以思，無益，不如學也。」劉兄的七十年生涯，已經到達「學問」足以改變高尚人格的境界了。韋伯晚年的作品《以學問為職業》，影響日本經濟史學界的大師大塚久雄，他把經濟史學和宗教社會學結合創新理論，在日本戰時的天皇制法西斯壓迫下，成為多數左派知識分子在精神內面賴以「抵抗」的理論據點。在東京大學接受學問薰陶，之後在東京經濟大學執教的劉進慶博士，抵抗與學問（Resistance and Learning），豐富了這一代多彩多姿的人生，讓劉博士進入慶喜的另一個世界安息。

許介鱗　謹識

寄予劉進慶文選

陳仁端

陳仁端，東京大學農學博士。曾任日本大學生物資源科學部教授、兩岸關係研究中心（日本）代表、日本華人教授協會監事、全日本華僑華人中國和平統一促進會副會長。

劉進慶先生去世將近十年了，由於他的摯友林啟洋先生的努力和許多朋友們的協助，劉進慶文選即將問世，這確是一個好消息。林啟洋先生要我為這個文選寫一些東西，雖然我還沒有機會看到這個文選，但是盛情難卻，乃冒昧作此拙文。古人說：文如其人。就寫下一些我跟劉進慶先生的交友往事，以及我對他的為人和做學問的印象，算是寄予劉進慶文選的心意吧。

我跟劉進慶先生的交友始於東京大學的留學生時代。我在1961年留學東京大學，劉先生大概是晚幾年進來吧；他屬於經濟學部，我屬於農學部的農業經濟學系。好在當時東大裡面有一個台灣的留學生組織叫做東大中國同學會，這個同學會和它的會誌《暖流》就成為分散屬於不同學系的二百多個學子互相交流的平台。

離開東大以後各奔前程，劉先生不久即就職於東京經濟大學，我則很長一段期間找不到固定的工作崗位，雖然都仍留在日本，我們之間的交流自然就比較疏遠了。直到新世紀初在東京舉行全球華僑華人推動中國和平統一大會以及之後成立兩岸關係研究中心，劉先生和我才又聚在一起。

在這之前，1985年夏季經由劉先生介紹，我們一起參加在廈門舉行的「台灣之將來學術討論會（第二屆）」，討論會之後主辦單位還為全體與會者組織了一次絲綢之路旅遊。這是我有生以來第一次中國大陸之行，印象極其深刻。在討論會以及絲綢之路旅遊的前後十幾天期間，大家同起居，互相討論台灣問題和中國問題，共同度過了一段濃密而有意義的生活。記得我們到蘭州的第二天早上，劉先生告訴我說他早晨起來就作晨操，跑步到黃河邊沾了沾黃河水。聽了我覺得我是完全能夠理解他的心情的。我們都知道中國人都說黃河是母親河。

1987年底劉先生邀我在主要由他支持的台灣學術研究會上講演。那年11月我隨同日中農林水產業交流協會的中國水稻田經營訪中團訪問了中國農村剛回來，劉先生要我談談我所看到的中國農村和農業的印象。自從那以後，該研究會開始陸續寄來他們每期的會誌，由此我獲悉他們的活動情況，也了解到劉先生是該會誌的積極投稿人，發表的文章幾乎都是討論二戰後台灣經濟發展問題的。

2001年夏季在東京舉行的全球華僑華人推動中國和平統一大會是一次盛大而成功的大會。劉進慶先生從大會的籌備階段直到大會結束，包括大會論文集的編輯出版，他都積極參與，可以說是使這次大會成功的主要推動者。應劉先生的邀請我也參加這個大會並提交論文。大會結束後鑑於這次大會的成功經驗，在東京華僑總會陳焜旺會長的領導下，以劉先生為中心結集在日研究者成立了兩岸關係研究中心，推舉劉先生為代表，我也成為該研究中心之一員。離開東大以後彼此疏遠了一段時期的我們從此又走在了一起，積極投身於祖國的統一運動。

不幸的是，兩岸關係研究中心成立三年後，劉先生因白血病逝世。他住院時我跟陳焜旺先生一起去醫院看他。為了想鼓勵他，我在紙條上寫了「我命在我不在天」幾個字交給他看。於是他也拿了一張紙寫上「敦品勵學、愛鄉愛華」八個字交給我說：這是我的座右銘。我想，「鄉」當然是指故鄉台灣，「華」肯定是指中華或中國。他的一生確實是熱愛故鄉熱愛祖國的一生。記得有一次我跟他一起回台灣調查研究島內民情，路經他的故鄉斗六，他帶我去看他的老家。當時在他老家屋後正在蓋著一棟兩層樓房子，劉先生告訴我這是他準備回來住的房子，還站在房子旁邊叫我替他拍照片。

此文既然是為劉進慶文選而作，就應該談到劉先生的學術成就。老實說我自覺沒有資格談他的學問，首先要坦白我沒有系統地研究過劉先生的學術著作。這裡只能憑過去我跟劉先生的交友生活中，從他那裡聽到或感受到的，或者讀到的一些他的論文的粗淺印象，來談一談他做學問的立場，態度方面的感想。

我們在東京大學求學的1960年代，不但在日本是學生運動高潮的時代，在全球範圍也是一個火紅的時代。歐洲的以法國為首的青年運動、美國的反戰運動、中國大陸的文化大革命等等，標誌著這是一個不尋常的時代。東大的學生也在鬧革命，他們的口號也跟中國大陸一樣是「造反有理」，這確實使我們吃了一驚，同時也讓不少中國留學生感到自豪。

劉進慶在他古稀之年寫了題為〈我的抵抗與學問〉的感言（原文為日文；有曾健民先生的中譯本），在那裡他用「抵抗」一詞來概括自己的一生。我的理解是有壓迫就有反抗，而於劉先生所意識到的「壓迫」首先是來自於蔣介石國民黨專制統治的壓迫，在這裡抵抗就是「反蔣」。在東大求學時代劉先生積極參加中國同學會的活動，還擔任過總幹事的職務。轟動一時的「劉顏事件」就在他擔任總幹事的時候發生的，做為總幹事的劉先生義不容辭的為同學會會員的劉、顏二君發起救援運動，這就是劉先生的抵抗的表現。

我認為劉先生在做學問方面也貫穿著他的抵抗精神，主要表現在對專制統治下台灣經濟的畸形發展的批判上面，而抵抗也是批判。眾所周知1960年代以後台灣經濟的發展被譽為「亞洲四小龍」之一，美國人甚至於誇獎其為「自由之窗口」，而「改革開放」後大陸執政當局和其智囊學者們都說要向台灣經驗學習。如何評價台灣的經濟發展這個問題擺在了我們面前，這既是一個嚴肅的學術問題，又是具有實踐意義的問題。劉先生的主要研究課題也就是這個問題，他的研究成果見之於其主要著作《戰後台灣經濟分析》以及後續一連串有關論文。其分析的方法、邏輯推演容或有混亂、矛盾等值得商榷之處，其結論還是應該受到肯定的。劉先生的研究指明戰後台灣經濟雖然有長足發展（主要表現在物質財富的增長），但是它本質上仍然未脫離殖民地性質的經濟，是依附型經濟（主要依附於美日），而政治上是專制的，從屬於美國的。這個結論我認為仍適用於今天的台灣乃至於中國大陸。

最後我要感謝劉進慶先生，他在臨終前不久把他珍藏的一套《魯迅全集》贈送給我，此外還包括一大堆有關中國三農問題的書籍。

讓我們把這即將出版的劉進慶文選當成劉先生留給我們的寶貴遺產來珍惜、活學活用吧。

陳仁端於2014年8月10日

一頁還未翻過去的歷史

曾健民

曾健民，台灣戰後政治經濟史與台灣左翼文藝史著名研究者，台灣社會科學研究會共同發起人之一。曾任台灣社會科學研究會會長。現為台灣社會科學出版社總編輯、《方向》叢刊總編輯、中日牙醫診所醫師。

能為劉進慶先生的新文集寫序，深感榮幸，也有無限感慨。

在開始動筆之前，往事就一幕幕翻騰於腦際，或明或暗，即近又遠颺。雖然已過去，但似乎都還活躍在同一頁歷史中。

與劉進慶先生的交往總是交織著一些朋友的身影。記得，剛認識啟洋兄不久就一起為劉進慶辦追思會了，那是 2005 年的事；而認識啟洋兄進而相交的契機，是為了替陳純真先生找尋他在 60 年代日本經歷的事跡，不幸，這位純真的愛國統派朋友也於翌年過世了。去年，啟洋兄滿臉興奮地抱來一疊約有四十公分厚的資料，說這是從劉進慶家書房複印來的，並開始滿懷熱情地推動出版劉進慶文集。從這些資料中，才真正實感到進慶兄與啟洋兄以及許多志士們，早從 70 年代開始就在保守派和台獨本營的日本從事艱苦的愛國統一運動，而這段重要歷史一直少人所知。這些資料大部分是劉進慶先生一生「抵抗與學問」的未集刊文稿，也有許多運動刊物和史料，第一次揭開了在日本的愛國統一運動歷史的一面。這是一頁還未翻過去的歷史，而進慶兄、純真兄和啟洋兄以及其他未名的朋友，都以各自不同的生命和智慧寫下了歷史的一部分。我們不也還活在這頁歷史中嗎?

我與劉進慶先生相識十數年，一起參加過研討會，一同參加田野調查，每次他從日本回來總是以最新研究成果的論文相贈，一起討論時局和運動形勢。記得，幾次在台灣的研討會席上，他溫文中充滿學理的尖銳批判，令人印象深刻。我深知他溫厚的人品和嚴謹的學問，但對於他充滿激情和抵抗的生命實踐卻僅止於初淺的認識，而這本文集正收錄了他在這方面的「抵抗與學問」，比較全面顯現了他高大的形象。

在日本東京經濟大學的退休演講的結尾中，他曾說到:「我個人學問的創造性在三十歲是顛峰，之後只可以算是『附錄』」。他所說的顛峰之作，也就是現在台灣社會科學界的經典名作《台灣戰後經濟分析》。這本東京大學的博士論文完成於 1971 年，1975 年由東京大學出版會出版；但中譯本一直要遲到二十年後的 1992 年，才由陳映真的《人間台灣社會經濟叢刊》公刊。該書二十年間被國民黨政府列為禁書，只有在白色恐怖政治受難者之間廣為流傳閱讀；因為它與西方經濟學的方法論不同，而以日本馬克思主義學派的觀點分析了台灣 1945 年到 1965 年之間的生產關係和階級關係，並解開了當時國民黨政府經濟榨取的機制。這本書，當然是劉進慶先生個人重要的「抵抗與學問」之作；另一方面，這本書在台灣從遭禁絕和秘密流傳到得於出版的二十年曲折過程，也側面反映了台灣反共戒嚴體制的歷史。

1993 年 4 月，我與陳映真先生和其他朋友共同成立了「台灣社會科學研究會」，宗旨是:「以進步的社會科學，研究台灣的政治、經濟、社會、歷史和文化之性質與發展」。研究會研讀的第一本書便是劉先生的這部顛峰之作。1994 年研究會為他辦了一次不大不小的演講會，[1]自此與他相識相交，一直到他在 2005 年去世。

不知是偶然還是必然，又經過了另外一個二十年後的 2013 年，因緣際會，我與一些博士生和老師組織了一個「月會」，所研讀的第一本書還是劉進慶先生的這本大作。該書以龐大的實證材料和嚴謹的理論分析架構，揭開了光復後台灣資本主義如何在獨裁政府之手，通過對農工大眾的榨取完成了資本原始積累的秘密；同時，在複雜的經濟數據和概念的底層脈脈關懷著底層的農工大眾的處境，燃燒著對獨裁國民黨政權的嚴厲批判。

可惜，現在為止，我們只能讀到他這本三十歲的顛峰之作，只能認識到他作為一個社會經濟學家的面影，至於他謙虛稱為「附錄」的部分，亦即「抵抗」的人生和論著，卻一直鮮為人知，從他過世後一直深藏在他的書齋中，幸好他在日本的老戰友林啟洋先生，促成了這批史料和論著的出版。從中我們才認識到，他一生追求學問同時也對荒謬時代進行嚴厲的批評和抵抗。他的學問和抵抗是一體的；從早年參與領導反蔣民主運動一直到反獨促統運動，留下了重要的歷史足跡和龐大的論著。

啟洋兄在 70 年代初期認識劉先生，並受其思想影響，長期與劉進慶先生一同在日本從事愛國統一運動，去年他回到日本拜訪了劉先生夫人，經夫人的同意，進入書房複印了一大批劉先生生前整理好的文稿，帶回台灣準備整理出版。啟洋兄為了替戰友留下「抵抗與學問」的精神資產，滿懷理想多方奔走，籌劃出版事宜。不料，在本書出版前夕，他舊疾復發，溘然辭世。

這本書得以問世，啟洋兄居功厥偉。如果沒有林啟洋這位劉進

[1] 即收錄於本文集的〈台灣資本主義性格的探討與國家權力〉一文。——編者按。

慶的長期戰友，抱病奔走，這本文集可能永埋書齋很難問世，日本的愛國統一運動也很難與大家見面。啟洋兄似乎在冥冥之中，以完成戰友的文集作為自己生命最後的工作，為日本統運歷史留下雄辯的證言。可惜他無法親眼看到本書的正式出版，實令人痛憾。在此謹向林啟洋先生致上敬意和冥福。

本文集，收入了劉進慶先生一生從事的運動的重要史料和學術論著。時間跨度從早年留學東大一直到退休辭世（1967 年到 2005 年）；運動內容包括，早期的反蔣民主運動、中國統一促進會，一直到最後成立的「兩岸關係研究中心」。論著的討論涵蓋範圍很廣，有台灣經濟性質分析、台灣史研究，全球化問題、美日帝國主義與兩岸關係、兩岸和平統一與一國兩制問題等等。這些論著都立足於嚴謹的「學問」基礎上，散發著濃厚的理想主義熱情。本書記錄了劉進慶先生熱情的生命軌跡和學問成果，同時，也雄辯地呈現了在日本的反蔣民主運動和中國統一運動的歷史。

這是一頁還未翻過去的歷史，我們跟著他們的腳步繼續寫下去吧！

2014 年 9 月 8 日　完稿

弔　劉進慶學長、同志

林啟洋

本文原為推動本文選出版的林啟洋先生在劉進慶教授過世後立即撰寫的悼詞。由於林啟洋先生未及撰寫本文選序言即因病逝世，故以此文代序。

林啟洋，台灣霧峰林家後人，七十年代旅日左翼愛國主義運動重要參與者，中華秋海棠文化經貿交流協會理事長。

今年〔2005年〕的光復節晚上，做完慶祝活動回到家時已是午夜時刻，剛抵家門，日本的陳仁端學長打來電話告知進慶學長已於10月23日清晨過世，並且也已做完家族密葬的消息。聽了，雖明知遲早會有這麼一天，但是，萬萬沒料到會如此提前。我才於19日給他發完信，這樣看來，是來不及看到信就離去了。唉！恨我太遲於發信了。頓時，惆悵與落寞交集襲來，久久，不能平息。

已是卅多年前的事了，剛到日本留學的我，出席了一個在東京舉辦的留日台灣學生的聚會，在那個台灣菁英匯集的場合裡，我第一眼看上的就是進慶學長。當時，他的言談舉止像磁力般地吸引了我，腳步自動地移靠過去。

那是一個極具政治色彩的場合，正逢中日政治交鋒，是中日邦交恢復正常化，還是「日華」邦交繼續下去而爭議不已的70年代初始。留日的台灣學生當然也因關心台灣前途而沸沸揚揚地齊聚議論起來。

在那個以反體制為主的在日台灣留學生群中，進慶學長的言論獨樹一枝，引起了我絕大的興趣，會後，特邀他找一家較為清靜的咖啡店，兩人便坐下來首次開談，在他那娓娓細緻的導引下，我發現輕柔語聲中帶有鏗鏘力道。把台灣與大陸之關係有條理、有邏輯地連貫起來，把兩岸的現況、異同和「本是同根生」的道理徐徐地鋪陳開來。聽了，讓本存偏見的人也會自然地點頭了。他，就是這麼穩重，柔和的魅力令初識之人也能親和以對。也就是因這個初緣，爾後的三十餘年間，他成了我的學長、良師又是同志，甚至不亞於兄長般的關係。巧的是，他整整大我一輪，同屬羊年。經受他的指導、關照和影響，彼此自然而然地有了君子之交的情誼。

70年代近半的一段期間裡，進慶學長抱著赤子之心，與我們幾個學弟共謀在日本成立「中國統一促進會」的籌備事宜。不只一次地，我們為海峽兩岸的早日統一、為盡一份綿薄之力，利用在半工半讀業餘之時，在進慶學長的引領下努力學習理論基礎，釐清歷史因素，闊展寬宏視界，對自己的人生觀、價值觀、世界觀重新學習和改造。把自己的前途與「立足台灣、胸懷祖國、放眼世界」相結合，定下目標，期使與群眾打成一片，一步一個腳印地走下去，直到促進國家統一的工作達成為止。因為我們認識到所走之路是真具正義、公理和愛鄉、愛國的先鋒之道；也瞭解到為弱勢族群爭權益、爭公義、搶政治陣地的重要性和必要性。

就這樣，《洪流》、《星火》、《戰旗》等刊物出現在當時的留日台灣學生生活圈裡，甚至發展到有一些來自台灣的工人朋友們也主動與我們接觸，彼此交換心得，共同學習。

不用說，在那個右翼體質的日本社會環境下，我們的活動是艱難的，包括日本外事警察的不定期登門造訪，給我們看清了日本這個曾經霸台五十年的帝國幽靈是隨時存在的。雖這樣，我們愈鬥愈勇、愈鬥愈具希望，因為周遭的愛國僑胞、明理人士和通情達理的日本朋友都是我們的靠山和力量源泉。可惜的是我們不成熟部份使我們「曝了光」回台不得，而感到真正的群眾不在我們身邊很覺遺憾。

日本當局對我們這批心向祖國，希求統一的台灣留學生是不具好感的，隨時都在伺機排擠。例如60年代發生的劉彩品事件、陳玉璽事件，背地裡都是牽涉到中日兩國政治鬥爭的案例。70年代之間，東京與神戶的華僑會館鬥爭事件，日本偏向國府的司法判決，以及1976年台灣留日學生林啟洋「強制收容事件」，在在都是反映日本右翼政府與中國政府在對台問題的政治角逐上，尖銳鬥爭的具體實例。

在我個人長達二年多的「收容」期間裡，進慶同志和愛國僑界不遺餘力地為我的重獲自由東奔西走，除了僑界，連日本人教授、日中友好團體，甚至東大醫學院的進步醫師，最後階段都參與了營救的行列。他，私底下還照顧我一家在收容所外的妻小，除了精神鼓勵、物質支援更不在話下了。進慶同志的這股同志愛、同胞愛是我能在收容所內長期抗戰的力量所在。

1979年初，終於「抗戰」勝利了，我恢復了自由。隨即從事於東京、北京之間的商務活動，因為大陸也在78年開始「改革開放」，全民皆商地衝向經濟戰線了，我們也加入行列。就在這段時間裡，進慶學長也應邀到大陸做客座教授，我們在天津南開大學他的宿舍裡也促膝長談「一國兩制」下的台灣問題的解決方法，直覺地感到，台灣問題的解決是長期的，我們心急如焚卻愛莫能助。80年代，就這樣很快地成為過去。

90年代起，進慶同志在他任教的學校裡主辦了「台灣問題懇談會」，不定期的召開有我們這些已白了髮的留日台灣學生，也邀請來自島內和歐、美的台灣籍學者、教授參與，共同座談海峽兩岸的各種問題。另外，他還在有力旅日僑領的支持下，與來自大陸的旅日學者、教授成立了「兩岸關係研究中心」，廣泛地交流兩岸信息，與日本各界人士互動，在促進中日友好、廣開言論，汲取各界對海峽兩岸在和平統一道路上的認同、共助。

這些繁雜忙碌的活動終於把進慶同志的身體給磨壞了。本來肝功能就不好的他又受了感染造成白血病，幾次入、退院，還是抵不過病魔在台灣光復六十週年前二天清早離我們而去。自今年春，定居台灣的我還是失去了與進慶同志再會一次面的機會。我們曾相約共同返台長住，落實「深入群眾」的願望。他雖有心，可是天公不做美，帶走了他。我，做為學弟、同志，除了哀悼，就是誓語：一定堅毅不拔地繼續為兩岸和平統一事業奮鬥下去。

過去諸事雖然成了只能追憶，但，這個屬於中國人的世紀裡，兩岸共同富強康樂、和平統一的日子，必然到來。在那一天，我們會向您稟報。可敬的進慶同志，還是一句話，請安息吧！

2005年11月20日

學弟、同志

林啟洋　敬弔於台灣台北

編輯凡例

一、為反映劉進慶教授一生「抵抗」與「學問」的軌跡，我們編選了這部文選。劉進慶的基本理論思考及其特殊歷史轉折中的重大經歷（特別是劉進慶參與或組織的重要會議、活動，或者團體），是本書希望著重凸顯的對象。

二、除收錄劉進慶單獨署名撰寫的文章之外，本書也收錄了劉進慶參與起草或連署的重要文獻。不是劉進慶所撰寫，但又關聯到劉進慶社會實踐的文獻，作為參考資料編入本書。參考資料採用不同字體。

三、劉進慶著作多以漢語和日語寫成（極少部分採用英語），有些已經發表，有些則無。本書所收劉進慶著作可分三類：(1) 劉進慶親自以漢語書寫或漢譯並已發表的論文，(2) 此前尚未公開發表的劉進慶內部文稿，以及 (3) 此前從未漢譯的論文。由他人所漢譯並已發表的劉進慶日語著作，或已收錄在《人間台灣政治經濟叢刊》等專書中的漢語論文，本書基本上不收錄。

四、為便利讀者了解劉進慶的生平與學術業績，本書兼以時間順序和文章主旨為標準，安排文章之間的次序。主旨類同的文章置於同一單元，單元內部的選文依照時間排序。單元與單元之間也盡量按照時間先後排序。

五、本書以六角括號〔〕校定每則選文的錯字與漏字；六角括號〔〕內的文字俱由編者所加。以〇字代替文字之處，亦為編者所加。此外，本書按照現代漢語的一般規範，統一調整每篇文章的漢字與標點符號。

六、劉進慶某些用語不同於漢語慣用詞或常見譯詞，但因這些用語正是劉進慶的行文特色，而非筆誤，故本書不予改動。例如：「難予」（難以）、「加予」（加以）、「阿片」（鴉片）、「連誼」（聯誼）、「膨大」（龐大）、「上開」（前述）、「野黨」（在野黨）、「平和」（和平）、「總合」（綜合）、「具多」（居多、大多）、「欠點」（缺點）、「事體」、「含意」、「涵意」、「意含」、「容認」、「總合」、「節節」，等等。

七、本書所收著作原無一致的注釋格式，因此本書將以劉進慶較常使用的注釋格式為標準，儘量使全書注釋獲得統一。基本格式如下：

> 責任者與責任方式，《文獻題名》，版本，出版地：出版者，出版年份，頁碼，圖表及其編號。

劉進慶漏寫出版地、出版者、出版年份之類的個別場合，本書儘可能重新查閱劉進慶所徵引的書目，加以補完。但劉進慶某些注釋相對簡化的地方（比方責任者與出版者相同，故省去出版者乃至出版地），本文集則視前後文脈能否順暢，保留或修訂劉進慶原來的注釋寫法。

八、為便於讀者掌握選文，本書針對極少部分論文調整了篇名，但仍將註明原來的標題。

九、本書每篇選文的原始出處、標題，以及相關資訊，可參見選文標題正下方的說明。選文需要個別說明之處，以「編者按」隨頁注於正文下方。

十、參與本書編輯工作的有：林啟洋與林邵雪瑛（本書策劃，中華秋海棠文化經貿交流協會）、邱士杰（本書主編。負責文稿的選、校、譯，以及注釋、按語、著作年譜之撰寫。台灣大學）、曾健民（翻譯，台灣社會科學研究會）、劉孝春（校譯，世新大學）、張鈞凱（打字、校稿、印務，台灣大學）、楊可倫（製圖，台灣大學）、陳乃慈（美編、印務，東海大學）、樊俊朗（打字，台灣大學）、林哲元（校稿，南京大學）、陳良哲（校稿，交通大學）、黃雅慧（校稿，交通大學）、許孟祥（校稿，世新大學）、曾育勤（校稿，艾賽克斯大學）、蔡文傑（校稿，中正大學）、林克睿（校稿，台灣大學）、劉羿宏（校稿，夏威夷大學）、吳冠倫（校稿，中正大學）、張立本（校稿，台灣大學）、羅汝琪（校稿，北京大學）、宋文揚（校稿，台灣大學）、李中（校稿，世新大學）、倪文婷（校稿，北京大學）、龍紹瑞（校稿，淡江大學）。以上按照參與工作的先後排序。

本書還採用了林書揚先生生前完成的譯稿。

目　錄

上　卷

七十年代留日台灣學生的政治集結與統獨分化

劉進慶與七十年代在日中國統一運動

台灣經濟的基本性質

兩岸經貿交流與台灣前途

下　卷

美日帝國主義與兩岸關係

反獨促統運動

兩岸關係研究中心與台灣研究

台灣民意與選情的調查研究

台灣史與台灣人

劉進慶文選：我的抵抗與學問

上　卷

六十年代旅日台灣留學生的反政治迫害運動

劉進慶致蔣經國信

1967 年 8 月，劉佳欽、顏尹謨兩位旅日台灣學生因在日秘密參加反蔣運動而先後在返台期間被補。史稱「劉、顏事件」。此一事件旅日台灣留學生中引起高度關注，白色恐怖氛圍瀰漫留學生之間。與此同時，時任東大中國同學會總幹事的劉進慶毅然投入劉、顏二人的救援運動之中，為反對國民黨當局的政治迫害而四處奔走。

本信寫於 1967 年 11 月 29 日。當時正值蔣經國訪日期間。劉進慶寫下這封陳情書後，在沒有事先告知的情況下當面交給蔣經國，希望能夠營救當時遭到台灣當局秘密逮捕的劉佳欽、顏尹謨兩位同學。本信原件為手稿，標題為本文選編者所擬。

蔣部長經國鈞鑒：

歡迎　部長來日訪問。

我們東京大學中國同學會，有一件事想奉告給部長知道的：

今年暑期就讀於東京大學的劉佳欽（公費、農經）、顏尹謨（私費、憲法）兩位留學生，參加中華民國留日同學會主辦的暑期回國訪問團回國。在回國期間，被當局逮捕。迄今未回校續學。因為大家都不知道其事實經過，也不明其何故理由，所以都感到不安。

關於這件事，留日同學都非常關心，我們曾向大使館以及留日同學會請問其真相，然而都沒有得到正面的圓滿的回答。這期間，流言百出，莫衷一是。我們認為這件事在不妨害偵查工作範圍內，應該對留日同學充分說明，以安人心，一方面，對外國朋友（例如教授、學生等），也要有個交待，不然，不但影響同學們心目中之政府的信望，而且在海外傷我國家民主法治的信譽至大。

我們怕　部長不知道這件事，藉此機會奉告，恭請　部長洞察這件事的重要性，賜於圓滿的處理。如果　部長方便，我們很希望跟　部長見面詳談。

專此　並祝

旅安

東京大學中國同學會　總幹事劉進慶謹呈

〔一九六七年〕十一月二十九日

〔住所略〕

劉進慶致宋越倫信

本信未註明寫作時間。經考訂，不早於1968年8月。宋越倫是當時台灣當局駐日使館參事。關於劉進慶寫作本信的目的，可參照本文選所收錄的另一篇文章〈劉顏事件備忘錄〉。本信原件為手稿。標題為本文選編者所擬。

宋參事越倫鈞鑒：

參事好。謝謝輔導與關照。

關於最近的「事」，本來很想訪晤　參事交換意見。然考慮參事忙，我又不長於說話，而參事的話我不一定句句都清楚。爰是藉此手紙申述敝見，如左：

此次東大同學會向　鈞處行文，其動機依我所了解，雖只憑劉佳欽家眷的請求而為，然而，亦認為依問題的性格來看，不能謂與同學或同學會毫無關係。假是所關聯的人，如果不是洪毓盛同學，而是眾人所悉的「台獨分子」抑或一個無名無知的人，那末大家也不會這樣神經的。事情之所以令人難堪者，即一般都以為洪同學是「忠貞分子」，而這「忠貞分子」一下變為「台獨分子」，這樣的話，同樣的邏輯，「台獨分子」也很可能一下變為「忠貞分子」。而事實上，劉同學的利害關係看來，前者比後者嚴重。這樣以來是非混亂，連輔導同學的　鈞處在內，誰也不能相信誰，大家不知何去何從。在這情況下，洪同學平日兼有很多公職，我們都以為　鈞處應知他的底細，同時，　鈞處是同學的上司，同學會請教　鈞處不但是當然，而是應該的。

至於為何同學會不以私下請教的方式，而偏用公文傳意一事。依我的了解，我以為劉、洪之事，雖有它「私」的一面，但亦有它「公」

的一面。同學會應該保持「公」的一面，而不該涉及「私」的一面。如果用私下的方式傳意，難免被誤為「救私」。同學會不該有絲毫不明朗的地方，同時，無論何事，都應該站在「公」的立場處理事情。此次站在公的立場而言，「救劉」是〔一〕回事，分明是非才是同學會主要的目標。是非分明的結果，一面得以令同學得以在海外安心就學，他面給同學在生活上有一個明確的指南。爰是，我以為　鈞處很需要及早將洪同學的身分查明告訴我們。

同時，我認為「台獨分子洪毓盛」這個問題，不但是同學所關心的問題，而且也是　鈞處的問題。關於這一點，我不該在此多嘴。我要強調的是：我們不是故意將此問題提出而來為難　鈞處。而是我們應該不分上下，就此問題都要有一番的反省。

至於究明洪同學身分，其結果是否利於劉佳欽訴訟是另一回事。我以為警備〔總〕部有它獨立的調查系統與立場，無論是同學或任何機關，對他們的調查資料不該也不得有此干擾，事實上，也是做不到的。然而事情關及海外，在外使館認為事實有出入，那也僅能夠經行政系統反應〔映〕上去，俾資調查當局做參考耳，當局是否採納又一回事。基於這一認識，同學會對　鈞處，我想不會有過度的苛求。也僅希望　鈞處萬一認為事實有出入，便將它反應上去耳。

談到我個人，我自去年插足這一事件很深。其實，劉、顏兩人我不認識，也識面。洪同學是這事發生後才接近我的人，如果不是我去年擔任同學會的總幹事，我也不會插足的。說到擔任總幹事，東大經濟學部因人少，出任幹事以輪流的方式，去年如果不是輪到我擔任，我也不去做幹事。既出任幹事，而大家既選我做總幹事，我就應該負起責任，忠實於職務。自擔任同學會的負責人以來，我一向對事做事，為事做事，以良識、正義與良心為憑，以國家與同學會的利益為會務的價值判斷基準，而從不為任何個人或團體做事。

一九六八年　劉進慶

劉顏事件備忘錄

本文原載於東京大學中國同學會會誌《暖流》第 14 期，1972 年 8 月發行。原文是日文，標題為〈劉顏事件覚書〉。

本文由邱士杰翻譯，劉孝春校定。

【簡歷】

劉佳欽：1935年1月31日生，台灣省嘉義縣人。住址，〔略〕。台灣大學農學院農業經濟系畢業。1967年度日本文部省獎學金官費留學生，1967年4月來日，東京大學大學院[1]農學系研究科研究生，專攻農業經濟學，指導教官川野重任教授。

顏尹謨：1940年7月10日生，台灣省彰化縣人。住所，〔略〕。台灣大學法學院法律系畢業，自費留學生。1966年12月來日，東京大學大學院法學研究科研究生，專攻憲法，指導教官芦部信喜。

【事件經過之備忘錄】

○　1966年12月，顏君來日。

○　1967年3月29日，劉君渡日前與盧照淑女士結婚。

---

[1] 大學院：相當於漢語中的研究所。——編者按。

- 1967年4月4日，劉君來日，住在目黑區駒場留學生會館。
- 1967年5月下旬，劉君通過《中央日報》（5月21日版）得知岳父盧木炎發生交通事故，數日後，由妻子盧女士的來信得知病危，非常擔心。。
- 1967年6月13日，劉君為了探望岳父，得到指導教官之同意，沒等休假便急忙返國。
- 1967年7月，顏君參加中華民國留日同學會暑期歸國訪問團而回國。
- 1967年8月14日至月底，顏君被捕。
- 1967年8月24日晨，劉君在台北被捕
- 1967年8月24日午後至26日深夜，遭到拷問，不准睡覺不准休息，並伴隨著體罰。
- 1967年8月28日午後至31日正午，遭到拷問，再次不准睡覺不准休息，而且不給喝水。
- 1967年9月5日，劉君在拷問中受到體罰，右手遭到三個月才能痊癒的毆傷。此後，獄中狀況不明。
- 1967年9月23日，在東大的山上會議所，邀請大使館的宋越倫文化參事列席中國同學會的學術討論會。在會上，劉、顏二君被逮捕的消息傳開，所有人都非常震驚。
- 1967年9月30日，留日同學有志一同發表以〈訪問團幹事可是出賣同學的販子〉為題的文書。
- 1967年10月7日，本會〔東大中國同學會〕劉進慶總幹事、徐世傑幹事前往大使館拜訪宋文化參事，要求公開劉顏事件的真相，即時妥當處理問題。
- 1967年10月25日，署名「一群的留學生」發表以〈我們的呼籲〉為題的文書。

- 1967年10月31日，本會向中華民國留日同學會與歸國訪問團追問事情真相，作為同學會，有責任採取行動，並在文書（東中同56-011）中提出要求。
- 1967年11月6日，本會劉進慶總幹事被大使館叫去。所傳達的要旨是: 眼下正在努力把握事件的真相，但還沒收到正式的報告。
- 1967年11月13日，中華民國留日同學會主席林恩顯針對本會前揭011號文書，用個人信函式的明信片，回信給劉總幹事。
- 1967年11月20日，署名「願為擁護正義一灑熱血的我們」發表批評中華民國留日同學會所發明信片的文書。
- 1967年11月29日，本會劉總幹事，不請自去東京山王飯店的宴席，將要求妥善處理劉顏事件的書函當面交給當時正好訪日的國防部長蔣經國。
- 1967年12月12日，中華民國留日慶應同學會針對此次事件，向中華民國留日同學會發表了支持本會立場的文書。
- 1967年12月中旬，早稻田台灣稻門會向本會發來以支持本會之救援運動為主題的文書。
- 1967年12月22日，台灣警備總司令部軍事檢察官以「叛亂罪」之由起訴劉顏兩君。（57年度警檢訴字第090號）。署名「流浪學生」的留學生針對前述明信片事件發表批判文書。
- 1968年4月下旬，本會劉總幹事被叫去大使館文化參事處，傳達了青年反共救國團關於劉顏兩君因叛亂活動的嫌疑而被捕，眼下正受軍事審判的文書（57青公字0598號）。此外，這份文書採取了救國團經大使館傳達給東大中國同學會總幹事的形式，針對此前交給國防部長蔣經國的信函，做出所謂的回應。
- 1968年7月上旬，劉君的家人將台灣警備總司令部的起訴狀、劉君的〈軍法辯訴書狀〉〈起訴書所認各項罪嫌均非事實之辯護理由與事實〉〈我在日本69天中的生活情形略述〉等四份材料寄至本會。

- 1968年7月20日，在日台灣人人權守護會（代表：宮崎繁樹）以〈東大生二人被求處死刑〉為題，在《會報》第一期報導了這次事件。
- 1968年8月8日，東京大學有志一同發表以〈呼籲東大教職員與各位學生，把東大生從死刑救回來〉為題的文書。
- 1968年8月10日，《亞細亞之友》（亞細亞學生文化協會）1968年8月號發表了關於劉顏二君被捕以及求處死刑的新聞。
- 1968年8月10日，盧照淑女士向本會發來委託信，希望調查洪毓盛的身分，因為他掌握著確定劉顏兩君罪證的關鍵。
- 1968年8月19日，本會鑑於洪氏是中華民國留日同學會之委員（1968年度）並擔任許多公職之事實，致函大使館（東中同57-014號），要求說明洪氏的身分。
- 1968年8月30日，本會將關於劉顏事件的上述四份資料送到大使館。
- 1968年9月，以東大的大學院院生學生為中心，成立了「劉顏君守護會」，不但分別向中華民國蔣介石總統以及灘尾文部大臣各自發去1039名與1040名的連署，還發行《守護會新聞》並展開救援活動。
- 1968年9月27日，東大法學部長辻清明、課程主任高柳信一、指導教官芦部信喜、農學部長古島敏雄、課程主任篠原泰三、指導教官川野重任等六位教授，通電蔣介石總統以下的國府首腦，發去以〈寬大處置二人〉為主題的要求書。
- 1968年10月10日，《亞細亞之友》1968年10月號，以這次事件為特輯，收錄了〈起訴書〉、劉君的信〈我在日本六十九天期間的留學生活〉、〈起訴書的記載事項無論如何都不是事實〉等資料的日譯文。

- 1968年10月11日，劉君個人所委託的律師，針對洪氏的身分，以文書方式要求駐日大使館說明。
- 1968年10月23日,「劉顏君守護會」派遣五名代表拜訪大使館文化參事處，針對兩人的現狀以及這次事件可預見的前景提出質問，此外，也打聽旁聽審判的可能性。
- 1969年4月，洪氏的護照在申請延期中，被大使館吊銷。
- 1969年11月28日，台灣警備總司令部軍事法庭對此次案件宣判（57年度初特字第5-15-24-35號），二人被認定有罪，宣判劉君有期徒刑8年，顏君有期徒刑15年。
- 1969年12月27日，兩人不服判決，向「國防部覆審庭」上訴再審。
- 1970年2月23日，盧女士將關於軍事法庭辯論要旨的資料六份送來本會。
- 1970年3月18日，洪氏在本會總幹事張勝凱陪同下，前往大使館，向駐日大使彭孟緝提出自己在言行、思想等方面都忠誠愛國的報告書。
- 1970年4月28日，駐日大使館重新發給洪氏護照。
- 1970年5月22日，東京大學加藤一郎總長對於本事件的審判動向表明了重大的關心，提出了希望當局妥善處理以使兩人能夠早日回到大學的要求書，送至蔣介石總統以下的國民黨政府首腦處。
- 1970年5月29日，駐日大使彭孟緝向東大加藤總長送來禮貌性的回信。

- 1970年6月，本會張勝凱前總幹事與賴石傳總幹事，陪洪氏前往大使館，見到宋文化參事，強烈要求他們能從當局的立場出發，明白肯定洪氏在日本的言行事實上均屬愛國。
- 1970年7月24日，盧女士致信本會，再次希望駐日有關當局能夠弄清楚洪氏的身分，明確證明其清白。
- 1970年11月4日，本會致信大使館，要求當局針對再次獲得護照的洪氏的身分表明立場，提出要求的文書是東中同59-005號。
- 1971年2月18日，劉進慶、張勝凱、賴石傳三人拜訪大使館文化參事處，對於本事件所見許多問題點提出質疑，並轉達了一般留學生所有的三點疑問，另一方面，如果證據不充分的話，也希望能夠及早釋放這二人，並要求上述意見傳回國內當局。
- 1972年1月31日，本會向內外各界發出兩千份〈要求釋放劉顏二君的公開信〉，呼籲釋放二人。與此同時，並向蔣介石總統以下的國民黨政府首腦與相關機構提出陳情，要求釋放二人。
- 1972年2月下旬：顏君的家人傳來顏君獄死的消息。
- 1972年3月10日，本會致信國防部覆判局以及警備司令部，質問顏君是否真的死在獄中。
- 1972年3月14日，國民大會祕書處致信本會，針對之前的陳情書，表達已經將之轉交給國防部以及警備總司令部。來信為61國處鏡議字第2828號。
- 1972年5月23日，大使館宋公使致信劉進慶，根據外交部發來的電報（5月19日，外61亞太1-10027號），顏君因治療肺結核而於1971年10月6日進入軍方醫院，並於12月28日出院，現在仍健在於獄中。
- 1972年8月，據台灣的國安局副局長王杰所言，劉顏二君於今年4月中被送到火燒島（即綠島）。

關於陳中統事件

本文原載於東京大學中國同學會會誌《暖流》第 14 期，1972 年 8 月發行。原文是日文，標題為〈陳中統事件について〉。

本文由邱士杰翻譯，劉孝春校定。

前言

劉顏事件發生一年半後的 1969 年 2 月，留學於岡山大學大學院醫學研究科的陳中統君在回國期間，沿著與劉顏事件非常類似的過程，就那樣被治安當局恣意逮捕，直到現在。此間，不僅僅大學相關人士，就連地方上的陳君救援運動也持續進行著。對此，我們的信息交流一來並不完整，二來儘管這個事件與劉顏事件幾乎是同時期、同性質，但直到目前為止卻還是淪於等閒視之的狀態。但我們也不能忍受因為這種怠慢和無自覺而深深感到的懊悔和自責。這次獲得岡山大學關係者的幫忙，在這裡披露關於陳中統事件的備忘錄。雖然有點遲到，但也希望能夠加入救援陳君的行列並成為其中之一翼。

陳君簡歷

1937年12月3日生，彰化縣人。住所：台北縣中和鄉枋寮街48-1號中和醫院。父親是陳朝安醫師。高雄醫學院畢業，1965年3月12日來日。1966年4月，進入岡山大學大學院醫學研究科就讀，專攻白血病以及癌症研究。指導教官：平木潔教授。1965年5月16日至29日，第一次回國。1967年11月24日至1968年2月15日，第二次回國。1968年11月23日，第三次回國。1969年2月21日遭逮捕。

陳君救援運動備忘錄

○　1968年11月23日：收到「チチキトク」〔父病危〕之電報後，陳君急忙返回台灣。

○　1969年1月20日：據來信，其父陳朝安先生奇蹟似地挽回一命，陳君長年未決的婚姻也有了著落，預定與新娘在2月最後一天前往日本。

○　1969年2月6日：因高雄醫學院院長杜聰明之媒酌，在台北舉行結婚典禮。

○　1969年2月21日：台灣警備總司令部突然傳喚陳中統並予以拘留。逮捕理由完全不明。

○　1969年3月10日：靠著平木潔教授，通過加藤六月議員，向中華民國駐日大使彭孟緝、國防部長蔣經國、外交部長魏道明、國民黨組織部長陳建中、總統府秘書張群等政府要人，提出第一次陳情書，並要求查明真相。

○　1969年5月9日：召開軍法會議，交付軍事審判以叛亂罪起訴。

○　1969年5月12日：魏道明氏、陳建中氏回信表明正在嚴正調查中。

○　1969年6月4日：岡山大學及同學關係者約七百名連署的第二次陳情書，通過大使館遞交給軍法會議。

○　1969年7月8日：平木教授以及喜多島康一醫局長與加藤議員一道，正式前往大使館拜訪駐日大使彭孟緝以及文化參事宋越倫進行陳情。同時，通過陳中統君周邊的友人與熟人，對其平日之思想與言行集合成具體的證言，作為第三次陳情書，通過大使館遞交給軍法會議。

- 1969年8月1日：軍事法庭宣判十五年徒刑。父親等人立即採取上訴手續。
- 1969年8月8日：拜訪原岡山大學漢文科教授、現任中國文化學院教授且與中國政府要人為知己的木下彪先生，經其建議而獲得岡山縣加藤知事以及岡山大學谷口校長等人的連署，並提出第四次陳情書送交行政院副院長蔣經國。
- 1969年8月19日：中國[1]報紙大篇幅登出「救救陳先生」的消息。
- 1969年8月20日：岡山的岡崎市長拜訪駐日大使館提出陳情。
- 1969年9月12日：木下教授前往台灣，自行趕赴行政院，在兩周之內，連續申請與蔣經國會面而未果。據蔣的秘書所言，截至目前為止的陳情書以及木下教授的親筆信確實都已閱讀，此外，根據審判的記錄，起訴理由乃是懷疑陳君留日期間，參加了「台灣獨立青年黨」，並將其宣傳單帶回台灣，勸誘三個朋友加入該黨。然而，證明上述情節的物證卻一個也沒有。很顯然，一切指控都是通過拷問陳君而獲得的自白及其友人的供述而來。
- 1969年9月27日：紐約時報登出關於陳君的同情消息。
- 1969年10月10日：小林達也氏趁著受邀參與國慶節而訪台之機會，向相關要人提出來自岡山日華親善協會的陳情書。
- 1969年10月12日：陳君新婚妻子所服務的台北「美國海軍醫學研究所」的上司對這次事件提出協助，平木教授正式向該所所長Watten發出委託書。

---

[1] 此指日本國內的中國地方。——編者按。

- 1969年11月2日：平木教授為了陳情決意自行赴台，新聞媒體俱對此進行了報導。
- 1969年11月10日：分析了各種狀況之後，平木教授特意決定延遲赴台時機。
- 1970年1月10日：月刊《亞細亞之友》（亞洲學生文化協會發行）第七十五號登出了陳的事件。
- 1970年3月10日：《亞細亞之友》第七十六至七十七合併號登出了「追索陳中統君救援活動之足跡——歸國而不回的岡山大學台灣留學生」特輯。
- 1970年4月28日至5月2日：平木教授與喜多島醫局長前往台灣，拜訪日本駐華大使館的板垣大使，這段期間剛好與蔣經國在紐約遭台獨分子槍擊的事件相重疊，到了必須靜觀事態的地步。
- 1972年2月：有鑑於世界情勢轉換，再次向蔣經國副院長提出赦免請願書。[2]

陳中統事件的問題點

1.正如以上經過以及紐約時報所登載的審判記錄所能看見的，陳中統事件在其性質上，與劉顏事件非常類似，都是捏造出來的政治冤獄。附帶一提，關於陳君之「罪狀」的唯一證據，縱然只是依據本人以及共同被告的「自白」的隻言片語，也能知道此間所有的事情。中華民國刑事訴訟法第156條第2項明白規定，「被告或共犯之自白，不得作為有罪判決之唯一依據」。更何況這樣的自白，乃是通

---

[2] 以下原插入一段1969年9月22日《紐約時報》關於陳中統事件的新聞摘譯，此處略。劉進慶所翻譯的新聞即：Fox Butterfield, A Taiwanese Doctor, Convicted of Subversion, Gets 15 Years, *The New York Times*, 1969.9.22.——編者按。

過不眠、不休、飢餓、脅迫、體罰之類超越人類肉體界線的非人道的拷問手段而造成的，這本身就是違法的。儘管如此，軍事法庭還是踐踏了其所應依據的審判手續，一味把無實之罪強加在陳君身上。像這樣，陳事件的審判可以視為不公正，乃至違法、違憲。陳君是無辜的，我們對這點深信不疑。

2.面對關心陳君安危的友邦師友們所提出的聲援，國民政府當局的態度卻完全傲慢無禮。先是陳君突然被逮捕，理由最初不明，然後直到被判刑，竟又變成了非常不可解的政治事件；與此同時，起訴的罪狀，甚至連極刑也有可能，性質可謂離奇。對此，岡山大學平木潔教授以下的同研究室的朋友們，作為陳君之恩師與同事，因為非常擔心陳君的安危，從而展開令人鼻酸的的救援運動，從人情上來說，實在理所當然，甚至是美事。何況，這些朋友們都是照顧中國留學生的友邦師友，從而，對於陳君在日本的生活或者見解，也是最為了解的一群人。然而，國民政府當局，不但完全無視他們鄭重的請願，對於幾次為了關心學生的安危而不遠千里拜訪台灣的平木教授一行人，也採取了極其冷淡的態度。作為一個有責任的政府，這樣的態度不能不說是非常傲慢無禮的。認為不這樣做就不能保持政府的威信，簡直是無知。就像前面幾次提到的，如果不維護審判的公正，到底又該怎樣保持國家的威信呢？通過這次事件，國民政府不外是愈發將其非民主的、專制獨裁的體質從裡裡外外暴露出來。對於有心的賢者來說，盡皆遺憾。

七十年代留日台灣學生的政治集結與統獨分化

一九七二年有關台灣問題之內外情勢的展望

本文原為 1972 年 1 月 15 日劉進慶在東京「台灣問題研究會」創會後首次演講會的演講稿。後發表於 1972 年 1 月 30 日發行的台灣問題研究會會刊《改造》第 1 號。台灣問題研究會是劉進慶參與創立的研究團體，他們積極介入了旅日台灣學生的各種活動，並展開各種調研。

本文所附錄的〈劉進慶的發言大綱〉原題〈七二年有關台灣問題之內外局勢的展望〉。原件為手稿，應是劉進慶在演講現場散發的參考資料。

1972 年的國際政治舞台上台灣問題將扮演重要的角色，1 月 7 日在美國桑克面〔Sacramento〕的美日首腦會議，是針對著 2 月下旬尼克森訪中之一環而開，其主要目的之一為佐藤趁此會談想探討尼克森訪中時有關台灣問題的腹案，據報，美日之間對台灣問題的立場不盡相同，這一點極值得我們提醒。

不可諱言的二十多年來國民政府之所以能夠安定台灣而擋阻人民政府的武力解放並立足於國際社會，完全靠美國武力協防經濟援助，日本經濟協助及其在心理上的支援來維持，因此，當今中美、中日問題之癥結就是台灣問題，基於此一認識，此次尼克森訪中對台灣問題之解決必定帶來極大的轉機。我們千萬不可小看尼克森訪中的意義。試想，世界最強大的國家之總統陪同夫人專程要訪問無外交關係，而且是敵對國家的首都與該國之首腦會談，這個事實是國際政治上史無前例，不要說在兩個首腦之間會締結什麼密約，僅在心理上就足夠給國際政治以及兩國人民有不可衡量的影響，此後，中美之間的經濟文化交流將益加盛行，阻礙兩國關係的台灣問題勢必往解決的方向展開，今年又是美國總統選舉之年，其結果，不管是尼克森連任或民主黨當政，中美接近的方向不致變動，不過美國對台灣政策的底牌，可能在競選期間的論爭上更臻顯明。

面對此一重大情勢之變化，國府如何對付而圖存，3 月的中央民意代表改選與總統選舉對台灣今後的航路說來，又是一件極重要的事件，它是否能夠真正的達成內部的徹底改革？是否能夠解消二十多年來人民對非常體制的不滿而鞏固現行體制？據說國民政府擬將吸收海外台灣獨立運動之動搖分子，來緩和內憂外患，因此在此期間，所謂「國台合作」之政治把戲的演出，並非沒有可能，假使今年國民政府體制的再編得以順利達成，則台灣內部或能再維持數年的安定，如果是不得要領，將加速內部的動搖，而增加所謂「國共合作」的可能。因此，3 月島內政局的動向將左右台灣的前途。坦白地說，國民政府是否真得會徹底改革體制，很有疑問，因為它已「年老病重」，小開刀治不好，大開刀怕丟命。所以我們對 3 月的改選不可抱有過份的期望。

其次，今年 6 月由於佐藤的下野而將引起的日本政局的動向，對我們同樣有緊切的利害關係，因為中日關係的癥結就是所謂「日台關係」。近年來中日復交問題已經成為日本民意的趨向，因此，不管佐藤之後誰擔當內閣首要，都不能不將中日復交問題做為日本外交上的主要課題。新內閣一上台，中日復交將進入情況，此後，國民政府在日本外交上所佔的地位勢將後退。由是佐藤之後的日本政局將與尼克森訪中雙管齊下地加速台灣問題的解決。

與中美、中日的接近背道而馳的是中蘇之對立，蘇聯為牽制人民政府，繼解決東西德問題安定歐洲均勢之後，將對日本加強笑臉攻勢，並充實海軍進出印度洋及東南亞一帶，企圖包圍中國大陸，國民政府趁機與蘇聯提攜之可能並非沒有，這可以由今年來國民政府在外交上之所謂「與無敵意國家建交」政策一點看出。因此國民政府與蘇聯今後的關係亦將影響台灣問題，對此我們應多加留意。

總而言之，今年從國際政治整個情勢而言，是政治重心多極化、東西冷戰體制趨向再編，而世界開始模索新秩序之年，從局地〔局部〕情勢而言，在遠東方面，是中美接近、中日復交開端之年，一方面，中蘇對立日益加深，在東南亞方面，隨著越戰的收束，各國向和平共存的方向移動，展開所謂中立化運動。面臨此一情勢，今年將是國民政府遷台以來最多事最多難的一年，也是台灣史上的一大轉捩點。

附錄：劉進慶的發言大綱

1972 年 1 月 15 日於初台區民會館

	既定重要事件	可預見之重要事件
1 月 7 日	尼克森、佐藤會談	扁加魯〔孟加拉〕之獨立
◎2 月 21 日	尼克森訪中	
○3 月	台灣，國民代表大會與總統選舉	
4 月	東西德柏林協定之簽印	
5 月	尼克森訪蘇	美軍自南越全面撤退
6 月	佐藤下野與內閣改組	
7 月	美民主黨大會與總統候選人之決定	
9 月	聯合國開會	東西德之加入與南北〔朝〕鮮之招請
10 月	國慶	中國全國人民代表大會
11 月	美總統改選	
* 可能發生之偶然事件：國家最高首腦〔蔣介石〕之死亡與政變		

概況：

○　國際政治中心多極化，東西冷戰體制之再編（瓦解）與新秩序之摸索。

○　中美接近，中日復交的開端之年。中蘇對立之加深。

東南亞情勢：隨越戰之收束，各國向和平共存之方向移動→中立化構想之具體的展開。

台灣問題：

○　二十多年來，美國之武力協防與日本之經濟協助及其心理上的支援，為國府存立之台柱，反過來說，當今中美、中日關係之癥結就是台灣問題。

- 中美、中日接近之戰略上的特徵為「力量之均衡」：尼克森訪中與台美軍事協防體制之維持；中日復交與美日安保及台日關係之堅持即為其策。
- 國際局勢的變遷加速〔1〕維持現狀、〔2〕台灣獨立以及〔3〕解放台灣的三者勢力之競賽。[1]

我們應有的認識：今年是歷史的轉捩點，黎明前的黑暗，但是千萬不要幻想，也不要依賴，勇敢地站起來，面對現實去解決問題。

[1] 〔1〕至〔3〕的編號為本文選編者所加。——編者按。

從個人的經驗談到台連會當前的問題

本文原載於1972年12月25日發行的東京「在日台灣留學生連誼會」機關報《台生報》第 84 號。劉進慶的這篇文章充分體現了當時旅日台灣學生之間的統獨分化。

聽朋友說，台獨派的文章在咬我，但我最近都沒有收到台獨的刊物，不知道是怎麼一回事。我不願想他們罵我才不把刊物給我看，我還相信自命搞革命的《台灣青年》的風度是不會那麼差的。

不過最近咬我的，不單是台獨刊物，連我一向愛護著的台連會這一期（第 83 號）《台生報》登載的陳自立〈西瓜主義——東大同学会の台湾将来についての討論会に参加した所感〉一文也在罵我。其口氣跟台獨文章脈脈相投，盡其做人身攻擊造謠惑眾之能事。陳自立是誰，我不得而知，他隱名罵人，令受中傷的我無法找人對質，很難為情。不過從其題目可以看出，陳某是參加 10 月 7 日東大中國同學會時事討論會的人。當天與會的人，我差不多都認識，除東大的同學之外，有不少是外面來的，「其中不乏主張台獨的人」。說來，這些人都是我平常要好的朋友，彼此之間無所不談，對各人的想法和人生觀都很了解。因是，這幾年來，也都可以相處，甚至共事幾件良心事。於我來說，我仍不願想這些朋友對我不同的見解就來誹謗我的人身，因為我相信大家都為台灣人民造福著想而苦惱。有異見，就事論事，不必前面捧後面罵，咒人咒不出政權來。再說，假使罵我的就是我要好的朋友，被自己的兄弟咒，無話可說，我只能深省自己對台灣同胞內心苦楚的認識還不夠透徹；分擔同胞的甘苦，還不夠份量。

然而，不管陳文是誰寫的，陳文中有對我做人身攻擊，並造謠誹謗我的部分是事實，對此我雖然很不舒服，然而，傷我的事小，傷及《台生報》以及台連會的作風才大。我一向愛護台連會，可是最近以來台連會的作風越來越走偏，這樣下去，留學生可能要失去一個自己的會。

日前，新任總幹事王啟洋[1]兄對我說：「《台生報》登有批評你的文章，也應該有給你說明的機會，如你寫一文來投，我們一定照登」。王兄的話很公平，我沒有理由拒絕，同時我更感到這次新任幹事們的責任很大，不但不能不理他們，而且更應該來鼓勵這些年輕的小老弟們擔當起這個責任替大家服務，為台連會新生茁壯而勇往邁進。於是不願再吃得罪人的虧，在此提筆，就這半年來自己親身體驗的事例，指出台連會當前所面臨的問題兩點，俾作大家改進本會的參考。

（一）《台生報》的立場不可以偏袒一方，也不要變成言論的暴力機構。

說過去《台生報》的立場有沒有偏袒？我說有。具體的說，對比較帶有政治性的文章，採取非台獨路線的文章不登的態度。舉我親自體驗的事例來說吧。今（1972）年 7 月間，我寫了一篇〈三五〇與一五〇之比〉為題的文章投稿《台生報》，其內容大致是說，站在不同體制的觀點，分析台灣與中國大陸的國民所得所表明的經濟意義，我的

---

[1] 即林啟洋。林啟洋於 1972 年 12 月 17 日當選台連會第十屆幹事會總幹事。參見《台生報》第 84 號所登載的〈第十屆幹事簡介〉，以及本文選所收錄的〈林啟洋回憶錄(節選)〉一文。——編者按。

結論是台灣與大陸的生活水準單靠國民所得數目是不能比的。結果，《台生報》到現在一直不給我登載，也不把原稿退還給我。我曾問編輯負責人和學術幹事，他們說內容有問題，又說兩個所得不能比，怎麼可以登。其實，那篇文章就是在論述二個所得數字不能比的道理，我這樣說明，他們還不理睬，你說這是什麼作風？他們對一個會員的投稿已經失去公正的態度，如果對別的會員沒有這樣的情形，那麼為什麼把我差別呢？

再說《台生報》有沒有變成言論的暴力機構一點，我說有。茲舉陳自立一文為例來說，《台生報》編輯部竟然〔允〕許陳文隱名對我盡其人身攻擊之能事，這就已經構成嚴重的言論的暴力，尚且文中有一段事完全是憑空編造出來的，編輯對這件事不但沒有盡究明之責，而且有故意然許之嫌。對此我可以舉出事實來證明。

陳文中有一段話是說，什麼「討論會之後，劉進慶馬上跑到國府大使館見公使宋越倫說，自己如何被台獨派挨罵的情形，扮演好像替蔣政權奮鬥的樣子……」。我的天啊！這是什麼話？這半年來，我沒有到過國府使館，也沒有去見過任何「官員」。9、10、11 月間有許多人到「使館」辦理護照延期，而我都沒有去，為什麼有這樣的話出來？

這個謠言，是 10 月 7 日東大討論會後不久的某日（10 月 10 日前後）東大同學會總幹事跑到國府使館見上述公使宋氏談話後，由這個人口中塑造出來的（有陪同的人可作證）。這一段經過與上開捏造的話對比，可知咬我的人在「打人喊救人」。謠言傳出，有位朋友問我，我才知道。當時，我馬上找該負責人說個明白，之後在一次聚會上，我也給幾位朋友叮嚀過，也給《台生報》的幹事說明過，絕沒有這回事。然而，今天我才知道，這些自命批評現體制的人，今天寧可聽信當權者官員口中模稜兩可的訓話，也不相信這個相處共事幾年的老兄弟的忠言，難道奴主的話比兄弟的話可靠嗎？中了人家的分化尚不知，自相「拉腳」倒積極，哀哉，台灣兄弟們啊！為什麼我們的奴性這樣的根深柢固而不能自拔？今天我們力爭台灣的民主化，然而我們自己，在言論作風上，連民主初步都沒學到，怎麼能夠說《台生報》是民主先聲的刊物？是大家的園地？

我衷心希望新任幹事，不再犯上這種錯誤，把《台生報》耕耘成真正大家的言論的園地，讓百家在此齊鳴，百花在此齊放。

（二）「台連會」活動不要給人有著羊頭狗肉的印象

記得，去（1971 年）秋，施清香、簡文介、廖明耀回台時，台灣報章的報導中，指台連會稱「台獨外圍組織」，當時，台連會馬上發表聲明，抗議此一用詞之不當，並再三表明台連會不是台獨的外圍。自今夏以來，台連會活動的政治性越來越濃，於是一般留學生就跟不上來了。

台連會是大家的會，應該辦到任何立場的人都能夠放心，輕鬆愉快地來參加各項活動才算成功。千萬不可偏袒於某一政治立場；替某一政治集團做買辦，不然的話，留學生大眾的眼睛是雪亮的，他們將會識別羊頭狗肉脫離活動而去的。我說，幹事個人的政治立場應該有，並不必當了公職就放棄它，只要是執行會務時，個人的政治立場與會的立場要分明便是。

好在台連會有新陳代謝，而且幹事會具有相當的自主性，新人新作風，只要新任幹事肯幹，重新匯合留學生的公意走向大眾路線，只要我們會員積極參與，鼓勵幹事改進，這個會是有前途的。我雖遭受挨罵，但仍願見它茁壯長大，替更多的台灣留學生服務，爰此執筆坦述感觸，敬請大家倍加批評我，指正我。言中，我虛心學習；言不中，大家來討論。我相信這不但是我個人之幸，而且也是台連會之幸。

〔資料 I〕

劉進慶與台灣問題研究會

本單元選錄劉進慶所參與創立的台灣問題研究會相關材料。〈台灣問題研究會成立沿革〉一文節錄自 1972 年 1 月 15 日發行的台灣問題研究會會刊《改造》第 0 號之外，其餘文獻則節選自同年 1 月 30 日發行的《改造》第一號。

台灣問題研究會成立沿革

一、緣起

眾所周知，台灣的前途亦就是我們的前途。為台灣的前途開拓光明大道，乃是每一位熱愛鄉土的同胞所不可逃避的責任。因此我們懷著沈重的心情參加集會研討，企望能為廣大的同胞群眾提供一個不分黨派、立場的對話的場所。

本會於 1971 年 8 月 14 日首次集會以後，至同年 12 月 26 日的第十次會正式成立為止，國際間局勢的激變使人有一葉知秋的預感。尤其對於台灣的前途關係休戚的中共在聯合國獲得正式地位以後，更使本會加速成長。今後本會的發育茁壯，全看我們的留日學友僑胞的努力和團結而定。

二、展開

茲將本會醞釀期間的十次集會（前後參加人數五十一名）提要簡介如次：

- 〇 第一次會：8 月 14 日於新宿，曾討論組成「政治革新促進會」未果。
- 〇 第二次會：9 月 4 日於新宿，參加人數大增，熱論「尼克森休克」。
- 〇 第三次會：9 月 18 日於初台研討「中國代表權問題」。
- 〇 第四次會：9 月 25 日於渋谷集中討論「會」的組織，名稱和目標等議案。
- 〇 第五次會：10 月 10 日於渋谷又討論「中國代表權」問題。
- 〇 第六次會：11 月 3 日於赤門討論「聯合國對中國代表權的決議與我們的前途」並議決〈國是決議書〉。
- 〇 第七次會：11 月 14 日於代代木研討「建立台灣為新國家體制其得失如何」。
- 〇 第八次會：12 月 11 日於初台討論〈國是建議書〉，劉顏事件及本會的組成問題。
- 〇 第九次會：12 月 18 日於代代木討論有關組會問題。
- 〇 第十次會：12 月 26 日於初台，本會正式成立。會中並選出委員會人員。

三、構想

台灣問題研究會今日成立了。今後本會將是我海外學友僑胞的共同研討的公開場所。我們希望藉此公開的討論，蔚為公論，期能喚起我海外同胞對台灣前途的關心，以求真正解決的途徑。

台研會的行事預程：

1 月 15 日（土）下午 1 時，千駄谷區民會館。報告討論：展望 1972 年的局勢——劉進慶。〔以下行事預程略〕

台研第一屆委員會委員簡介

台研第一屆委員會委員共五名，乃於 12 月 26 日全體會議中，經無記名投票選出。玆介紹各位委員經歷如下：

○ 主委：張勝凱。台大畢業，東大農研營養化學博士課程，曾任東大中同會總幹事。

○ 委員：劉進慶。台大畢業，東大經研應用經濟博士課程修了，曾任東大中同會總幹事。

○ 委員：陳再明。政大畢業，東京教育大學文研金融論博士課程，現任政大旅日校友會聯絡人。

○ 委員：林庭儀。中興大畢業，明大法研民事法學博士課程。

○ 委員：黃文雄。早大畢業，明大政經研經濟史學修士課程修了，曾任台連會總幹事。

台灣問題研究會會刊《改造》第一號節選

台灣問題研究會會章

第一章　會名

第一條：本會定名為「台灣問題研究會」。

第二章　會旨

第二條：本會以喚起我海內外同胞對台灣前途之關心共同研討有關台灣之各種問題，藉公論以謀求解決之途徑為趣旨。

第三章　會員

第三條：凡贊同本會旨者，均得加入本會為會員。

第四章　組織

第四條：會員大會由本會全體會員構成之為本會之最高決議機關。

第五條：委員會由委員五名構成之，委員由大會以無記名投票方式選出任期為三個月，得連選連任。

第六條：主任委員由委員互選之，負責總括責任。

第七條：委員會設置下列各小組，由委員擔任之。

（1）宣傳小組——擔當宣傳工作。

（2）連絡小組——擔當連絡工作。

（3）財務小組——擔當會計工作。

（4）資料小組——擔當資料工作。

（5）其他。

第五章　活動

第八條：本會為達成設會宗旨舉辦下列各種活動：

（1）研究討論會—每月舉辦兩次。

（2）會刊——《改造》為本會會刊每月出版。

（3）其他。

第六章　財務

第九條：本會經費由下列方式籌足之：

（1）會費—會費由會員共籌之。

（2）募金—本會接受各方面的捐贈。

第七章　公約

第十條：會員在會中或會外言行必須一致。

《改造》釋義

人類的歷史可以說由於人性不斷的蛻變而形成，而人性蛻變的根源，乃在於自我改造。在歷史的過程中人類為著適應社會以圖生存，為著有意義的生存與價值的創造其蛻變的形態，從個人與社會的觀點來看，不外乎有社會改造與自我改造兩種。先說自我改造之類型，諸如宗教信仰，將精神寄托於神仙；將命運委之於來世，或者如叔濟〔齊〕、伯牙、竹林七賢隱遁於深山，皆為此一類型，其次社會改造，諸如反抗、造反、革命便是。

就自我改造與社會改造之歷史意義而言，只有自我改造而沒有社會改造，頂多只能在社會上產生少數的宗教家、慈善家、道德家、人格主義者，而無法使整個人類從貧困與無知之循環中解脫出來，這些慈善家、道德家的存在，乃封建社會與資本主義社會的歷史產物，而並非人類共同追求之理想的蛻變形態。這些人存在之社會基盤乃是沒有經過改造的舊社會，其存在之意義，無非是舊社會之體制奉仕者，從今日的觀點來看，就是反動者。

可是，宗教家可因在現世建立理想的天國；慈善家可因社會福利的推廣；道德家可因人權之受尊重；人格主義者可因個人主義的幻滅，而均喪失其歷史意義。在歷史舞台上，取而代之者，將是改造社會的革命家，這般聖人君子將因革命家之出現，以及社會改造之展開而失卻其存在之歷史意義。

因此，只有自我改造是無法完成社會改造，有時卻因這般聖人君子之自我改造的成功，而阻礙社會改造的推動，社會有了改造，才能構成全人類的自我改造之基盤，並創造其必然性。但是這並不意味著自我改造的成功之必然性。就個人而言，投身於社會改造之運動中才可達成與社會連帶著的真正的自我改造。

就我們這批讀書人而言，做學問的態度如果僅僅止於探求事理、解釋經義，則不但改造不了社會，連自己也不能改造，我們不但要做學問，而且還要投身於社會，經過與大眾連帶的實踐才能受社會改造而改造自己，進而改造社會。

編後語

○ 雖然是一份鄙陋的刊物，但也經過一番非常激烈的陣痛才誕生出來的，月份不足的半熟兒，我們非常擔憂能否活下去，但盼各同胞能賜溫情，同心協力來愛護養育她。

○ 二十多年來，我們的社會長久被一個大的藉口置於嚴格控制之下，迫使一般青年消極沉默，近年來國際間風雲詭譎，稍有良心血氣青年，無不憂心如焚，三五聚首論談國是，因此，於去年 8 月 14 日結合幾個三、五小團體首次座談會以來，多次不斷的集會研討，我們終於 1 月 15 日經大會通過會章，正式成立，並定名為「台灣問題研究會」。

○ 關於討論會名時，各同學曾熱烈提出很多名〔稱提〕案意見，其中以「台灣革新研究會」及「台灣問題研究會」二案為較多數意見，部份同學認為「革新」二字近來政府也天天高喊，但雷大雨小迄今絲毫未見有「革新」跡象，頂多褒揚幾位拒收紅包的交通警察，而大事宣傳喻為「革新」績效，政府是否真正有誠意魄力、勇氣、大刀闊斧「革新」一番，頗令人懷疑，為免被人誤會我們是人云亦云的應聲蟲，「革新」字意雖佳，實有須割愛避嫌之必要。其他同學也皆認為會名為形式上的小事情，今後如何建立一富強康樂民主自由的國家，才是我們最大最重要任務，無必為此無關緊要之事費時間，大家棄小異就大同，最後取名「台灣問題研究會」，草案中的第二條大會一致認為畫蛇添足，無此必要刪除。

○ 最後我們再三強調,「台灣問題」這場戲是不分演員觀眾的,我們白天既要為學業,晚上又得受苦勞苦「顧三頓」,人力財力極其有限,希望各位兄弟姊妹同心協力,有錢出錢、有力出力,幫助指導我們,謝謝各位。

〔資料 II〕

台灣問題研究會對於島內外「革新保台」運動的見解

台灣島內掀起「革新保台」運動之後，旅日台灣學生也於 1971 年 12 月 25 日形成呼應「革新保台」的綱領性文件——〈國是建議書〉。一時間，形成了跨校際的政治集結。以下選登這份文件以及這份文件衍生的相關宣傳品，即日期標記為 1972 年 2 月 27 日的〈在日學生團體共同發表〈國是建議書〉〉（標題為本文選編者所擬）。這兩份文件均按劉進慶保存的原件影本刊印。

以下選登的〈關於島內兩份「國是」聲明的報導〉、〈談〈國是建議書〉與〈國是諍言〉〉，以及〈東西留日同學交流記〉等三篇文章，則是台灣問題研究會對於旅日台灣留學生響應「革新保台」運動的報道。第一篇文章原標題為〈國內各界與輿論對「國是意見」的彙報〉，發表於 1972 年 1 月 30 日出版的《改造》創刊號。另外兩篇文章則發表於 1972 年 3 月 1 日出版的《改造》第 3 號。以上材料均署名「台灣問題研究會」。

然而日本留學生之間的「革新保台」運動很快因為島內政治形勢之不振而出現危機。〈國民大會與封建性法統：夕陽無限好，只是近黃昏〉一文就是台灣問題研究會針對島內形勢而提出的批評，客觀上體現了「革新保台」運動在旅日台灣學生中的政治破產。此文原載於 1972 年 4 月 2 日出版的《改造》第 5 號。署名「台灣問題研究會」。

國是建議書

自從政府被迫退出聯合國以後，我國在國際社會陷入孤立，國基動搖人心惶惶。今後國家命脈，唯賴國人之精誠團結。

然而空言團結並無濟於事。政府在台灣地區實施戒嚴非常體制已歷二十三年。在此期間，人民的生活福祉，政治自由均在反攻之國策下被犧牲殆盡！其犧牲何等重大，痛苦何等深刻，忍耐何等長久，而今竟落到如此地步，寧不令人痛心！

察其最大癥結在於政府以一隅之地卻標榜代表全中國，長久維持不合現實之政治體制，故步自封，致使在外不能立足於國際社會，在內國家社會病態叢生，大眾怨聲載道。政府再不面對現實徹底改革國是，將無以國存！

過去，許多同胞因為積極諫言，而竟身陷囹圄，長期受羈，以致社會大眾對政府發生疑懼與憤懣，乃是政府與民眾協同團結之最大障礙。今後國家應走之方向惟有開誠布公，即時釋放政治犯，切實保障人民之言論、集會、結社之自由等基本人權，以收攬民心，應納民意，鞏固團結基礎，同時解除非常體制，解散失去代表民意之國民大會、立法院、監察院，由現轄內國民重新普選代表，使國家早日走向正常發展之途徑，實為當前國是之迫切要務。

基此認識，我們促請政府速納下列基本事項：

一、解除戒嚴令，廢止動員戡亂時期諸法規，釋放政治犯，保障基本人權。

二、解散國民大會、立法院、監察院並在台灣普選代表，厲行民主憲政。

中華民國京都留學生同學會

中華民國留日關西同學會

早稻田大學台灣稻門會
明治大學台灣同鄉會
東京大學中國同學會

關於島內兩份「國是」聲明的報導

自從政府被逐出聯合國以後, 國內各界與輿論對國是紛紛提出意見，茲特簡介如下:

(1)《大學》雜誌，第 46 期，1971 年 10 月號〈國是諍言〉:

這是一群少壯學者為慶祝「建國六十週年紀念」而共同發表之建議書, 全文舉凡二萬字包括了戰後四分之一世紀台灣的政治, 經濟文化, 社會等各方面的剖視, 並提示其問題癥結及具體建議。建議涉及台灣的「政體改造」、「經濟建設」、「法治建立」以及「言論思想自由的社會開放」等, 將戰後國民黨在台灣執政的腐敗性、幫會性、落後性矛盾, 因循以及導致現今台灣處境的重重危機, 做一全盤檢討以緊湊〔其〕理論基礎, 爽直的指陳問題所在, 為名符其實之〈諍言〉, 是近年來台灣罕有重要文獻。

(2)〈台灣基督長老教會對國是的聲明及建議〉:

「台灣基督教長老教會」擁有教徒二十萬人, 為國內最大宗教團體。聲明主旨有二: 一為向國際聲明: 台灣人民擁有權利〔力〕選擇自己生活方式, 有權利〔力〕決定自己命運; 二為向國內建議: 要求政府改革，作中央民意代表的全面改選革新政體。

鄉友們! 對於這兩篇建議書, 您作何感想, 在那一塊毫無言論自由的國土，我們的親友已不能再緘默了。他們的熱情，他們的大無畏精神，他們對體制不滿的呼聲，我們能再無動於衷嗎？國際局勢正逼使政府不得不變，客觀環境令我們不得再逃避現實，自我的改造也不能夠解決問題，唯有積極的參與社會改造，提出富有建設性的意見，我們這一代的青年方不會被歷史拋棄。

在日學生團體共同發表〈國是建議書〉

文別：呈

受文者：總統府、行政院、各中央民意機關、各政黨中央黨部、台灣省議會、台北市議會。

事由：為留日學生團體對國家時政革新圖強之建議書呈請參酌採行由。

一、去年以來國際政局日益激盪，其對我國影響之大不可計量，我等身處異邦心在故國，實不敢袖手旁觀也。是以我等留日同學爰不揣愚陋殫精竭智聚議討論時政而彙納為文成〈國是建議書〉乙篇（請參照附件）。[1]

二、前項〈國是建議書〉中所條陳深切時弊，容或有逆耳之言，但信其為救亡圖存之苦口良藥，謹具文檢呈鈞鑒，懇祈參照採行，則國家幸甚人民幸甚。

三、副本（含附件）抄呈送：各縣市議會，各報社雜誌社，各有關單位。

呈請人：
中華民國京都留學生同學會
中華民國留日關西同學會
早稻田大學台灣稻門會

---

[1] 即本文選所收錄的〈國是建議書〉(1971.12.25)。——編者按。

明治大學台灣同鄉會
東京大學中國同學會

談〈國是建議書〉與〈國是諍言〉

眾所矚目的〈國是建議書〉終於在留日各同學會共同簽名下，於前幾天，向國內執政當局正式書面提出，這是打破了十幾年來的沈默。戰後，台灣留日學生首次站在體制內，對國是發表了共同的見解及要求，可說是一次富有歷史性的壯舉。

當去年底〈國是建議書〉於東大同學會討論表決時，幾乎是全場一致（贊成36票，反對1票）通過該案。繼之轉送各同學會爭取共同步驟時，除少數學友有修正意見外，該案終以狂風卷殘雪之勢，獲得絕大多數的贊同及喝采。

〈國是建議書〉所建議的皆為最基本的問題。更具體的、細節的提言未被列入，固是美中不足，但只要基本問題解決，其他小問題，都不難迎刃而解矣。若基本問題未解，無法對症下藥，頂多是頭痛醫頭腳痛醫腳，談何革新？比如最近國內部分報章雜誌及黨政機關天天大喊改革行政機構，充實民意代表機構，大量起用新人，但也不過起用了幾個心腹青年，宰掉幾處政敵把持的行政機構，補選了幾位民意代表，舖張舖張騙騙人而已。

綜觀〈國是建議書〉全文，要言之即「廢除惡法，實施民主」，亦就是要求「真民主」。但內容所列兩點，還不夠透徹。今日台灣的政治現狀大多是人為的因素，也就是一小撮人無視人民大眾的希求而一意孤行所致，故要求除惡應重於創新。比如在建議書上應加上「解散違憲的特務組織」、「停止愚民教育」、「廢除經濟剝削制度」……等等。

當然，〈國是建議書〉與國內大學雜誌的〈國是諍言〉，有此起應之感。但內容相形之下，不免有小巫見大巫之歎。不得不讓我們這批海外學友自慚形穢，今後，所謂「海外學人」有不得不向「國內學人」，多多學習接受啟蒙之必要。我們都瞭解，國內學人對國是發言，受客觀環境的嚴格限制，四周都有監視的可能。寫出的〈諍言〉都是切身而中要害的問題。反觀「海外學人」遠離鄉里，雖有意運籌帷幄於千里之外，但難免脫離現實，流於形式，而且又察言觀色，縛手縛腳，不敢直陳直言，當然內容上不如〈諍言〉之一針見血，但在追求留日學生對當前體制問題的共同見解時，雖未能深入而近似口號，亦不失為一進步現象。

本來讀書人是社會上的寄生階級。雖然讀書人也為社會生產一些知識或向學生大眾推廣一些新知識，但有時為表現知識廣博，未免過於裝腔作勢或羊頭狗肉。我們不能否認讀書人比大眾更易發現社會毛病之所在，但也有一批唯恐失卻其寄生基盤之讀書人，還要裝聾作啞，假痴不癲，對於自己，對於社會應盡的責任不但無法挑起，甚至從中破壞。

據說，當〈國是建議書〉由東大同學會寄到慶大同學會總幹事林學友及東京教育大總幹事陳學友處時，都不轉達給其學友，而將其「冰凍」，這種作法顯然未盡一位同學會負責人傳達學友的來往文件與消息的義務。當然這批能一手包辦同學會總意的負責人，賴以寄生的是缺乏正義之腐化社會，而其蔑視〈國是建議書〉乃在於確保自己賴以寄生之土壤，但我們不能讓這批欺騙同學，封鎖意見的學友遁形，而讓他們的原形畢露。

東西留日同學交流記

多年來期望著的東西（關東與關西）留日同學之交流終於實現了。2 月 27 日，京都留學生同學會為針對著當今國內外情勢之變化，特地召開臨時大會，舉辦國是研討會，當天關東的同學數人為響應國是公論之掀起，促進東西交流，專誠〔程〕趕路參加這次國是研討會。這可以說是打破過去在日留學生各地割據，我行我素的消極態度，而積極地開展留日學生活動史上之一項創舉。

會上先由關東同學報告〈國是建議書〉之簽署經過，〈要求釋放劉顏二君的公開書〉之趣旨，台灣問題研究會的近況，關東以及世界各地留學生的情況。接著按照同學會的計劃研討當前國內外情勢，主辦者準備的資料非常豐富整理的手法至顯明晰，論點一目瞭然，各位同學發言踴躍，分析緻密。為全面支持〈國是諍言〉（大學雜誌）、〈對國是的聲明與建議〉（基督長老會）、以及〈國是建議書〉等三項國是諫言並為加強建議內容最後通過一項決議，即將提出「革新建言」。會中併行捐募劉顏二君救援基金，為數可觀，由此可見同學對國是改革之熱忱。

凡是留學生對國是的關心不分東西都是一樣地真誠，尤其關西在地理上少受腐化政治「公害」的污染，關西同學的想法，做人做事態度真坦誠，這一點值得大家學習。

我們衷心期待今後這種交流活動更加長茁、長大。

國民大會與封建性法統：夕陽無限好，只是近黃昏

為期月餘的國民大會第五次會業已於3月25日開幕。在國難當頭，革新求變呼聲四起之中開催的這次國民大會，最後表現出來的，不但是一無所成，而且是更加保守、更加反動。其假法統之名，充專制之實的功能於此表露無遺。茲就其問題所在指出如下：

這次國民大會標榜的兩大重要任務有二：一為鞏固國家領導中心，選舉總統；另一為維護民主憲政法統，擴大政府基礎。為達到

此目的，大會便對具有超憲效力的動員戡亂時期臨時條款又一次加予修訂，總括其修訂概要可分為兩點：第一點，就是將授權「總統……得調整中央政府之行政機構及人事機構」之權限擴大「及其組織」，以利鞏固領導中心，亦即所謂「組織」問題。第二點，就是將第一屆國代原封不動，並將其任期明文規定延至「光復大陸」時止，另一面在「自由地區」增加名額選出次居代表，但立〔委〕、監委之海外代表由總統遴選，俾得維護法統，擴大政府基礎，亦即所謂「屆次與遴選」問題。

不可諱言的從我們原初期望政府做一次徹底的政治改革之出發點來看，這次國民大會決議的改革事項完全是應付、敷衍。不但毫無革新可言，而且是反動至極。第一，當今台灣人民最期望改革的是政治的民主化，也就是還政於民，而並不是什麼從上而下的「鞏固領導中心」，實質上是加強既成的專制獨裁制，這顯然是對民主化開倒車的反動措施。我們要知道，今天中華民國總統獨攬國家大權於一身，人民之生殺與奪皆掌握在其手中，其權力之大，足可與中國歷代帝王類比，這總統當選的得票率高達 99.3%，除共產極權國家不談，可謂世界之冠，但正因為如此才表示我們的民主政治最落伍，因為這個數字是由一群被稱為特權階級的國代「貴族」所組成的「投票機」投出來的。

第二，依我國民主憲政的立國精神而言，法統不是一成不變的，當它蛻變成封建性法統時，非革除它不可。然而，這次國民大會對此問題不但沒有交代，反而藐視民意，假藉維護法統之名，把已失去代表性（既不能代表全中國，也不能代表台灣）的第十屆代表自封為「終身職」，一面為懷柔民心，擬「自由地區」點綴性的選出為數不過十分之一的「充員」代表，按期改選。對海外立監委之增選，則不顧違犯民主憲政的立國精神，竟採用「遴選」之制而復活了名符其實的封建性法統。我們所理想而六十年來用億萬同胞的血肉築成的「民國」之台基，至此作聲崩潰了。如果說這是非常時期的措施，則四分之一世紀的「非常」本身就有問題了。再看國代諸公在處理「組織」與「屆次」問題時所表現的態度，則全為個人的利益著想，把已經夠保守的原提案吵吵鬧鬧地修改成對自己最有力的方案，來維護既得權益，其醜態之至，令人心寒。這樣的國代諸公，如何對得起受苦二十多年的台灣人民，更如何對得起孫中山先生以及革命先烈？

總之，這次國民大會不但沒有做到全民所期望的徹底改革，反而假借維護民主憲政法統之美名，充實封建性專制體制之內容，是民國以來最反動的一次政治戲，簡直是自欺欺人。不過我們已事先預料到今天的結果，因此並不灰心，也不失望，相反地，倒表示我們一向的看法沒有錯，而增加我們對情勢認識的信心。同時，也給我們省悟到今後救國行動的方向。

〔資料 III〕

台灣問題研究會關於
東亞各「分斷國家」的看法

以下選錄的〈從南北朝鮮的和談公報談台灣問題解決之途徑〉一文，原載於 1972 年 7 月 15 日出版的《改造》第 11 號。這篇文章是台灣問題研究會針對如何解決當時普遍存在於東亞各地的「分斷國家」問題而提出的初步方案。作者署名「台灣問題研究會」。

從南北朝鮮的和談公報談台灣問題解決之途徑

南北朝鮮雙方政府的首腦代表經由秘密會談折衝後達成和平統一的共同合意事項，在 7 月 4 日分別向全世界發表聯合公報的內容。至是從去年以來南北赤十字會晤所展開的南北和平統一運動乃由民間的交涉進入政府間的政治會談，這種努力是值得評價的！

在聯合公報的七項和平統一的原則裡，最值得稱道的是第一項：「南北的統一應由自主而和平地實現」，同時第二項更約束：「為了防止軍事衝突的事件應積極採取各項措施」，而第六項更更具體：「設置『調節委員會』以解決南北統一問題。」這個公報就性質說，近從和平協定，或不行使武力宣言，其作用直接地緩和了南北的緊張情勢，而間接地促使南北的逐步達成和平統一。

在錯綜複雜的國際政治裡，所謂牽一髮足以動全身，而牽髮的往往是強權或大國，因此弱小國家常常成了強權大國調整勢力的籌碼！我們之所以對南北朝鮮的標榜「自主和平」的統一原則大加贊賞，正因為和他們有著同樣的認識與不安，深怕成為美蘇與中共等權私相勾結「取引」下的犧牲品，所以南北朝鮮在和平統一的聯合公報裡開宗明義標榜「自主和平」的原則排除外來勢力的介入，這在將來解決台灣問題時毫不遲疑地應是不可遷就的最大原則。

然而這裡必須指出的幾個問題〔雖然〕是在韓國所發生的事情，〔但〕有不少〔也〕是在我們的身邊存在著的現象。

第一、南北朝鮮既然互相合意用「自主和平」的方法尋求南北的統一，那麼韓國的派兵南越行為是對別國的武力介入，助成別國的分裂，這顯然和所標榜的「自主」、「和平」、「統一」諸原則矛盾，己所不欲毋〔勿〕施於人，韓國既然有信守公報的約束的誠意，便應撤兵南越，以昭信於世界。

第二、韓國政府為了與北朝鮮協議統一問題，派遣首腦代表前往「敵國」，並招請「敵人」的首腦進行談判，秘密協議，然而韓國的國會議員即因「通敵」而被處死。這種「州官可放火，百姓不准點燈」的封建作風是難服人心的，對這類「政治犯」，宜予寬容處理。

第三，這次南北朝鮮突然宣布要和平統一，對南北的人民無異是「青天霹靂」的喜訊。本來韓國政府一直主張要解決統一問題必須經過三個階段。即從尋找離散家族的人道問題的對話開始，進而文化經濟等非政治的交流，然後進入統一等政治問題的協議。去年開始的赤十字會談便是屬於第一階段，但是它的「正式會談」未及開始，即一躍而進入兩國首腦的直接和談統一問題，這種過程是人民不在，基本人權不曾被重視的。

誠然南北朝鮮所發表的和談公報共同致力於「自主和平」的統一，不但是朝鮮史上值得特筆的事，而且對現今世界分裂國家的統一也打了一針催生劑。我們所要強調的是公報中幾項「自主和平」的原則是非常寶貴的理念，然而達成這一協議的過程是不便苟同的，尤其公報發表後韓國政府的高姿勢，處死「通敵」的「政治犯」的作法，將來也會發生在台灣，那是不可思議，而必須批判的。

無可否認的，二十幾年來，台灣海峽兩邊的人們，由於國共的抗爭而被隔離（不是分裂）所付的代價，尤其台灣問題的複雜化，台灣住民長年地成為國民黨為了奪回在大陸失去的政權的祭牲。它為了這個目的對外依恃美國的軍事與日本的經濟來撐腰，自然要向美日付出絕大的代價，而對內乃施行長期戒嚴，剝奪憲法所保障的基本人權，加給人民的龐大負擔耗用於國防與外交，實在得不償失！

南北朝鮮在朝鮮戰爭以來長期敵對之後忽然聲明要和平統一，這並不就意味著權力者會犧牲小我完成大我，即是南北的統一尚有不少坎坷，何況對話也是一種「對決」的方式，然而這總比訴諸「戰爭」來得賢明，因為歷史上黷武主義者終要玩火自焚的。

二十多年來台灣問題懸空不決，台灣的老百姓別談要與大陸交流，即連口頭上偶而要談及大陸的事情都會存有「犯罪感」，紅帽子的橫禍是可怖的，從前台灣有某人寫信要求中共不要「武力解放」台灣竟被處死刑，然而誰又敢保證有朝一日政府首腦不會和中共的首腦「和談」而突然宣布國共合作？

和平談判是當今世界的潮流，違犯它的難保不遭滅頂之禍，因而台灣問題的解決，「武裝解放」、「反攻大陸」都是違反這個潮流的，雖然我們全面主張自主和平的方式解決台灣問題，但是在過程與方法上類似朝鮮的方式是無異於出賣人民的行為。我們所要提言的是不但要用和平自主的方式，還要喚起全民的參與和支持七億的人民和一千五百萬的基本人權的本質並無差異，這在聯合國憲章與憲法是有其保障的。

因此結果不管台灣問題的解決是「合作」，是「獨立」，是「自治」或是「自治省」，最首要的是必須得到當事人的同意和支持，不但對外不容許任何強權外力的介入，對國力更不允許少數特殊首腦人物形同「私相授受」的「秘密取引」，更不可以有「偷鉤者誅，竊國者侯」的封建作風，因為歷史的審判是嚴肅而冷靜的！

〔資料 IV〕

劉進慶與保釣運動

以下所選錄的〈釣魚台列嶼問題研究會成立宣言〉原為傳單，時間標記為 1972 年 6 月 25 日。本文按原件排印。劉進慶是本會之發起人，故收錄此文。

釣魚台列嶼問題研究會成立宣言

一、成立

我神聖領土釣魚台列嶼經美、日兩國政府抹殺事實，罔顧國際公約，私相授受，竟於 1972 年 5 月 15 日隨同琉球群島一併由美國移交日本。我輩留學生對於美日政府此種強權霸道與喪心不義的蠻橫作法無不悲憤填膺，乃由關西同學會發起，邀請全日本愛國留學生於 1972 年 6 月 25 日假大阪市梅田國際學友會館成立「釣魚台列嶼問題研究會」。

二、會章

1. 宗旨：收集有關釣魚台資料，研究有關釣魚台列嶼地理歷史法律政治資源等問題，以正日人視聽，並研究和平解決爭端之方法，而保中日民族友誼。
2. 名稱：本會定名為「釣魚台列嶼問題研究會」。

3. 會員：凡對釣魚台列嶼具有關心者，均得申請加入為本會會員。
4. 組織：
①本會設執行委員會執行本會會務。
②本會於各地區設分會由 5-7 名委員組成之。
③分會設主任委員一人，由分會委員互選之。
④本會設會長一人，由主任委員互選之。
⑤會長、主任委員、委員半年改選一次，連選得連任。
5. 活動：
①蒐集釣魚台列嶼有關之一切資料。
②研究各種問題並發行刊物。
③舉行討論演講等集會。
④其他必要之活動。
6. 經費來源：
①會員每半年繳納會費 500 圓。
②本會歡迎各界熱心人士或團體之襄助。
7. 附則：
①本會自中華民國 61 年（1972 年）6 月 25 日起成立。
②會章得由本會全體委員三分之二以上之通過修改之。

三、呼籲

釣魚台列嶼是我們的神聖領土，凡我愛國同胞絕對不該，也不能再沉默了。大家踴躍響應，參加我們的愛國保土運動。大家團結起來，為自己、為國家、為民族出一份力量。

釣魚台列嶼問題研究會

　　會長張雅孝

關東分會

　　主任委員：戴昭憲（東大精密機械工學專攻）

　　委　　員：吳奇宗（明大法學博士）

　　　　　　　劉進慶（東大經濟學博士）

　　　　　　　陳再明（東京教育大博士課程）

　　　　　　　汪義正（慶應大經營學專攻）

　　　　　　　賴英哲（東大化學專攻）

　　　　　　　邱勝宗（明大法學專攻）

關西分會〔名單略〕

劉進慶與七十年代
在日中國統一運動

從台灣雜誌看邱永漢

本文原載於 1974 年 9 月發行的《洪流》(橫濱) 第 6 期。劉進慶署名:「江林」。這是目前唯一能在《洪流》上確認的劉進慶筆名。

本文附錄的〈邱永漢是帝國主義者嗎?〉原載於 1974 年 2 月發行的《中華雜誌》(台北) 第 128 號。

邱永漢這個人不但是台灣人民所唾棄的吸血鬼，而且是眾人得誅之而尚有餘罪的帝國主義走狗和賣國賊。

1971年底蔣幫反動集團被世界人民揭穿假面具、趕出聯合國。台灣省內有錢有勢的人則惶惶不可終日，都想往外國跑；無錢無勢的一般台灣人民則背地裡稱快。這不正是我們打擊蔣幫這些落水狗的時候嗎？但是，一些搞台獨自稱為台灣人謀福利的投機分子卻接二連三地回台去向蔣幫賣身求榮。這就表明了他們的投機本質，暴露了他們自己口說「為台灣人謀利」，實是掛羊頭賣狗肉，為自己掙名利。他們要為自己謀福利，沒什麼好反對；但為什麼要借我們台灣人民的名義營他們的私利呢？為什麼推銷「台灣獨立」的貨色，企圖分裂國家，破壞國土的完整呢？

到台灣去「投誠反正」的台獨分子以邱永漢這傢伙罪惡最深。他帶引了一批經濟蛔蟲到我們的家鄉去吸食我們台灣人民的血肉，大搞新的政治投機，充當外國資本主義的走狗，大撈人民的血汗錢。

像邱永漢這類走狗的本質，已被台灣島內的有識之士和熱血澎湃的青年學生所識破，自去年秋以來，不斷地被指名道姓地拖出來抨擊。

去年10月，台灣某「立法委員」在「行政院」提出的質詢中有如下的說法：

> 最怪異者，為邱永漢君之活動。前台獨邱君歸義後，即以「賺錢鬼才」之稱號出現，每次率領日本中小企業來台，報紙大是宣揚，儼然財神下降。十次來台，獲准登記之事業有八：甲、邱永漢綜合計畫公司；乙、邱永漢東洋劍具公司；丙、邱永漢火腿公司（兼營冷凍機及魚類）；丁、邱永漢開發公司（興建國民住宅出售）；戊、邱永漢國際企業股份有限公司；己、邱永漢育樂公司（經營飲食飯店、放棄結匯）；庚、邱永漢爵士公司（專製男女服裝）；辛、邱永漢時準精密公司（裝置手錶、小型電動機、加速器。）自經濟之企劃以至對外貿易、農工水利、國民住宅至民生衣食，無所不包，儼然一太上經濟部矣，邱君後盾實為日本石川財團、並與日本其他會社聯絡。現正推動於中壢建大加工出口區，設立時準公司。而其廠房亦將租售其他日本諸會社。然則邱君究為何種身分？經濟部所說之「華僑」乎？抑日本中小企業消滅台灣中小企業計畫之「手先」乎？日本正企圖恢復新「大東亞共榮圈」，首先完全控制台灣經濟與資源。邱君目的何在，此不可不問也。

然詢者自詢，做者照做，所謂「政府」也者，實係與邱君狼狽為奸、官官相護的榨取剝削統治集團，又外有「大國」勢力的支配，內有漢奸的應合，苦哉我等台灣人民何時得以出頭天?!

今年5月6日，邱永漢在《聯合報》上寫文章說：「最令人難於釋懷的是：有些人更別有居心地在雜誌上指名道姓，惡毒地加我以『帝國主義』的頭銜，指責我為日本的經濟侵略做先鋒。」[1]

針對此一文章，台北的《中華雜誌》6月號上，刊出一篇〈邱永漢是日本經濟侵略的先鋒嗎？〉對邱氏的自我維護，展開猛烈的反擊。作者王盛寫出：

邱氏所指的，當然是《中華雜誌》12卷3月號58頁讀者通信：

> 以「賺錢鬼才」號召，並以邱永漢名義在中山北路開的咖啡店和餐廳，一般人都知是日活的太保太妹電影明星石原裕次郎和北原三枝所開。此「鬼才」邱永漢在2月13日《聯合報》有專文說：（中引邱文，略）他前面「華僑」、「外人」並舉，最後說政府對過去外資納稅不得再加。這是過去帝國主義者的所謂協定關稅的同樣態度。如果像邱永漢這樣的僑資其名，日資其實之投資不來台，我們謝天謝地。我們要告訴政府，鬼才鬼話，切不可聽。
>
> 一群台灣學生　二、十。[2]

我是上面通信的簽字人和起稿者。這信是說邱永漢以帝國主義者協定關稅的態度，說政府對外營利事業並不能加稅，題目並用「？」號，沒有肯定邱永漢是「帝國主義者」。帝國主義者是白種人或大和族才夠格，《中華雜誌》不致糊塗到認邱永漢是外國人。[3]

---

[1] 即：邱永漢，〈分清對日人的敵友觀念〉，《聯合報》，1974年5月6日，第2版。——編者按。

[2] 參見本文附錄。——編者按。

[3] 即：王盛，〈邱永漢是日本經濟侵略的先鋒嗎？〉，《中華雜誌》（台北），第131期（1974年6月），以下大段摘引的部份均出於此文。——編者按。

文中還舉出三項事為證：即一，以上述通訊所說之事為證；二，以邱永漢的「人生經驗」為證，痛斥邱永漢如何做外國經濟侵略先鋒的事實，他指出日本中小企業的技術在本國不能生存，便由邱權威帶到台灣，來消滅本省的中小企業！這就是外國經濟侵略的先鋒罪證。尤其對5月6日邱在《聯合報》上連載的三篇文章，更可義正辭嚴地指出：

> 用不著任何調查，邱氏三文，完全是執行日本外務省的方針：「消除對日批判」。如邱永漢要吹氣球，也可說是邱永漢是「日本外務省消除對日批判方針的導師！」然而這種反批判也是荒謬絕倫的。第一、到台灣投資就是親我？那必須說，一切帝國主義者就是親殖民地的……。第二、日本技術合作在台業已八十年了。到底合作到幾時為止？……。第三、……邱氏所謂日本人之勝於美國，亦是吹氣球。日本講經營之書，都抄譯自美國，邱君能指出一本說邱君這種謬論的日本企業觀念的書嗎？日本人比美國人厲害處，乃是較美國人更能卑鄙、更能使用東方的「酒色財」三位一體，使用御馳走、藝妓和紅包，玩弄鄰近落後地區之厚臉皮的絕無企業精神的小市儈或經濟國賊，為當其先鋒而已。

最後，在結尾上說：

> 我們中國人新年時互相恭喜發財，這政府願意人人發財，我們當然也希望邱永漢發財。但發財必以其道、發財之道無鬼才，猶之「幾何學中無迂路」。發財要靠資本、經營和技術。而在今天、技術是資本之資本、經營之經營。不幸我國今天發財以三條路最出色：一是直接升官發財，二是間接靠官商勾結發財，三是靠日本技術發財。尤其「靠」日本中小企業投資發財，這只是「為」日本中小企業發財，只是做日本小鬼之小鬼，而吸自己父老兄弟血汗之鬼才。如果邱永漢還是

耽溺於什麼中日技術合作，做日本經濟侵略的嚮導，那老實不客氣地說，將是《中華雜誌》上期所說的「經濟國賊」。

在台灣那種法西斯特務橫行，社會正義沈淪、私心橫溢的狀況下，有這樣敢於揭發黑暗面慷慨陳詞的正義之聲的出現，我們不得不給予高的評價。愛國不分先後，我們支持台灣島內所有反封〔建〕、反帝、反剝削、反獨裁的正義鬥爭。

徹底掃蕩掉吸人民血汗的渣滓、蛔蟲、才能建立起台灣人民的當家作主的機運，天下沒有不經奮鬥而能獲到的幸福，我們所有台灣出身的人們，包括被蔣幫奴役過的大陸來台同胞，必須勇敢地向黑暗鬥爭，掙〔爭〕向東方紅太陽的路上走，才能真正抬頭挺胸、重見光明，我們也揭發像邱永漢這類民族的敗類，予以殲滅才能停止血的被吸、人的被奴役。認清敵人、徹底打擊敵人，革命才能成功。

附錄：邱永漢是帝國主義者嗎？

以「賺錢鬼才」號召，並以邱永漢名義在中山北路開的咖啡店和餐廳，一般人都知是日活的太保太妹電影明星石原裕次郎和北原三枝所開。此「鬼才」邱永漢在2月13日《聯合報》有專文說：

「新修正之獎勵投資的規定：自今年1月1日起，凡在中華民國境內無住所或居所之個人，及在中華民國境內無分店或代理人之外國營利事業，其所得之紅利、盈餘應繳納之所得稅(即一般所謂「就源扣繳」)，自以往之15%，提高為35%。……」「自在我國投資之華僑以及外籍人士觀之，則其感受又自不同。因為，稅率自15%提高為35%，即意味著去年每百元紅利繳納15元之稅金，今年開始則須繳納35元。換言之，即在一夕之間增稅達1.33倍之多。」「我們必須認清一個事實，那就是：我國的合資企業，大部份都是依賴外國資本或技術而漸形發展者。」「還有，稅率提高為35%之後，台灣過去所具有的投資方面的吸引力即將蕩然無存，也就是說，國外資本將裹足不前。倘使今後不再需要引進新的國外資本，為財政部或經濟部的方針，自當別論。進一步遵循貿易立國的大原則，繼續發展經濟的話，似乎應當遵守當初的承諾，把稅率回復到15%的水準。」[4]

他前面「華僑」、「外人」並舉，最後說政府對過去外資納稅不得再加。這是過去帝國主義者的所謂協定關稅的同樣態度。如果像邱永漢這樣的僑資其名，日資其實之投資不來台，我們謝天謝地。我們要告訴政府，鬼才鬼話，切不可聽。

一群台灣學生　二、十

---

[4] 即：邱永漢，〈社論：縮小獎勵外人投資此非其時〉，《聯合報》，1974 年 2 月 13 日，第 2 版。——編者按。

〔資料 I〕

《洪流》與中國統一促進會

為幫助讀者進一步認識到劉進慶參與的《洪流》與中國統一促進會，以下選錄幾則有代表性的相關文獻。

首先，〈《洪流》發刊詞〉、〈呼籲：愛國留日學生聯合起來！成立「中國留日同學會」〉(署名「本刊同人」)、〈台灣人與祖國〉(署名「李小東」)、〈現階段留日學生應有的基本認識〉(署名「淡水河」)。均選自 1972 年 10 月發行的《洪流》第 1 期。

其次，〈台灣人民的前途是非常光明的〉選自 1972 年 12 月發行的《洪流》第 3 期。作者署名「本誌評論員」。

其三，作為內部文稿的〈中國統一促進會會章〉。寫於 1973 年，原件為手稿。

其四，〈寫在《洪流》復刊之前〉則選自 1974 年 9 月發行的《洪流》第 6 期。

《洪流》發刊詞

一年來，國際政治局勢瞬息萬變，我國內外同胞無不感到驚濤駭浪。在這歷史的一大轉折點，留日中國學生也紛紛舉行各種討論局勢的聚會。可是，那些聚會多半起於討論，終於討論，雖然有了促進認識局勢的作用，但是難免止於書生論議，對於這個歷史性的大轉變絲毫沒有貢獻。更令人感到遺憾的是各種聚會大多是此起彼落的偶發性質，不但沒有自覺的實踐意義，甚至於居然還有一部分學生竟然看不清楚歷史的大方向，走錯了路線，乃至在那裡固執抵抗，逆流而行。

《洪流》是歷史潮流的產物，是順應時代的要求產生出來的；同時它也要反回去為歷史服務。那就是給予青年朋友一個聯帶的機會和耕耘的園地，並期正確地反映歷史的方向。留學，最大的目的在於回國為人民服務。祖國的要求是多方面的，為了承擔將來的任務，為了改造自己，現在，我們應該聯繫起來，匯聚力量，共同討論，認清方向，站在一起，為解放台灣，為建設社會主義祖國，攜手並進！

呼籲：愛國留日學生聯合起來！
成立「中國留日同學會」

在日本，在美國，在世界各地都有所謂中國留學生的組織團體。可惜，那些團體不是扛著「中國」招牌，倒行逆施地幹著反中國反共的勾當，便是假藉什麼同鄉會聯誼會的名義，數典忘祖地大搞分裂主義的玩意兒。這種充分暴露反動性和分裂主義的既成團體，都不是每一位愛國留學生所能接受的。可是許多年來，我們實在忍耐了太多，屈服了太久。一來，考慮到反動派的手段毒辣；再來，憂心於團結力量的未臻壯大。因此，我們遲遲未能揭竿奮起，大聲疾呼，更不知錯過了多少愛國的機會。魯迅說：「失掉了現在，也就沒有了未來。」我們再也不能保持沉默了，我們要自覺地站起來，團結所有可以團結的力量，聯合所有熱愛社會主義祖國的留學生，快速地成立「中國留日學生會」，好讓所有在日本留學的在校的，和已經畢業的留學生參加這個愛國大家庭。

中國留日學生，有過去的輝煌歷史。中國近代史上，偉大的民主主義革命——辛亥革命的發起；早期的中國共產主義思想的導入;「五四運動」高潮的掀起; 反帝反侵略的八年對日抗戰的獻身; 日帝佔據下台灣地區的留日學生的反殖民運動; 五十年間異族統治反抗運動的前仆後繼，在在都貢獻了留日學生的血淚。中國留日學生的愛國不後人的輝煌歷史，史跡斑斑、有目共睹。

二次大戰以後的中日關係的不正常現象，終於在 9 月 29 日正常化了，二十七年來，留日學生雖只從台灣和海外僑居地而來，人數已達三至四千人。雖然，也有所謂「留日同學會」或「在日聯誼會」的組織，但是，這些團體不是反動派的御用團體，便是台獨分裂主義派的外圍組織。他們所稱的祖國，不是中國，所愛的國家，也不是中國。世界上，包括美國，日本在內都承認中華人民共和國才是中國唯一合法的政府。中國，只有中華人民共和國才是我們的祖國。愛國不分先後，大家趕快起來，成立真正代表中國留日學生的「中國留日學生會」。

我們不僅熱愛祖國，更要熱衷社會主義。因為偉大的祖國的社會主義建設，突飛猛進、成果輝煌，給世界上即將走入社會主義道路的新伙伴樹立了好榜樣。同時，也贏得了不同體制的友好國家的喝采。我們堅信歷史的方向，一定是走向社會主義道路的，這是歷史的必然性，也是不可抗拒的時代潮流。

我們慶幸大陸同胞的早已解放，也巴不得早日解放台灣。留日學生，大半是來自反動派盤據著的台灣省。我們當前最大的課題，便是解放台灣。解放台灣是我們光榮的歷史任務。只有把台灣從蔣介石賣國集團的統治下解放出來，只有完成這個光榮的任務，才能實現我們偉大祖國的完全統一, 才能獲得偉大的中國人民解放事業的完全勝利，才能進一步保障遠東及世界的和平和安全。

在此，我們鄭重呼籲，愛國的留日學生聯合起來！快成立「中國留日學生會」。

台灣人與祖國

我們在這裡所說的台灣人，就是中華民族的福建人、廣東人以及其他省籍來到台灣定住的人，同時包括中國少數民族之一員的台灣高山族在內。所以台灣人就是中國人，就是中華民族的一分子。這是任何人都不能否認的。

至於祖國這句話，從政治學的觀點來說，它是民族主義的基本概念，是現代國家形成過程中的歷史產物。儘管未來歷史是走向解除民族主義的方向而發展，但是民族主義卻是近代國家形成的價值基礎。換句話說，現代的國家就是民族國家。一個國家由單一或多數的民族而成，各民族有他們所屬的國家，人們有他們心向的祖國。不用說，中國人的祖國是中國，具體地說，就是七億中國人安居而具有完整國土的中華人民共和國。現在流亡在台灣的「中華民國」，只不過是盤據著一個省分的政治渣滓。它既不能代表中國人民，也不能代表台灣省民，何況怎麼能夠說是中國人的祖國！基於以上的認識，台灣人的祖國當然是中國，是中華人民共和國，這是天經地義的。

可是今天，台灣人對「祖國」這句話的感觸可以說曖昧，自然他們對祖國的情感也就不那麼單純了。我們常聽到人家說，台灣人，尤其是二次大戰以前就來台久住的本省人，他們有深切的愛鄉土的情感，但很少有祖國的觀念。換句話說，缺乏民族意識。很遺憾地這句話有它一面的真理在。

但這個事實含有非常深刻的問題在裡面，我們千萬不要這樣就來怪台灣人不對，誤以為台灣人的意識落伍。台灣人並不是不要祖國或者不愛祖國。事實上，近百年來，台灣的政治情勢屢次把他們從祖國隔開。滿清異族遺棄了他們，日本帝國主義剝奪了台灣人心向的祖國，至於今天的蔣集團，他們不但是自己背向祖國，而且不讓台灣人知道祖國，甚至不擇手段來中傷祖國，致使台灣人迷失了祖國。這是一項民族分裂的悲劇，今天，我們有必要對這由於不幸的歷史留下來的民族問題之癥結冷靜地加以探討，以便除去民族再匯合時的心理上的障礙。

1895 年，滿清朝廷腐敗無能，不顧台灣人激烈的反對，竟把台灣割讓給日本。台灣人雖然被遺棄了，但是仍然覓求各種機會起來反抗日本，意想回歸祖國。日本占領台灣時，那「民主共和國」運動中「永清」年號的制定，該是其明證。接著，在日本統治台灣的前期，那可歌可泣的民眾抗日鬥爭史，更可證明台灣人根本就不屈服於異民族的統治，每次拼命爭取民族解放，企圖復歸華夏祖國。例如，羅福星、余清芳起義，就是其最好的例證。

到了後期，日本軍國主義猖狂。這時，日帝認識到為要動員台灣人的人力物力參與其對外侵略，非消除台灣人的民族意識不可。於是就採取所謂「皇民化運動」，裝作「一視同仁」的姿態，加強奴化教育，並用利誘的方法推行「改姓名」，說日語（例如「國語家庭」）一類的運動。不可諱言的是在這段時期，有一些靠攏資產階級或知識分子，竟放棄了自己的立場，附尾日帝搖旗吶喊。也有一部青年被強迫參與日本侵華的隊伍到祖國，竟假藉日軍的虎威欺凌大陸同胞，這實在是一件很痛心的事。日帝逼使我們同族相仇，其毒計至為可惡。可是我們台灣人到現在，對這件事有沒有深自反省過？這個問題尚留待我們去探討。

然而，無論如何，台灣人是不會為日帝一時的欺騙和利誘所迷惑而輕易地喪失民族意識的。台灣光復時，台灣人那種熱烈慶祝復歸祖國的場面，就是一個最好的說明。

1945 年，我國抗戰八年勝利，把日帝從全中國境內，連同台灣一地的殖民地政權一併趕走。台灣終於回到祖國的懷抱了。當時，台灣同胞的心情是多麼地興奮。祖國軍隊和官員前來時，各地的台灣同胞，不分男女老幼都由衷地歡心鼓舞，簞食壺槳夾道歡迎。台灣人從日帝的殖民地統治解放了。整個台灣充滿著歡悅和解放的氣氛，人們都覺悟到自己將是國家的主人翁，彼此競相率先而認真地學習國語，發音不正確，也不害羞，師資不完備也不怕難，學習從來沒有見過的許多新名詞的意義，好比民族主義、民權主義、民生主義幾句話給人們新鮮無比的希望。隨即大家對台灣的遠景抱著甜密的美夢。

可是，沒有料到跟陳儀來台的一批軍政人員全是假公濟私，腐敗無能的貪官污吏。軍隊的紀律更亂，軍人不但不維持治安，保護人民，反而到處強要人民的財物，隨便調戲婦女，欺辱百姓，豈止不像話而已。正因為當初台灣人的期待過大，失望也越深，於是 1947 年 2 月的二二八民變終於爆發了。它是戰後腐敗政治必然的結果，台灣同胞不謀而合地到處起來反抗陳儀政府。然而以陳儀為代表的蔣集團，不但不知悔過，反而驅使一貫的欺騙高壓手段來鎮壓民變，結果慘殺了數以萬計的台灣同胞。尤其是地方上的領導人物或開明人士，在這次的民變中，幾乎全被逮補，甚至戮殺殆盡。光復以來台灣同胞對祖國一片熱誠敬愛的心情自此一併消失了。

說來，也許是勝利來得太快，祖國來不及好好地準備接收台灣的工作；也許國內解放戰爭接踵而來，顧不到台灣戰後復修，因此鑄成這樣的大錯。可是一再感到遺憾的是 1949 年底，蔣集團，居然逃亡來台，之後二十多年來，濫用特務恐怖政治的慣技來壓迫台灣同胞。同時，對外勾結美日帝國主義來抗拒祖國的解放工作，把台灣再度從祖國割開，堅持分離的局面。對內則盡最大的功夫來推行徹底的反共愚民教育，假藉「反共」之名，稱祖國為「匪」，歪曲事實，教唆台灣人痛恨祖國，親自製造同族相仇之局面而不能自拔，其詭計與罪過比諸滿清和日帝有過而無不及，中國民族的敗類，莫過於此。更不幸的是，台灣人又一次被剝奪了祖國，延續其苦難的分離史。

試問蔣集團，如果把「中華民國」當做台灣人的祖國，那末這二十多年來，到底是台灣回到了祖國的懷抱，還是「祖國」投進了台灣的懷抱？說起來啼笑皆非。

由是可知，今天台灣人迷失了祖國的主要原因，顯然在於戰後蔣集團的暴政和賣國分離主義所致。蔣集團在台自稱「祖國」，強迫台灣人承認流亡武裝集團就是「祖國」。台灣人知不得言，言不得盡，只好對這假「祖國」離心，不幸的是對蔣集團認識不夠的人，連大陸祖國也一併把她迷失掉了。

然而，問題的癥結尚不止於此。我們要知道，今天台灣人迷失了祖國這個問題的本質乃在階級問題。尤其是社會主義中國成立之後，這個本質更可明白地看出來。台灣人之中，有貧窮的人，有富裕的人。我們可以斷言，台灣的農民、勞動者、小生意人現在仍然是蔣集團、官僚買辦資本的剝削的對象。不管蔣集團的反共愚民教育如何徹底，客觀上，被壓在社會底層的台灣人民沒有不要社會主義祖國的理由，更沒有拒絕跟祖國人民連帶的理由。他們越受剝削，就越認識到祖國的可愛。我們相信他們的這種民族的，階級的情感誰都擋阻不了的。

至於台灣的資本家和特權官僚，他們為自己的階級利益，絕不承認社會主義中國為祖國。他們為求喘延搾取民脂民膏的政治經濟體制，就抬起蔣集團為核心的假「祖國」＝「中華民國」壓在人民的頭上。其實，它是中國流亡資產階級、外資買辦階級的「祖國」。這批人一向出賣國家、民族，唯利是圖。現在，他們甘願把台灣從祖國分離，拼命地企圖在台灣構築有錢人的「祖國」。難怪一小撮只貪小利，沒有節操的知識分子，尤其是所謂「學人」一類的寄生蟲，竟置百姓在水火之中於不顧，居然掛學術研究的羊頭，賣追求名利的狗肉，甘願附尾蔣集團搖旗吶喊，分得一點小便宜沾沾自喜。

再說海外留學生，他們大多出身於中上階層的家庭，生活在不勞而獲的環境中，他們即使在觀念上瞭解社會主義，但在生活意識上仍然站在資本主義的一邊。尤其到海外過了一段資本主義社會的生活之後，除非經過自我改造，是難能接受祖國現在的經濟體制的。他們多念了一些書，懂得一點西洋社會的自由民主的概念，於是就憑出身階級的主觀認識，編造合乎自己口味的「民族論」，進而避開歷史的客觀事實，拒絕億萬同胞委實安居的祖國。可是一般老百姓沒有這小聰明，根本就跟不上他們。知識分子脫離了人民，也就迷失了自己的祖國。

綜上所述，階級利益規定著階級意識，台灣的無產階級與祖國人民在民族的、階級的立場上完全一致，因此，台灣的廣大無產階級是不會迷失祖國的。至於台灣的資產階級，他們為了自身的階級利益，而無法接受社會主義中國為祖國的立場。他們在階級立場上與祖國人民對立，致使他們迷失了民族立場，進而迷失了自己的祖國。

今天，台灣正面臨著人民解放的重要關頭，站在這個歷史的一大轉捩點，我們應該站在人民的一邊選擇方向。尤其是我們知識分子，應該虛心地認識人民解放的歷史使命和中國社會主義革命的歷史的必然性。現在，為清算台灣人民三百年來被壓迫、被奴役的慘痛的歷史，為子子孫孫安定向榮的時代鋪路，我們應該光榮地放棄自己裡面落伍的階級觀念，邁向祖國的統一和台灣的解放的大方向去奮鬥。這個方向是正確的，也是應該的。

迷失了祖國的人，就是迷失了立場，迷失了方向的人。覺醒吧！迷失了祖國的人們！起來吧！被剝奪了祖國的人們！

現階段留日學生應有的基本認識

一、國際風雲變幻下的迷失

去年 7 月美國統總尼克松宣布訪問北京以後國際局勢產生了一連串的大變動：中華人民共和國恢復了在聯合國的正當地位，揭穿了國民黨反動派二十多年來的騙局；中美上海聯合公報聲明台灣是中國的一部份，為台灣問題的解決方案下了一個重要註腳；日本田中新內閣的成立使台灣國民黨的最後一絲寄望都歸於幻滅了。尤其是田中內閣成立後積極展開的中日復交運動，在其內外同聲贊同下，遂於 9 月 29 日建立了正常邦交。

處在這樣一個風雲激盪的國際形勢下，我大部份留日學生迷失了方向不知何去何從。不要說一般的留學生，甚至連一向自任為台灣民族獨立自決的先知先覺的「台灣獨立聯盟」內部也發生了信念動搖，靠攏蔣幫等等的崩離現象。當此蔣政權面臨全面崩潰的階段，獨立聯盟內部的背離投靠，如果從獨立運動者的主觀意識與歷史的客觀演進看，那種現象絕不是偶然的巧合，而是必然的歸趨。

二、有關幾點台灣獨立問題的商榷

台灣獨立人士經常以為他們的主張是代表著全體台灣人民的利益，是「台灣民族」自主自決的代辯人。果真是這樣嗎？以下試從台灣獨立的立國理論、社會體制與自主等三個角度來看看事實是不是這樣？

1.「列強勢力對峙下的理想緩衝國」站得住腳嗎？

去年 11 月 5 日發行的第 133 期《台灣青年》刊載有陳隆志的一篇叫做〈台灣獨立運動與當前的世局〉的演講文。(陳氏是台灣獨立聯盟的外交負責人)。陳氏在文章裡說「1970 年代初期是國際均衡態勢重新調整的時候，就當前的世局加以觀察，台灣獨立建國是情勢發展的必然趨向。」接著進一步說明美國、日本、中國與蘇聯等四大太平洋國家利益衝突的一個焦點是台灣，四大強國利益的矛盾，使台灣的將來將不容易為四國的任何兩國私下妥協所決定，因此台灣實在是一個「列強勢力對峙下理想緩衝國」。

據說陳氏是政治學博士，但不知道為什麼對自己的台灣問題的分析且不足客觀明智。讓我們先就他所謂的四個列強勢力加以分析看出是否真能各成為獨立的，相互牽制的態勢。首先看看日本，到佐藤前首相下台以前，日本的外交路線實質上是追隨美國的遠東政策，談不上自主，所有日台關係的基礎條約大都承受美國的指示。這點早為進步的日本政界、學界、評論界人士所明白指出。因此日本對台的影響力無法從美國勢力圈裡面分出來。至於所謂「中共」勢力，那是一個名正言順的具有決定性的絕對力量，在此不必詳加說明。數到蘇聯疑問就多了，儘管自去年來頻傳蔣幫向蘇聯頻送秋波的消息，而蘇聯也有意找機會把勢力伸展到太平洋區來，但是在目前的情況下，蘇聯還沒有充分理由跟台灣拉上關係。因此蘇聯對台灣尚未實際構成一個影響力量。可見陳氏所指出的四個勢力，實際上歸納起來只有中國與美國兩大勢力而已。三個均勢可以鼎足，兩力則難於均衡。從陳氏作這一演講以後，一年來的國際局勢的發展，鐵一般地證實了陳氏虛構的誤謬。尼克松總統承認台灣是中國不可分的一部份才達成了北京之旅，田中首相也步著同一個路徑才得以展開與北京進行復交之行。陳氏的「列強勢力下的理想緩衝國」說穿了只不過是紙上談兵。

再談如果憑籍「列強利益衝突的焦點」原理而成立的「緩衝國」的話，其國防與行政將成為代表著各列強勢力的各個政治派系勾心斗角，分贓權利〔力〕的投機對象。試問持著這種主張的政治團體，真能給始終不曾安寧過的台灣人民帶來安定、繁榮與幸福嗎?!

2.台灣社會問題的主要矛盾是社會體制的問題還是民族的問題

台灣獨立運動是根源於狹義的台灣民族主義，而這種狹義的民族主義又是淵源於日本殖民統治台灣時期所孕育出來的反抗異民族統治的一種精神團結的號召。遺憾的是，日本投降後，被中國人民遺棄了的國民黨反動派強佔了台灣。他們又以一個新的征服者的姿態君臨在台灣人民的頭上，儘管國民黨不遺餘力地教育宣傳台灣人的祖先是來自中國大陸，大家都是炎黃子孫的漢民族。但是不堪受差別壓迫的知識分子，一到海外吸收到西方式的自由民主的空氣時，由於對社會責任感的驅使，很容易把他們爭求民主改革的熱誠匯成政治運動。這種現象是近代亞洲國家要脫離出落後現象共有的特徵。所以台灣獨立運動實質上是要求台灣社會民主改革的一種行動示威。

台灣獨立運動者所主張的狹義的、地域的台灣民族主義，二十多年來隨著島內外客觀情勢的變化，不得不變更語調解釋為「共同運命說」。說基於所謂「台灣國民主義」進行國民投票，看住在台灣島上的一千幾百萬人民是要選擇台灣獨立或是跟中國大陸合併。在他們的心目中，選擇台灣獨立將佔大多數，如此造成既成事實就可把北京政府的勢力排斥在一邊。那時以「台灣共和國」代替「中華民國」宣布獨立。至於台灣獨立成為一國家以後，應該採用怎樣社會體制，他們說那是台灣內政問題，由台灣內部以後決定。台獨人士在討論到社會體制的問題時一向是最暖昧的，藏頭隱尾。關於這一點彭明敏作了這樣解釋「台灣獨立運動本身並不是一個政黨，他的目的在造成一個 political framework 使各種不同的想法可以非常民主地互爭長短，也就是說在著眼於全體台灣人之利益的前提之下，容許不同的 ideology 存在，吾人得各別地研究問題之癥結並由不同之主張當中尋求最佳的方法予以解決。」(於 1971 年 9 月 18 日台灣民眾大會的討論會)。這樣的說法就一個自居為台灣獨立運動的先衛地位的台灣獨立聯盟來講，實在太不負責任了。孫文在搞中國革命時至少也拿出了三民主義和實業計畫，台獨人士拿出了什麼？近代歐洲市民革命的歷史經驗，充分地暴露出資產階級革命運動家背叛革命，背叛人民的利益，曖昧的態度是他們欺騙人民的慣技。站在無產階級的立場上，我們是絕對不允許他們再玩那套把戲。記得有位搞台灣獨立建國的活動家曾說：「台灣獨立建國以後，如果不能自由從事營利事業的話，搞台灣獨立就沒有多大意思了！」顯然的，他們把獨立運動看作一項商業投資，其實是投機。辜寬敏、邱永漢等先後向國民黨反動派投降了，台灣獨立聯盟日本本部委員長許世楷也迫不急待地聲明：「只要蔣政權正式公佈台灣共和國獨立宣言，那時我們就準備與其談判」。(今年 4 月 25 日)。正當國民黨反動派，面臨全面崩潰的今天，台灣獨立聯盟的個人上或是團體上，爭先地想去承接扶持那個爛攤子，足證其本質的反動、反人民。說穿了他們的利益各國民黨反動派是一致的，他們向國府的投靠是歷史發展的必然歸趨，他們將被掃進歷史的拉圾堆也將是歷史的必然結果。

3.台灣獨立與自主的問題

台獨人士與一些傾向台獨的人，總認為只有叫台灣獨立才是有自主的精神。對於在做或傾向於中國統一的人，就譏說是「吃西瓜靠大邊」。其實問題並不那麼單純。在說明台灣應該而可能獨立的時候，台獨人士最喜歡引證的是孟加拉共和國的事件。說孟加拉能夠獨立，台灣也應該獨立。台獨人士所說的獨立僅止於「台灣人的政權」，而這個台灣人的政權要透過怎樣一個手段去取得？又這個政權應持有怎樣一個性格？台獨人士的態度就十分曖昧，沒有具體的交待。一個政治運動的手段經常是跟目的密切相關的。現代國際政局上，有所謂西方國家（資本主義國家）、東方國家（社會主義國家），及第三世界國家（開發中國家），關係錯綜複維。如果再加上國家利益的因素時關係更是撲朔迷離。孟加拉共和國之所以從巴基斯坦獨立出來，固然有其內在的民族矛盾存在，但是具體地促成其獨立的還是印度的出兵，及蘇聯在聯合國上排斥國際的調停等外在的因素。

從歷史演進的觀點看，國家的獨立在第一次世界大戰後是「民族自決」的原則，第二次世界大戰後是「獨立解放鬥爭」的潮流。這兩個革命鬥爭的對象都是針對帝國主義殖民統治者。但到 1960年代東西冷戰體制解凍以後，世界革命潮流加上了一個新的要素，也就是國內人民的革命鬥爭。東巴基斯坦的孟加拉問題，本來是屬於這個問題的範疇，後來問題會鬧得那麼大，印巴世仇固然關係很深，但是巴基斯坦的政治體制本身的官僚封建也不能推辭其咎。根據這個基準，就本質上看，海外的台灣人獨立運動也沒有超過這個範疇。

如果歸納自第一次世界大戰以後到目前為止的世界革命發展

趨勢，用最簡單的字眼表示就是：「國家要獨立，民族要解放，人民要革命」。也就是說 20 世紀的 70 年代以後的世界革命潮流，必須要滿足這三個要求，或是向這個方向前進。站在這個歷史觀點上，必須要能滿足這三個革命要求的政治運動，才配得上說是具有自主的精神。試問：到目前為止的台灣獨立運動，所「運動」的路線是不是要把台灣獨立歸入美日等的影響勢力範圍內？背後支援台灣獨立的日本政界或其他的人是那一批貨色的人？不管是陳隆志的主張或是彭明敏的說法，從歷史的發展法則看，或是從世界革命的方向看，他們的主張是不是真正為大多數的台灣人民的利益著想？從最近一連串的國際局勢的變化及一批一批的台獨人士，紛紛地放棄「台灣民族自決」及「反蔣」的立場，變成為「維持台灣與大陸分離的現狀」及「聯蔣反共」的態度和行動上，可以看出搞台灣獨立的那一批人是不是真心真意為台灣人民而革命。有位台獨的人說，因為有他們在海外叫獨立，遊行示威，才有這一次蔣經國內閣大量提拔台灣人士充任中央級大員，高玉樹他們應該感謝他們。但是那位台獨仁兄且沒有看到好幾百萬的工農及小商人還在過看怎樣的日子。從這話裡可以看出台獨的人究竟關心台灣社會的那一個階層的問題。叫獨立才是有自主的精神的這個說法，只不過是騙人的謊話。

三、歷史洪流中的台灣與你我

1.一個座談會的感觸

去年以來國際上對日本軍國主義復活的問題表示了很嚴肅的注意。有一個機會筆者參加了一位留美台灣學人 T 氏的座談會，會上 T 氏分析留美學生活動的情形，指出留美學生從事獨立運動活躍而樂觀。之後，他提到：在美國一些關心亞洲將來的人，現在都熱心地在討論有關日本軍國主義復活的問題，諸如日本軍國主義復活的條件、背景以及可能復活的時期等等問題。但是他到日本來了之後，發現到留日學生對這個問題不甚關心而感到十分驚奇。針對這個問題，有人問道：在日本軍國主義復活的展望下，台灣的將來應該走什麼路線？T 氏避開了正面回答說：至少可以這樣說，台灣獨立了以後採取中立路線，不提供給外國任何軍事基地。因為 T 氏時間上的關係，這個問題只問到一半而結束了座談會。

在日本佐藤前首相下台以前，自民黨極力地宣傳日本是經濟大國要求在聯合國也應該持有與之相稱的發言權，也就是要求加入安全理事會的常任理事國；強詞奪理地說釣魚台列島是日本所領有的；揚言馬六甲海峽是日本經濟的生命線；美國國務卿證言日本將來有可能派兵進入印度洋；國防預算的天文數字等等的跡象處處顯示日本軍國主義復活的徵兆。在這種情狀下，台獨的人對日本軍國主義的復活作怎樣一個估價是值得重視的。T 氏所說的「中立」及「不提供軍事基地」只不過像日本國會的答辯，說說而已。企圖利用日本軍國主義復活的矛盾以自存的台獨分子不少，陳隆志的理論就是最典型的例子。

日本殖民統治台灣的苦難日子我們這一輩沒有體驗到，但是國民黨反動派加給我們的束縛與痛苦，在我們的記憶裡還新鮮難忘。但是我們不能因此而忘了過去被壓迫的歷史，而在日本軍國主義復活的時機又去勾結日本的反動勢力。台灣人民的解放是中國人民解放的重要的也是最後的一環。我們應該明瞭現在騎在台灣人民頭上的蔣家集團，是被大陸中國人民所唾棄了的無賴政權。偉大的中國人民包括台灣人民在內，一定要清算蔣家集團所加給我們的痛苦的濫帳。台灣人民一定能夠徹底翻身。

在跟一些香港或南洋華僑學生接觸的時候，他們經常說：「我們都非常希望中國強大起來，你們台灣來的為什麼不喜歡？！」受過國民黨反動派長期的反共愚化教育的台灣學生，對解放後的大陸的一切，始終抱著殘酷、恐怖、神秘的畏懼心。大多數還不敢平心靜氣地去了解解放後在毛主席路線的導引下，所收到的輝煌的社會主義建設成果。筆者堅信也只有台灣的解放及中國的統一，才是絕大多數台灣人民的最大幸福。

2.努力改造我們的價值觀

有一些台獨的人說，時局迫得這樣緊了，很簡單嘛！看大家是要去讀毛澤東語錄或是過來參加獨立運動。在說話的人看來，只有跟他走獨立運動才是台灣人的利益。這個問題前面已經討論很多了，這裡不必再添蛇足。那麼說讀毛澤東語錄就是台灣人民的苦難嗎？關於這個問題筆者有三種不同經驗。當我與一位省級官僚的兒子談到台灣的將來時，他說：如果台灣被解放，叫他回去背毛主席語錄，死也不幹。另外一般學生則說：你看那種東西，回去可要小心！但是在一個特殊的場合裡，筆者把主席語錄讀給一位從台灣來進修的技術工人聽時，每當讀到一些有關階級觀念的地方，特別引起他的共感，並且他還會引證很多實例來證實語錄的真理性。最後他說：「毛澤東確實偉大！」綜合以上三種類型的人物對毛主席語錄的看法，再配合台灣社會的階級分析，我們得了解絕大多數的工農以及小商人等基層人民是迫切地等待著毛主席語錄光輝的滋潤。

在這種客觀的存在裡，我留日學生由於長期接受國民黨反動派的反共一元價值教育的影響，對世事的判斷失去公允性，而不能正確把握事物的本質。舉個例說：在台灣一般人的觀念裡，生意的買賣雙方是各自獨立的，買方出於需要才買，賣方為著要賺錢才賣，但是買和賣之間的社會行為則不被重視。有位才從台灣嫁到日本來的小姐，禮拜天要出去買一瓶醬油，附近的商店都關著門，她就憤概地說：日本人真奇怪，有錢要給他賺他都不賺。在她的觀念裡，買東西是給賺錢的機會，但她不能夠理解人買賣東西給她不單單是賺她的錢，還有給她便利的提供服務的社會意義在。一年到頭不眠不息的台灣商店，不是他們不喜歡休息，而是生活迫得他們不得不如此。在這世事變化激烈的多元性價值社會裡，我們應該放棄腐朽了的反共一元性價值觀，拿出勇氣，付出努力，改造我們自己，台灣解放中國統一的前途是光明的。

台灣人民的前途是非常光明的

1972 年是中國的革命外交繼續獲得偉大勝利的一年，是台灣解放事業獲得巨步進展的一年。

1945 年，台灣光復，從此台灣擺脫了日本五十年的殖民地統治，復歸祖國的懷抱。但是這二十多年來，台灣既未真正回到祖國的懷抱、又未獲得解放，事實上，反而一直處在蔣幫黑暗統治下，與祖國對峙。

大家知道，為台灣人民所痛恨的蔣幫，其所以能夠在台灣苟延殘喘，是完全由於美日的撐持，橫蠻干涉中國內政所致。讓我們回顧一段史實。1950 年，美國發動了朝鮮侵略戰爭，立即藉口派遣其第七艦隊進駐台灣海峽，公然干擾祖國解放台灣的神聖使命。1951 年，美國更進一步利誘日本，締結所謂「舊金山和約」，拼湊了反共反華體制。接著 1952 年，日本與蔣幫締結所謂「日台和約」。1954 年，美國與蔣幫締結所謂「美台軍事協防條約」。如此，美日狼狽為奸，把蔣幫傀儡擬制為「中國唯一合法政府」，在軍事、經濟方面積極援助蔣幫，令其對抗祖國，盡其反共反華之能事。這二十多年來，蔣幫就是趁著東西冷戰體制的這一個矛盾，在美日軍經台柱的撐持下維持其生命。因此，一旦把這兩根台柱拿走，蔣幫勢必作聲垮台，殆無庸疑。基於此一認識來看今年尼克森訪華與中日恢復邦交的兩大外交事件的意義，我們不難看出，蔣幫的垮台已經是時間的問題了。

第一、中日恢復邦交，日本政府承認中華人民共和國政府為中國唯一合法的政府。從此，日本與蔣幫的政治關係完全斷絕，經濟關係雖未立即斷絕，但基本上已經朝向縮小的方向變，撐持蔣幫的兩根台柱中，日本這一台柱可以說由於中日邦交的建立而垮台了。

第二、尼克森訪華，雖未進到中美兩國恢復邦交的地步，但是堂堂一個美國總統果然訪問無邦交的國家——中國，其意義可以說是非常重大的，它實質上等於美國承認中國。今後美國與蔣幫的關係我們可以從周〔恩來〕—尼〔克森〕上海聯合公報中關於台灣問題的一段話窺伺其概略的方向。公報中明記：「美國認識到台灣海峽兩邊所有的中國人都認為只有一個中國，台灣是中國的一部分。美國政府對這一立場不提出異議。它重申它對由中國人自己和平解決台灣問題的關心。考慮到這一前景，它確認從台灣撤出全部美國武裝力量和軍事設施的最終目標。在此期間，它將隨著這個地區緊張局勢的緩和逐步減少它在台灣的武裝力量和軍事設施」。這一段話表示著美國站在「一個中國」的立場，認為台灣問題應由中國人自己去解決，不久的將來，美軍將從台灣撤出。由是可知，美國援蔣的台柱開始傾斜，注定不久將被拿下來的。

再說，最近國際情勢的演變，對解放台灣越來越好。第一、由於越美巴黎會談的進展，越戰收束在即，越南和平的到來將可以看做台灣地區緊張局勢的緩和，上海公報裡面所指，美軍撤出台灣的客觀情勢即將成熟。第二、由於最近大洋洲兩個國家工黨通過大選獲得了政權，中國和新西蘭、澳洲已經恢復邦交。這一情勢的變化勢必加速亞洲和平的進展，同時使美軍撤出台灣的時期加快。蔣幫已經是四面楚歌了。

在這一大好形勢下，祖國政府及人民特地關懷台灣同胞。10月6日，周總理接見海外華僑國慶慶祝團時，熱衷地表露對台灣同胞的關懷。在這次接見的談話中，周總理坦述解放台灣的基本見解（請參照本期 p.12 周總理談話），話中充滿對解放台灣的信心和對台灣同胞深切的關懷，令人十分感到祖國的溫暖和偉大。

值此歲末，這一年，中國在外交上的收穫太豐碩了。今年，對我們來說，是解放台灣事業大道上的一大轉折點。中國統一革命的光輝即將普照台灣，台灣人民的前途是非常光明的！

中國統一促進會會章

一、前言

18 世紀，發祥於西歐的資本主義，經過了一段原始積累的期間，很快地就一躍成為帝國主義，積極向外推銷商品，輸出資本，掠奪殖民地，並勾結當地封建勢力，壓榨人民。亞非拉人民深受其害，中國也難倖免。

19 世紀，老大的中國還停留在封建社會的階段，正是列強虎視眈眈的俎上肉。它們相繼尋釁挑撥，引起鴉片戰爭。滿清政府顢頇無能，賠款割地，屈辱求和。甲午年間，又與日帝簽訂了喪權辱國的馬關條約，竟把台灣割讓給日本，造成了國土殘缺，同胞離散的悲慘局面。

這一百多年來，台灣人民飽受殖民主義和封建主義的壓迫；戰後又受到蔣幫集團官僚專制的黑暗統治。人民不得解放，國家不得統一。自從巴黎公社點燃了無產階級革命的聖火以來，經過俄國十月革命，各殖民地民族解放運動的開展，戰後歐洲社會主義國家的崛起，以及祖國社會主義革命的成功，馬列主義的理論與實踐已經成為歷史的主流。人民解放勢力日益壯大，而資本主義卻日薄西山。

近年來，資本主義國家間的矛盾日益尖銳，在修正主義的逆流中，第三世界不斷地覺醒，呈現了天下大亂的局面。在這革命人民反帝反修的大好形勢下，唯獨蔣幫集團仍然執迷不誤，勾結一小撮世界反動殘餘勢力，奴役剝削台灣人民，與歷史潮流背道而馳。

我們為了掙脫這個歷史桎梏，求取台灣人民當家作主，統一祖國，實現世界革命，乃組織本會作為推動革命事業的核心。我們認為台灣同胞和大陸同胞間的隔閡，是日帝美帝等殖民主義國家和蔣幫反動統治所造成的。本會的基本策略是根據當前台灣人民的特殊性，以腳踏實地、深入群眾、團結所有反蔣分子、愛國分子，和民主人士，共同達成台灣的早日解放，完成中國統一。凡本會會員同志，決意同心協力，為此神聖使命獻身奮鬥，至死不渝。

二、規則

第一條：本會稱為中國統一促進會。

第二條：本會宗旨在於解放台灣、促進中國的統一，為中國社會主義建設作出貢獻。

第三條：本會以馬列主義、毛澤東思想做為思想武裝的理論基礎。

第四條：本組織分公開與秘密兩種方式。〔……中略……〕本會公開組織和秘密組織各設正副責任同志二名，由會員同志互選之。公開組織正責任同志對外代表本會，對內統籌會務。秘密組織正責任同志對外負責與○○○公開組織責任同志聯絡，對內領導秘密會員同志。公開責任同志任期為一年。連選得連任。但經三分之二會員同志的同意，得隨時解任。正責任同志因事不能執行任務時，由副責任同志代行之。

第五條：會員同志凡贊成本會宗旨，經會員同志二人推薦，並獲得全體公開會員同志三分之二以及秘密組織的附議者，得申請加入本會。但不得以團體方式加入。會員同志尊重個別的意願，並考慮組織上的需要及其性格、特長等，決定〔任務〕配屬。

第六條：申請加入本會者，應先提出：（一）入會申請書（表格另紙）；（二）履歷書（出身、家庭背景、教育、經歷等儘量詳細）；（三）宣誓書一紙。

第七條：紀律。（一）對外嚴守秘密、對內坦承。（二）實行民主集中制。少數服從多數，下級服從上級，個人服從組織，組織服從中央。（三）嚴守約束。

第八條：作風。（一）培養馬列主義、毛澤東思想的先進作風。（二）勇於批評和自我批評並徹底改正錯誤。以貫徹為團結而批評的團結的原則。（三）重視實踐，不尚空談，以堅持為實踐的理論而實踐的行動準則。（四）發揮同志愛和對敵人的敢鬥善鬥的革命精神，努力改造世界觀，以達改造社會的目的。（五）走群眾路線。（六）為人民服務。（七）發揮國際主義精神。

第九條：本會會員同志必須做到：（一）認真學習馬列主義、毛澤東思想的理論。（二）勤儉樸素、戒驕戒躁。（三）每月繳納會費一千元以上。

第十條：罰則。違反本會規定者，先予警告，經警告三次而不改時，得留會查看一年，而仍不改者，得勸其退會。察看期間停止其一切職權。但不退還會費。

第十一條：本會每月由責任同志召開公開會員定期會，但必要時得召集臨時會。

第十二條：本會章經全體會員同志討論同意後生效。但經全體會員同志三分之二同意得隨時加以修改。

公開組織設：

一、秘書組

二、財務組

三、宣傳組

四、總務組

各組設組長一名，分掌職務。秘密組織章程〔……中略……〕另定之。

【宣誓書】

我終身願為本會宗旨獻身奮鬥，處處以組織的健全發展和利益為先，嚴守本會紀律作風和其他規定以及決議事項。如有違反情事，願接受組織的處分。

此誓

會員同志簽名

年____月____日____於____

【公開組織】

責任者：陳○○

秘書組：林○○

宣傳組：李○○

財務組：徐○○

總務組：劉○○

組織部：吳○○

〔機關刊物：〕《洪流》、《星火》

【秘密組織】

責任者：吳新地
副責任：王啟洋
企劃組：劉進慶
統戰組：蔡〇〇[1]

〔化名表略〕

〔機關刊物：〕《戰報》[2]

寫在《洪流》復刊之前

洪流連續出版了五期之後，停頓了下來，已近一年之久。其間有讀者來信問它會不會就此夭折，也有大罵編輯委員不努力的。

首先我們得謝謝讀者們的關心，也為自己努力不足而感到慚愧。歸根結柢，我們發生了經費問題。過去我們是靠幾位志同道合的朋友四處向華僑前輩募捐，勉強地把刊物印出來，送到大家的手中。也曾經因為少了郵費而托朋友轉送過。但不曾向讀者請求接濟過。過去如此，現在也打算如此。我們的方針是朝向「自力更生」之道邁進；一年來已有點成績了。這裡有教中國語的，有當夜間計

---

[1] 關於這份名單，請進一步參閱本文選所收錄的林啟洋〈從 70 年代台灣留日學生反獨促統運動談起〉一文之說明。——編者按。
[2] 應為《戰旗》。——編者按。

程車司機的，也有駕車在大街小巷收破爛的。洪流能順利地和大家見面要歸功他們。

如果有人問我們千辛萬苦地利用自己的血汗錢把洪流辦出來為的是什麼？理由很簡單，為的是我們不能再沈默，我們要追求事實和真理。

為了對現實情況有進一步的瞭解，我們訪問了大陸，參觀了大陸的社會主義經濟建設，接觸了大陸人民的精神面貌。大陸上的人、事、物都給了我們極大的精神鼓舞。於是洪流流得更加急了，由地底下又流回地面上來了。洪流將像我國的黃河、長江一般、滔滔不絕，投向翻騰的大海——留學生群眾。

這次的洪流復刊，我們給自己定了三個目標。

（一）認識中國：大家都知道，在中國，社會主義政權統治著整片大陸，蔣介石父子仍然賴在台灣。二十多年的隔離限制了我們對中國大陸的理解。我們只能通過報章零碎地知道中國大陸上經濟蓬勃發展，國際地位蒸蒸日上。但是對中國大陸各方面的情況我們知道的太少了。我們希望能通過洪流向大家提供這一方面的資料。

台灣省的情況也是我們要介紹的對象。大家離開了家鄉之後，家鄉變成什麼樣子了？物價飛漲，漲到什麼程度了？這都是我們離鄉背井的學子們想知道的事情。

（二）放眼世界：整個世界的動向和我們的國家、和我們都有著不可分割的關係。注意觀察世界的動向成了洪流的第二個目標。

最近世界形勢變動激烈。整個來說，超級大國走上了下坡路，第三世界的發展中國家紛紛獨立自主。承認社會主義中國的國家也越來越多。世界政治地圖起了很大的變化。

經濟方面，資本主義國家由於壟斷企業的操縱，資源又供不應求，物價飛漲。在這天下大亂特亂的時節，我們看到：真正處變不驚，安如泰山的是大陸的人民中國。反觀台灣，雖然掛起了「革新」

的招牌，但是物價節節上升，民不聊生。台灣官方說：這沒有法子，是全世界性的。這好比是新建的房子漏了水，卻怪下雨；只要是雨不下，房子就不會漏水一般。

放眼世界也像一面鏡子，可以反照我們自己的國家。

(三)展望將來：到外國來留學的學生，對自己的將來總有一番抱負。有些希望學成歸鄉後能有所作為；有的希望在外國發展。但是，目前要回鄉有所作為的人恐怕太少了吧。自 1940 年迄今留美的學生有 28773 名，回鄉的不到百分之五。可見其他百分之九十五最低限度暫時放棄了回鄉發展的希望。而，這百分之五之中有幾位不是因為家庭等關係不得不回去的呢?

留在外國的其實也不好過。尤其最近物價樣樣漲，連當地人民也叫苦連天。更何況僑居異地的留學生呢。維持日常生活已大感不易，談何發展。

從這裡，我們可以看到，我們的將來和整個世界的將來，和我們國家的將來是分不開的。有整個世界的將來，有我們國家的將來才會有我們個人的將來。

我們希望大家能利用洪流這塊園地做這方面的討論。

我們在「自由」的台灣居住了二十多年，沒有結社的自由，沒有言論的自由。我們要說話也不敢大聲說出來。難道我們一輩子這樣下去？難道我們到了外國後還要提心吊膽地受他們父子倆的限制？我們已忍受了半輩子人生，我們應該好好利用剩下的一半人生了！

有話沒處說的，有事要討論的，都可以來利用洪流的園地。只要是言之據實，說之有理，對大家有益的，我們都將盡力撥出篇幅，給於登載。

同學們！不要再沈默了。只有不再沈默，我們才能好好地展望將來。

〔資料 II〕

旅日僑生的大陸見聞

1973 年 11 月 4 日，在日台灣學生連誼會在亞細亞文化會館舉辦一個綜合議題的「時事座談會」。其時事主題之一，便是留學生汪義正於同年 8 月前往大陸訪問後的旅行報告。這次座談會的紀錄以〈時事座談會〉為題，登載在 1973 年 11 月 25 日發行的《台生報》第 95 號。此時《台生報》主編為王啟洋（即林啟洋）。本文僅節錄這篇記錄稿中的汪義正報告部分。標題為本文選編者所擬。

汪義正的大陸見聞報告

汪：今年 9 月我有個機會回大陸去參觀，由廣州到瀋陽參觀了一個多月。現在讓我簡單地向大家作個扼要的報告。在這個報告內容當中，我想就各位所關心的問題作個重點性的報告。

首先談一談我這次去北京參觀的動機。我們從台灣到海外留學主要是要學點新的學問，希望將來對台灣社會能作出一點貢獻。在日本我們可以看得很清楚: 社會主義中國是將來決定台灣前途的最根本、最重要的因素。社會主義中國到底是怎樣一個社會主義社會？ 我們從台灣到日本所接觸的都是一種資本主義社會。對於社會主義的看法，往往因為受了國民黨的反共教育，而有一種先入為主的觀念。到了日本之後如果肯學習的話，也可以看到有關社會主義的論著，但是這些都是文字上的東西。我以為這還是不大夠，應該去看看實際的社會主義社會，才能對它有個進一步的了解。我就是抱著這種心情去大陸的。

我本來預定參觀一個月。但是中國版圖廣大，時間稍嫌短些，所以延長到四十二天。當然在這期間中，要通盤理解中國的社會主義建設是不可能的。經過一個多月的參觀旅行的總的結論，就等於用自己的眼睛去體驗活的中國近代史。無論哪一個社會，每天都在變化，問題是它變化的方向怎樣。在中國，有一個很深的印象，就是說中國社會建設方向有一個很遠大的目標。全民和政府都抱著一個共同的信念，一個共同的目標，所以中國的建設和成就天天在進步。若再經過五年、十年中國的成就將更大變化。因此最好是我們用自己的眼睛去看一看。在座各位基本上都有資格去北京。

我們由台灣來到日本，日本跟台灣都是資本主義社會體制，只是日本更加發達。從這麼一個社會去看社會主義體制，當然會有一種很新鮮的印象，好像是另外一個世界。所謂另一個世界，並非那裡的人吃飯與我們不同，而是生活規律、社會運營的方式跟資本主義社會是不一樣的。就我個人的第一印象也是這樣的。起初我覺得不太習慣。但是不過幾天就適應起來。經過對整個社會作了進一步的了解之後，就開始認識到祖國人民新的精神面貌和人生觀。這個新的精神面貌，就是確立為人民服務的人生觀。這種觀念已經深植人心。這可說是二十四年來社會主義建設的最大成就。

目前回大陸訪問的華僑很多，每天有成千的華僑經香港回祖國。這表示海外華僑對祖國歸向的一個現象。在上海、北京我遇到過台灣鄉親，有的是解放前後去的，有的是去年或今年回去的。這次歐美台灣省乒乓球代表隊的隊員也都是台灣留學生出身的。在這一個多月中，我也遇到了很多由海外回大陸就職的留學生，學者和華僑。我在北京遇到台灣出身回國服務的有兩位，一位是東海大學畢業的，年齡與我差不多，他到美國已經六、七年，今年 7 月底回北京的。一位是去年回去的。關於北京對留學生的政策，北京領導幹部說恢復聯合國的地位比預定早了一年，而中美關係的改進，中日邦交正常化也較預定快得多。所以政府對於接待留學生歸國服務尚未有充分的準備。有計畫、有秩序地指導留學生回國還得要再等一兩年。但是目前在國外受到政治壓迫或經濟窘困者可以特別加以考慮。至於目前的政策是希望大家回國參觀，去了解到底中國社會主義社會是個什麼樣的社會。依北京的看法，留學生都是研究者，所以他們的安排很慎重。今年回去的那位留學生他那時正等待分發工作，他本來希望到人民公社服務，但有關方面說：「你是知識分子。知識分子有知識分子應起的作用。」後來把他分發到北京大學的英文教學部門工作。另一位是台大畢業。他是去年 7 月回去的。他目前在科學院的地質研究所工作。從這兩位的經驗來看，北京基本上對於留學生，是以研究員的資格來看待，所以分發的工作都屬於研究機關。由此可見，北京目前對於留學生非常重視，認其為將來國家開發的很重要的人才。

其次，我想進一步簡單地介紹北京對台灣將採取的政策。他們目前在還沒做具體的調查研究之前，不能憑空制定出具體的政策。因此他們歡迎大家回國參觀，多提供意見。在現階段，可以這麼說，北京認為台灣的解放是肯定的，但方法上是要採取說服的方式，包括台獨和國民黨。雖然美國要求北京表明不要用武力解放台灣，但是北京卻加以保留，認為解放的方式是中國國內問題。當然採取和平解放可以減少犧牲，是最好不過的。所以現在北京採取說服的政策。雖然北京還不拿出具體政策，但是在原則上，領導幹部認為社會的改造要有過渡期間。在大陸解放當初，他們有三年的過渡期間，農業方面逐步地由合作組初級合作社再過渡入高級合作社、人民公社。在企業方面，首先恢復生產，然後再用「贖買政策」，公平估價，用國家資本收買歸公。至於商業，開始是用各種方式控制批發，規定零售價格的方式，然後再用公私合營方式等使商業方面也逐步社會主義化。就人民公社化來講，也花了七、八年過渡時期。將來台灣解放後，社會主義化的條件可以說會比大陸解放當初的條件還要寬大，但是關於政客的官僚資本基本上是不許可的。總之，凡是合理的還是要承認，不合理的一定要廢止。這是北京領導幹部現在能夠說的原則性的問題。

談到社會制度，大家想必很關心所有權的問題。目前在大陸還存在著兩種所有權制度，一種是全民所有制，一種是集體所有制。因為共產主義運動過程中，從世界各社會主義國家包括中國來講，現在還是屬於社會主義社會階段，不是共產主義社會。這個社會主義階段還需要很長的一段時間。在這個過渡的社會主義社會階段，所有權制度分為全民所有制和集體所有制。工廠和商業基本上是屬於全民所有，而員工基本上是國家的職員，退休時，可以領退休時點工資的 70%為退休金一直到去世。農村的公社是集體所有。所謂集體所有就是說土地原則上是屬於集體的，也就是公社的，但農民的家屋財產是屬於農民自己的。有人以為大陸上一切都要充公。這是不正確的。在社會上有生活資料和生產資料，一定要分清楚。在大陸上，人民都有儲蓄，這是屬於個人的生活資料，是個人可以自由支配的。但是若屬於生產資料，有的是全民所有，有的是集體所有。並不像國民黨所宣傳的：大陸上是共產共妻，所有財產都屬國家所有，個人不能自由支配。

北京對於在海外的留學生也很關心，在海外的留學生中，屬於中間層的人數較多，屬於保守的如國民黨，或者台獨的都還是少數；同樣的，極進步的也還是少數。所以他們要儘量爭取中間派，希望大家能夠了解中國共產黨的社會政策。北京對於社會改造的過程，把它分為認識和適應兩個階段。這不論是對將來回國服務的留學生和台灣解放後對台胞的政策，都可適用的。所謂認識過程，是指對社會主義社會認識了解所必要的意識準備期間；其次，關於適應問題，因為我們二、三十年都生長在資本主義社會，要求馬上適應社會主義社會是不合理的。這點北京也了解得很清楚。這從他們在分發留學生工作時所採的慎重態度，也可看出北京對於認識過程與適應過程採取什麼樣的方法。

最後我想藉這機會跟大家來檢討日本的留學生運動。本來日本留學生運動在關東較為熾烈，但是在關東的留學生，十幾年來並沒有多大進展。最近，有些較老一層的活動家反而發生立場動搖的現象，與亞東關係協會妥協。剛才我們聽了連同學的報告，他在國民黨的「國慶節」做出勇敢的舉動。[1]對於這行為，我們應該給予百分之百的鼓舞和支援。因為以前中國的革命運動也有過這種現象。學生運動如果只限於寫文章，是得不到任何實際效果的。學生運動一定要配合群眾的動向。這次，我們要對連同學的行動給予最大的支持和最高的評價，也就是基於此點。所以我們對於今後留日學生的學生運動要再深加反省和檢討。

D：汪同學，在你報告去大陸的情形前，你有說你要去大陸的動機，不過，我還是聽不大清楚。因為你所說的動機內容是說，在海外的這些台灣出身的留學生要回去祖國時，可用公開的或秘密的方式。你做這樣的說明方法是中共至今在海外召請這些留學生靠他一邊的一種統戰工作，所以在一般的常識上來說，假設說不是台灣人出身的立場，譬如日本人，要去中國大陸是說「去」，而你剛才的說法是說「回」祖國，若是他們要去來說，是說去那裡瞭解社會主義中國的情形或者社會主義建設到底形成怎麼個樣子；但是以站在台灣人的身份去來說，我感到除去與外國人的意向一樣外，應該另外還有一個較複雜的因素在，因為我們的身份不同，所以那個複

[1] 即連根藤「撕旗」事件。——編者按。

雜也就是你的動機應該表示在這點。但到現在還沒聽出來，並且你舉了不少留學生去大陸的事，例如李南輝（註：李萬居的兒子，前籃球國手）、台連會某前總幹事的高中同學等，到底他們去的目的與你去的目的有什麼關聯沒有？總而言之，就是你的動機。你好像沒說出來，只是說能不能去，和鼓勵人去。剛才你說北京的領導人對台灣政策的手腕，你說是用說服的，而說服的對象是向國民黨政權，另一方面是向台灣人團體，即主張台灣獨立的運動人士說服，但到現在為止，也許是我較少看書報雜誌的關係，我感覺到北京方面向台灣人所說的沒什麼內容，也許有，如果有的話，請你給我指教。

還有，就你所說的台獨的運動人士仍屬少數的話，我曾在台獨雜誌的報導上看到過在美國由彭明敏教授（註：前台大政治系系主任，曾因反政府被捕入獄，1970 年 1 月秘密脫出台灣，現任教於美國。）主持的會，有一千多人參加，以台灣人的身份，且政治環境又不簡單的情形下，竟有一千多人參加，可見有相當大的組織在內。但是北京方面到現在為止卻還沒對美國的台獨運動團體做對象在談話，這類事還沒聽說過，有關這點想向你請教，是不是事實上有對海外的運動家做對象在做說服的工作。

另外一點，你也說北京方面對台灣的情形很清楚，有關這點，我卻認為不太清楚。因為我從報紙上看到周恩來曾對日本記者說，當台灣解放後，要拿八億美元來幫助台灣農村的建設。但我由一個去過大陸的日本人聽到，說：他經常跑台灣，最近有了一個機會他也跑到大陸去，他沒透過安排獨自跑到偏僻地方去看。他說在接受安排所看的地方確實不錯，不過，大陸有些地方生活程度的低，比台灣的台西地方——他對台西的窮困也相當瞭解——來得貧窮。人民公社建設沒成功的地方程度很苦，所以假如解放台灣後，拿了八億美元那麼多的錢來建設台灣，兩邊的生活程度之差不就更大了嗎? 照此說來，是他們不瞭解台灣的情形; 還是統戰的口號呢?

汪：D同學所提的問題有的我知道當然可以回答，而我不知道的地方就請原諒了。關於動機，你是指我個人的還是……?

D：你個人的動機就可以。

汪：大陸開放時，基本政策上是沒特別選擇什麼人可去，什麼人不可去。目前，只要你是中國人，當然放棄國籍的除外，不管你是在蔣政權下，還是居於海外的，都算是。當然主觀上你也許會自認為台灣人，但台灣人在國際政治法上目前的國籍是什麼，也已經是件明確的事。只要你沒放棄國籍，都屬於中國。那麼在中國正統法位上來看，他們都認為是中國人。

至於我個人的動機，我是抱著一種去認識社會主義的社會的心情去的，這是第一個問題的回答。

開於第二個問題，對海外統戰的方式。

當然，要達成真正的解放時，海外地區的工作只不過是一個方針，也就是說造成一個國際風氣; 真正的決戰戰場，仍然是在台灣島內。所以將來對台灣島內的動向趨勢，是一個重點所在的地方。剛才主席也提起目前島內學生的動向是如何，當然，這與蔣政權所發表的又是另外一回事。但是從這動向來看，確實島內青年及各階層的人民對自己的前途開始起了疑問。這疑問可說每個人都有的。尤其居於海外的我們，對這疑問不是更應該努力去尋求解答嗎?

至於美國方面的事，由於我不清楚所以我無法回答。而你剛才所提的一個日本記者所講的事，當然，我們所想的他們是共產主義社會，而事實上目前他們卻僅止於社會主義的社會，與最終目的共產主義社會又有一段距離。不是說所有的人收入都一定、不是說所有的地方收入都要平均，你賺較多的錢要分點給賺較少錢的人，不是這意思。在目前社會主義社會裡，仍然根據你這地方，或公社、工廠生產能力到什麼樣的水準，用這水準來分配你自己的地區。不過，照我們現在所處的資本主義社會所知道的來想，自己住的地方不易謀生，便想走，但在社會主義體制下，則要求自己面對現實、面對困難、設法謀生，採取解決的方法。要抱著把事情做好的決心，而不是說所有的事情都已做得很好。

D：我現在已瞭解你所說的事，不過，我的意思是說，周恩來向日本記者說當台灣解放後，要撥八億美元建設台灣的農村，這事實日本報上有登，不是我憑空揑造的。我是說大陸上仍需要相當多的錢去建設，而我說的是說一個很大的矛盾存在，將一個相當大數目的錢來建設台灣，那麼台灣的農民就會有一個好的生活水準起來，而這一來，就造成一個矛盾，以社會主義立場來說，當然，這點我想你也沒法作答。另一點是說……（中斷）

汪：北京方面對台灣獨立運動的理解是有的。就到目前為止，台灣這三、四百年來的歷史過程來說，台灣這些人在外國人統治下時時吃外國人的虧，而蔣介石到台灣時，又吃到蔣政權這批中國人的虧，所以在這種環境下，尤其目前在蔣政權統治下，台灣人無法說出自己的心聲，所以他們有想到二點，國際情勢變化到現在，台灣人就有二種可能，一種是與國民黨結合的關係。這屬於大的資本家，他們打算與國民黨結合，他們以為國府雖然在國際外交上失敗，但是只要在經濟上可以自立的話，他們就可以繼續生存。但是，你們可以看到，他們這種沒有基礎的貿易，一切原料要從外面來，做出來的東西要賣出去。但，當有一天外面的原料也不來，做出的東西又賣不出去時，經濟就告崩潰，所以可以說與蔣政權勾結的這些人其前途是可見的。

另外一種既吃外國人的虧，又受蔣幫中國人的虧，這些人於是有了台獨的想法，這是很有可能的。北京方面確實能理解台灣人的心情；有這思想的人也是可以諒解的。但是他們說，就是在台獨團體中，也有因為思想路線不同而告分裂的現象。例如北美方面與日本的台獨組織關係甚密的社盟組[2]的跳出就是。站在北京的基本立場而言，獨立運動這些形式的組織他們是不能承認的。但是那種想法是可以瞭解的。所以在他們的立場是用什麼方法在各國向台獨運動的人士進行說服的工作，我是不知道的。

E：剛才聽了汪同學說北京是希望我們能回去參觀，而我是這麼想，看了也許就因而回不了台灣，而北京方面又希望我們快點回台灣，就算不論他們有無此希望，譬如說要改革我們台灣的社會，你們說是不是應該回去？所以說，如果要回去，是不是去北京後才回去，較能改革我們的社會？而我則認為，假如你真有心要回去改革我們的社會的話，去看任何地方的好壞，都不是改革我們自己社會的主要方法，而是要先看我們社會的好壞，先來改革再說。

---

[2] 即北美台灣左翼分子所組成的「台灣人民社會主義同盟」，發行機關刊物《台灣人民》。——編者按。

〔資料 III〕

回憶 70 年代在日統運

為了幫助讀者更好地認識七十年代在日統運。以下選錄了林啟洋的兩則回憶材料。

一是從林啟洋尚未公開發表的回憶錄手稿中摘錄了七十年代在日統運的相關部分。

二是從林啟洋的〈從 70 年代台灣留日學生反獨促統運動談起〉一文節選關於劉進慶與「中國統一促進會」的相關段落。此文已正式發表在《全球華僑華人推動中國和平統一大會－新世紀東京大會論文集》，東京：日本僑報社，2001 年 7 月。

林啟洋回憶錄（節選）

1971 年夏季後，我在東京與「在日台灣學生連誼會」結了緣。在這裡，結識不少台灣菁英。何昭明、邱勝宗、黃文雄、金美齡、周英士、劉進慶、吳新地……等。當時都是「台生會」的伙伴。每有集會，都會聚在一起。與我關係較深的是何昭明。他早大畢業，仍然熱心地參與「台生會」活動，也當過幾屆總幹事（會長）。除辦些座談會、演講會、郊遊、旅行等學生聯誼活動外，會刊《台生報》也是必須按月出版的機關刊物。

1972 年年底，「台連會」改選，我扛起了第十屆「總幹事」一職。在那時，一旦當了「總幹事」是必須覺悟回不了台灣的。正好老婆在回台等待簽證還沒到日本來，未經商量我就挺身而出了，給自己從而十八年間成為「有家歸不得」的問題人物。這一年的總幹事任務，說不輕也不輕，說甚重也甚重。因為「日中邦交正常化」，台灣留日學生惶惶不可終日，怕這怕那的（打壓或什麼的），政治意識突然高漲起來。每開座談會總是滿滿的。「台連會」有一份月刊《台生報》。編輯、發刊都需「台連會」幹事會負責，發行人當然是總幹事了。單憑這事，總幹事就榜上有名，不入台灣「黑名單」才是怪事。

也在這年，有五個台灣留日學生組團到大陸訪問。這是創舉，歷來一次也沒有。在日本，「反蔣、台獨」之聲易見報章、雜誌或上電視，走「祖國」路線的可說少之又少，只在華僑界上，有正面國共勢力之分。以「東京華僑總會」為主的親大陸祖國派和「中華民國華僑總會」的親蔣國府派是經常互損互嗆的僑團組織。

「東京華僑總會」是真正的愛國僑團。在 1949 年 10 月 1 日新中國成立後，日本華僑界一分為二，才分裂為兩個屬性不同的僑團。「東京華僑總會」是由台籍華僑菁英陳焜旺（日本法政大學法律科畢業）為首的一群台灣籍知識分子領導的愛國僑團。在 50 與 60 年代，與親美右翼日本政權也正面衝突、鬥爭，為爭取國家尊嚴、僑民利益、維護國家在日產權（如「光華寮」、「後樂寮」、「清華寮」等產權），與國府駐日當局、日本政府作過不少正義的鬥爭，也與朝鮮的在日僑團「朝鮮總連」共鬥過無數次的反帝、反核、反「安保」等鬥爭，是在日華僑的一個中流砥柱，是愛國精神堡壘之所在。上述的五個台灣留日學生的訪問大陸，也是在「東京華僑總會」的協助下，順利成行的。此時，我忙於「台連會」的主持，也未與他們有過接觸，知之甚少，是在「廖春木醫師演講會」之時，才有了接近「僑總」關係人士，才逐漸涉入另一個社會。

當我知道那五個台灣學生訪問大陸回來之消息後，我馬上跟其中一位也曾是「台連會」總幹事的汪義正學長聯繫。告訴他我們要舉辦一次三方面（國、共、獨）同席的座談會，請他代表一方出席。他欣然答應了，也介紹了另四位學生讓我認識。這時，我才知道原來他們早已在一個組織「台灣省民會」（簡稱「省民會」）裡有過參與和活動，也出版了刊物《洪流》，常辦「讀書會」、演講會等。參加者大半是敢於現身的旅日台籍老華僑，留日學生不多。這個「省民會」也是在「華僑總會」的領導下成立的，等同於與「台獨」、「國府」不同的台灣同鄉會。成立前後，我身在「台連會」卻已聽了不少有關該會的諸多批判、諷刺、漫罵等流言流語。當然，沒時間去在意這些，也沒怎感興趣。對「統派」團體我一無所知，或多或少在自己的腦海裡也會有些敏感、排斥。只不過並沒有到「厭惡」的程度。

倒是有一個人讓我喜於接近、請教。他，就是還在東京大學專攻博士課程的劉進慶前輩。我是在一次「台連會」的聚會場合認識的。他當時的住處又正巧與我住的地方才相隔幾條街。剛開始時，我經常會去請教他功課的問題。他也不厭其煩地指導我，一有空，就會談及時局大勢。他很鼓勵我接掌「台連會」的職責。說：可以通過實踐學到很多事情，增加見識，增加辦事能力，學會與人相處、領導統御等等之事。還教我看那些書，介紹一些僑界、學界之情況。從他這裡，我的確學了不少事，也感到他為人中肯、實在、無架子，很平易近人。對我想舉辦一個以留日台灣學生為主的座談會很是贊同，從旁幫助不少工作。

總的來說，第十屆的「在日台灣學生連誼會」是一屆敢於突破封建、反共、斥華的「幹事會」。八位幹事其中的吳新地同學（台大哲學系畢業，就讀東大哲學系），是我們的核心領路人之一。他對政治哲學的解析，影響我們這群「新入生」很大。他的背後又有劉進慶的同窗關係。我們三人經常是小組會議的成員。大大小小諸事我都會跟這兩位前輩商議。

「台連會」卸任後，我開始與統派人物多了接觸。除了前述五位去過大陸的台灣同學外，愛國僑團的組織，如「東京華僑總會」青年部、「台灣省民會」及其旗下的一些台灣出身者，參加他們的讀書會、研討會、演講會……等等，也公開參加使館舉辦的慶典集會、電影會，成了不染而紅的人物。當時，他們已開始了《洪流》中文誌的編輯、出版。雖說大的國際情勢是在痲痺學生關心政治潮流中發展。但是七十年代前期，我們這群僅存的愛管閒事的台灣留日學生是不顧一切地努力學習兩岸歷史、研習哲學、改造自己，群策群力地編輯《洪流》之後的《星火》刊物。又承愛國華僑總會的關照，給了一間空房供我們作辦事處，可以有個集會和做事的場所。那就是位於東京中央線火車站「御茶之水」站附近的「後樂寮」裡。此寮是中日共有的歷史學寮，已數十年之老建築物。中式建築的此寮在當年（清朝）是座現代化建築物，規格也夠氣派。我們接到一間空房，年久失修，屋內又留下一大堆近乎垃圾的東西。為了使用，我們幾個人分別找出時間整理它、粉刷它，貼上壁紙。花了好大的功夫就快可使用時，1975 年 9 月 13 日，我突然被日本移民局扣押「收容」起來，《星火》也到可以付印的時候。就這樣，我與同志們一別就是二年三個月了。

通過「收容」這件事，也檢驗了是友非友之所在，二年多之間，也有不曾聞問的友朋，人世間的冷暖也就自知了，給了我與小邵多了一層對人情事故的認識。除有關單位外，劉進慶同志是一位最值得我們感謝和懷念的前輩。自始至終，他都參與了營救工作。律師、日本共鬥友人、東大醫院左派醫師等等，他都積極穿梭協作，對我家大小的生活也關心備至，支援不遺餘力。

入所前的《星火》發行受挫停損後，二年多期間也沒人接續，一切都呈停刊狀態。其實 70 年代末期，日本的學運氣氛也已下滑，中日又正式建交了，中美關係也恢復正常了，在日的台灣學生對政治的熱情也消退下來。《星火》燎不起原來也無可厚非，後繼乏人更是一個關鍵點。我們的基地「後樂寮」的一室也因改建成日中友好會館而不存在了。我們這批「年輕」的台灣統派愛國學生很自然地各謀其生。除了華僑總會或大使館的節日聚會外，都已無暇從事學生時代的政治運動了。我也上了班，身歷其中地在為中日友好事業盡力。可說目的和方向都升級了，也就一切順其自然。我們幾個留在日本的同志倒還會利用業餘按期舉辦「懇話會」之類的活動，談談、關心台灣的政局和時事，算是沒有脫離狀況。

從七十年代台灣留日學生反獨促統運動談起（節選）

繼 60 年代末，世界各地中國（台灣）留學生掀起「保釣」運動之後，以 1972 年的中日邦交為轉折，留日的台灣學生之愛國反獨促統運動此起彼落，衝向高潮。當時，我〔林啟洋〕和劉進慶，吳新地以及一位姓蔡的，我們四個人為核心，以非公開方式發起了「中國統一促進會」。在這期間參與刊行《洪流》、《星火》等充滿愛國主義的刊物，主辦「學習會」、「座談會」來學習政治經濟學、歷史唯物論、《毛澤東選集》，以圖啟蒙留學生對社會主義新中國加深認識。同時，透過學習來自我改造，相信有一天，匯集志同道合的同志，肩擔起促進中國統一工作。

我們的運動時刻在國民黨情治單位和日本當局的監視下秘密推動，困難重重。1976 年日本當局以居留問題為由，把我收押於收容所兩年多，組織嚴重受挫，為求保全，只有化整為零，以待將來。〔……〕一如我們在 70 年代時經常舉辦的「讀書會」、「學習會」從頭研習人生觀、價值觀和社會歷史觀等。我們的理論與實踐的落實就是舉辦「座談會」、「祖國參觀訪問」和出版初級的啟蒙刊物，如《洪流》、《戰旗》、《星火》等。我們自身對祖國正確的認識都是通過這些階段性成長才具有的。台灣人民百餘年的思想污濁豈是一朝一夕就能洗滌乾淨？只要有一天由台灣出身的「統促會」成員趨於多數，「台灣問題」的解決就見曙光了。

台灣經濟的基本性質

從中樞衛星關係的觀點
看台灣政治經濟的演變和展望

本文於 1983 年 8 月 10 日宣讀於「『台灣之將來』學術討論會」(1983 年 8 月 9 日至 12 日，又稱香山會議)，並收錄於郭煥圭、趙復三編，«「台灣之將來」學務討論會論文集»，北京：中國友誼出版公司，1983 年。

本文所附錄的〈劉進慶回憶 | 香山會議」〉原題〈從「香山會議」到太行山老區〉，登載於北京《台聲》雜誌，2001 年第 12 期。

問題的癥結與分析角度——中樞衛星關係與國家資本主義觀點

戰後台灣經濟，從 60 年代以後巨步發展。近十年來，在第三世界中擠進走在前頭一群的所謂新興工業國家（Newly Industrialising Countries = NICs）中，尤其與韓國、香港、新加坡等地區的發展一同廣受國際間注目。[1]對此一世評以及台灣經濟的實際情況，如何加以認識，是一個問題所在。

---

[1] OECD, *The Impact of the Newly Industrialising Countries: On Production and Trade in Manufactures*, Paris: Organisation for Economic Co-operation and Development, 1979, p.18.

從量的方面、以及表象形態來看，這二十年來的台灣經濟的確有著大幅的成長和變化。其過程為引進外資，擴大工業生產，促進出口，帶動經濟高度成長。以致產業結構由農業為主轉變以工業為主的形態，傳統的農業社會很快地轉進工業社會。這個變化不能說不大。然而從質的方面，以及經濟循環結構來看，則仍然依靠外資外貿導向成長而不能自立。資本倚仗強權，犧牲廣大小農經濟和低廉勞工的利益推動原始積累，其本質仍然是附庸依外，百年來如一日，還不能脫離此一史的課題，這才是問題的癥結所在。

然而，當今的附庸形態已經與過去清末、日據時代不同，已經不能用舊的殖民地主義理論來分析，或者僅用「新殖民地主義」概念來剖析也是不夠充分的。必須要有一個通觀半殖民地、殖民地以及「新殖民地」過程的分析理論，才能確實把握現在的問題、展望未來。

第二次大戰以後，舊殖民地體制雖全面崩潰，但帝國主義仍然存在，而且回復其強大力量。一方面，由殖民地獨立而經濟落後的新興民族國家，匯成龐大的第三世界，與富有的先進國家分庭抗禮，形成當今所謂南北問題的新局面。在此形勢下的南北經濟關係、尤其站在第三世界立場來看，是形成怎樣一個國際政治經濟關係，能夠切實剖析此一問題的晚近代表性理論，首推 A · G · 法蘭克（Andre Gunder Frank）和 S · 阿民（Samir Amin）所倡導的中樞——衛星兩極化（metropolio-satellite polarization）理論。[2]爰此本文試將借用此一理論來做分析的方法。

---

[2] 其代表著作為 Andre Gunder Frank, *Latin America: Underdevelopment or Revolution*, New York: Monthly Review Press, 1975. 以及 Samir Amin, *Accumulation on a World Scale: a Critique of the Theory of Underdevelopment*, vols. I-II, New York: Monthly Review Press, 1974.

構成所謂中樞衛星理論的中心課題有三，第一是世界資本主義課題，就是說要從帝國主義的環球性資本積累形態來看第三世界的結構，第二是剩餘價值轉移課題，認為第三世界的經濟剩餘一直在轉移到帝國主義國家，第三是中樞衛星課題，認為近世以來先進國家與落後地區（國家）的經濟關係，一貫形成中樞衛星的附庸關係，衛星國家經濟儘管進行資本主義發展，其形態究竟是一種邊陲資本主義構成體（the formation of peripheral capitalism）脫離不了「低度開發」（underdevelopment）範疇。總之，此一理論的最大特色，在於指出南北之間的中樞衛星關係是近世以來普遍存在的形態一點。

換言之，當今世界經濟、中樞國獨占資本在國際間資本可自由移動的前提下，對第三世界開展不平等國際（垂直）分工戰略，進出衛星國投資，僱用低廉勞工，輸出勞力密集商品，撈獲優厚利潤，達成有利的資本積累，並推動國際間剩餘價值由南向北轉移。衛星國則在跨國籍公司支配下，依靠國外市場，促進資本主義發展，經濟透過對外貿易，國際收支和景氣變動等因素，深受外部影響，而處於附庸地位。其結果，經濟結構具有三大特點：第一是資本主義不能均等發展，致使國民經濟體制不能專一化而形成混合性多型體制。第二是工業化偏重於勞力密集輕工業部門。第三是產業中的服務流通（第三）部門自始就腫大不退。這就是衛星性結構的特徵。

轉眼來看台灣經濟，百年來一貫是附庸於中樞國，依靠外資發展。戰後，先是依賴外援，後又引進外資，集中發展勞力密集加工工業，擴大出口，達成高度成長。在這期間、農村過剩勞動力大量流進都市，工業大量積累——一批女工、童工為主的不熟練勞工。農業則更加零細化，小農經濟分化（商品化）而不分解。資本方面分成公、民營企業雙重結構，民營企業中又有本國資本、外資、僑商等大型近代企業和中小企業，形成混合多型體制。以上各種局面，樣樣都符合上開衛星結構的特徵。

然而此一中樞衛星關係理論，也有其侷限性。我們要知道、法蘭克、阿民的附庸理論主要是以非洲、拉丁美洲的歷史和社會經濟發展情況為模型而塑造架構的。他們對第三世界，類如亞洲地區民族主義和民族資本追求民族經濟自立發展的積極性這一面，不太重視，或者抱著悲觀的看法。因此從他們的理論上，找不出第三世界民族國家對抗帝國主義國家的支配而自立的展望。對此侷限性，我認為有必要加上國家資本主義另一觀點來補充分析才較切實。

所謂第三世界的國家資本主義（state capitalism）其主要特徵是國家以資本主義方式對廣泛的國民經濟活動加以干涉，而促進經濟發展，並保護私人資本積累，把整個國家經濟導向一個特定方向。它是在當今先進和落伍的南北經濟巨大差距的形勢下、必然形成的歷史產物，是一個資本主義的特殊形態。[3]所以它又與西歐先進國家的國家獨占資本以及社會主義國家的國家資本主義之含義不同。第三世界國家資本主義的特性，依其統治階級的性格與利害而定。因此，它有加速走向資本主義方向的可能，也有帶動國家經濟朝往社會主義方向的可能。換言之，是一個過渡性的經濟體制。不過，由於世界上這兩條路線的競爭是長期的，所以這個過渡也是相當長期的。[4]

再次轉看台灣經濟，它雖是混合性多型體制，但實際上是龐大的國家資本統治著經濟基幹。重化學工業，能源等部門不消說，營建、交通、運輸、金融等流通部門以及糖業、食糧特產品貿易等農

---

[3] 尾崎彦朔編，《第三世界と国家資本主義》，東京：東京大学出版会，1980年，第 18-26 頁。

[4] 本多健吉，《低開発経済論の構造》。東京：新評論，1970 年，第 89-98 頁。

業部門也都在國營企業的掌握之下。同時在財經金融政策上，政府對民間經濟活動備有獎勵投資，優惠出口等種種誘導手段，左右經濟活動的權限非常之大。台灣的國家資本依其規模已經很接近一個社會主義體制，而其本質卻是由國民黨官僚資本所支配的國家資本主義。[5]

基於上開認識與分析角度，自下先概觀台灣這百年來的各期經濟成長和其衛星關係的特點。接著，把戰後期衛星性經濟循環，著重其內部結構，分成幾個局面來檢討，最後以右傾和左傾國家資本主義觀點，來展望台灣與大陸未來關係。

百年來各期經濟成長與中樞衛星關係的特點

近代台灣對外開放門戶，經濟開始與歐美資本主義加深關係，乃以 1858 年的天津條約為開端。這百餘年來，其演變可分為清末、日據和戰後三個時期來看。其一貫的現象，如附表 1 所示，乃是各期都有高度成長，但生產關係都附庸依外，處於中樞國的衛星關係。

清末，1860 年代到 1890 年代中期一段期間，台灣有糖、茶、樟腦三項大宗出口商品。糖業在台灣歷來已久，據稱將有二百年歷史，糖廠的生產方式相當進步，已達到分工協業的手工業階段。[6]每年並有相當數量的糖，出口閩南、華北及日、澳等地。由此也可見當時台灣農業和農產加工發展水平的一般。1860 年英商從閩南移

[5] 拙作〈台湾における国民党官僚資本の展開——国家資本主義研究に寄せて〉，《思想》（東京），第 591 号，1973 年 9 月，第 27-52 頁。
[6] 戴国煇，《中国甘蔗糖業の展開》，東京：アジア経済研究所，1967 年，第 159-166 頁。

進茶業，由是茶農生產開始盛行，連同砂糖和樟腦，成為外商集中收購輸出的對象。[7]於是如表所示，台灣出口快速增加，從 1870 年到 1895 年之間，價額增加 5.7 倍，若以 1965 年為基年來算，則達十餘倍之多。這在一方面也表示台灣農業生產在此期間有巨步發展。

當時以英美德三國為主的外商，在台灣南北各港口開設洋行；一方面透過金融買辦（嗎振館）[8]前貸資金給生產者佃農地主以約束賣主；另一方面經手買辦（茶館、糖行）收購產品出口，兼撈商業和高利貸兩利。[9]洋行背後資金的最大來源，就是英國的香港上海銀行。[10]由此可見，清末台灣，已被編入以英帝歐商為中樞的衛星圈，受盡剝削。這一點，再予檢討進口內容、則就更為明顯。

如附表所示，進口雖也隨著出口之動向而增加，但所增不大。因此，順差極大，將佔進口的一半，這已非尋常，而再看其內容，則斷片資料明示，其過半是阿片毒品，比如1885年佔進口的60.5%、1890 年佔 60.7%，[11]此數目誠是可怕可惡。也就是說因為外商不甘支付大批金銀，遂用阿片毒品的大量進口來彌補逆差。由上開貿易大幅順差和阿片大量進口兩件事，可見英帝列強此期對台灣撈利之大，為害之深是驚人的，是不可容忍的。

---

[7] James W. Davidson, *The Island of Formosa Past and Present: History, People, Resources, and Commercial Prospects* (Taipei: SMC Publishing Inc / Oxford / New York: Oxford Uneversity Press, 1988), *1903*, pp.373-445.

[8] 即「媽振館」。「媽振」即 Merchant（商人）的音譯。——編者按。

[9] 臨時台湾旧慣調查会，〈第一部調查報告第三回報告〉，《台湾私法》，第 3 卷上，1910 年，第 313 頁。

[10] 臨時台湾旧慣調查会，〈第二部調查報告〉，《調查経済資料報告》，上卷，1905 年，第 134 頁以及 215 頁。

[11] 東嘉生，《台湾経済史研究》，台北：東都書籍株式会社，1944 年，第 348-351 頁。

日帝殖民地統治台灣半世紀，初期，改革土地制度，整頓各種社會經濟機構，先打好基礎。[12]中期，第一次世界大戰後，務力開發米糖農業，供給本土糧食。[13]由是出口增加帶動台灣經濟成長，附表所示，1915 年到 1925 年的十年，出口增加 3 倍半，總生產則增加大約 4 倍。一方面，進口也隨著增加，主要是肥料和日常用品等工業產品，形成農業台灣工業日本的殖民地經濟關係。貿易收支一貫是台灣的順差，這可單純表示台灣的經濟剩餘轉移到日本的一個佐證。

後期，日帝全面侵華，為要南進，在台推行工業化政策。附表所示，一時台灣經濟快速成長，進出口也隨著遞增。此期出口仍然以糖米為主，但進口則有一些工業設備，不過依然是台灣的大幅順差。糖業和肥料、水泥、紙業、鋁業、鋼鐵、機械、造船、石油、電力等新興工業，資本的 9 成以上為日本壟斷資本所控制，只留食品，碾米業部門，才有台灣人資本插足的餘地。[14]

總之，此期地主佃農支撐農業，包括全部稻米和 8 成的甘蔗原料，工業及外貿則大部分由日本壟斷資本支配，兩者之間，形成經濟循環的殖民地雙重結構，也是衛星結構的一種形態。[15]

戰後期，1950 年代以後，台灣獨自形成一個經濟單位。開始主要依賴美援和農業生產的回復，渡過難關。1960 年代以後，仍

---

[12] 請見矢內原忠雄，《帝国主義下の台湾》，東京：岩波書店，1929 年，第 1 篇第 2 章。

[13] 請見川野重任，《台湾米穀経済論》，東京：有斐閣，1941 年一書。

[14] 請見凃照彥，《日本帝国主義下の台湾》，東京：東京大学出版会，1975 年，第五章，以及日本大藏省管理局，《日本人の海外活動に関する歴史的調査》，通卷第 15 冊，台湾篇，第 4 分冊，第 5 部《台湾の経済（其の二）》，第 90 頁。

[15] 拙作〈台湾経済の循環構造〉，《経済学研究》（東京大学経済系研究会），第 9 号，1967 年 8 月所收，第 1-4 頁。

是依靠外資外貿帶動成長，附表所示，1958 年到 1981 年之間，總生產實質增加 7 倍半，出口則增加更大，計達 47 倍半之多，這充分表示出口在帶動成長。進口也隨著伸長、但因 1958 年基數與出口相差較大，所以倍數不齊。

這裡我們可看出幾點與過去不同的跡象。第一是出口增加帶動成長的比數，不比過去大，也就是說，需要較大比率的出口才能帶動較小比率的成長。第二是出口商品以工業加工品為主。第三是進出口收支順逆差交錯不齊，已不是順差一邊倒。其實這三點都互為因果，同出一軌。因為台灣經濟已與過去大不同，主要在靠加工貿易來維持，也就是說進口部品原料，出口加工成品，以其勞動附加價值為收入來源。所以需要較大外貿的成長才能帶動整個經濟成長。經濟剩餘較多的情況，已經不能單純地從貿易收支指標看出。因為當今國際經濟機構和跨國籍企業的活動比較複雜，經濟剩餘轉移的機能更加巧妙，需要加深探討才能把握實況。

然而儘管外表指標與過去有所不同，但有一點是一貫的。就是說，外資外貿的主要國家集中在美日兩國。台灣經濟附庸於此兩國。台灣由美日引進外資與技術，推動工業化，促進出口。市場主要依存美國，既由日本輸進部品而加工輸出美國，三者之間形成三角貿易關係。資金借貸，主要又是依靠美國以及關係機構。以上情況不能不說是一種現代版中樞衛星關係。

台灣民營企業在與外資合作而拓展國外市場的形勢下，也快速開展資本積累，十餘年來，形成名叫企業集團的財閥資本。一方面，巨大的國家資本尚統治經濟基幹而不放，其產生背景與中國近代史以及台灣戰後的特殊情況有深切關係、容後再提。它的主要任務，一面在保護私人資本積累，另一面則保存統治權力的物質基礎，形成一群官僚資本。在經濟總體的頂端，官僚資本與私人財閥資本勾結成為所謂官商資本，統領內部。[16]但對外它仍然附庸於美日壟斷資本，基本上是中樞衛星關係。

外資和官商資本之積累基礎，是廣大的小農與低廉勞工，他們在衛星性資本主義發展過程中的樣態，留待下面分述。

戰後經濟結構的改造與演變

1945 年日本投降，台灣結束了半世紀的殖民地統治，回歸祖國，所有政治經濟機構重新改造、經濟環境也發生巨大變化。但期望越大，失望也越深，新時代一開始就波瀾萬丈。抗戰一完，國共內戰接踵而來，到 1950 年這一段，社會經濟混亂不堪。台灣政經構造的改造，就在此期進行，它左右整個戰後方向，有必要多加說明。

國民政府接收台灣的同時，也把殖民地日本壟斷資本全部接收，好比糖業、石油、鋼鐵、電力、肥料、機械、造船、鋁業、紙業、水泥以及工礦、農林中小企業等統歸國有公營，編成龐大的國家資本體制。這一項工作以資源委員會和陳儀一派的人為首，照搬抗戰時期西南建設方式處理，新體制是一種戰時統治經濟，也是戰後中國龐大官僚資本體制的一環。[17]

但是台灣經濟並不能由此而轉好，反而更糟。因為戰後百事待興，但是內戰復起，財政負擔加重，經濟復興緩慢。一方面，官僚腐化，公營企業效率低，經營不善，其獨占利益不是充當軍費，就

---

[16] 請見拙著《戦後台湾経済分析》，東京：東京大学出版会，1975 年，終章第 1 節。

[17] 台灣省政府統計處，《台灣省行政紀要》，1946 年度，第 41-43 頁；民治出版社，《台灣建設》，上冊，台北：民治出版社，1950 年，第 77-82 頁；以及台灣銀行金融研究室，《台灣銀行季刊》，創刊號，1947 年，第 400-401 頁。

是被貪官污吏橫斂。當局只好依靠銀行印發鈔票來彌補財政，物質供應欠缺，通貨開始膨脹。1946 年一年之間，台北市物價上漲 2.5 倍，1947 年 2 月，則僅在一個月中就上漲 61%，怨聲載道，民不聊生，二二八民變終於爆發了。

其實經濟的混亂大陸更大，台灣自不能不受其影響。戰後台灣的米糖轉向上海地區輸出，換來日用品。但米糖收入全部歸政府，日用品價格則節節上昇。透過這種貿易匯兌關係，大陸的通膨湧進台灣來，物價更加飛漲，1947 年台北市物價上漲 6 倍，1948 年 11 倍半，1949 年前半年就漲 10 倍，是史無前例的。由此可見此時經濟混亂的一般。

1949 年 6 月，終於被迫實施幣制改革，舊台幣貶值 1/40000，40000 元兌換新台幣 1 元。[18]大陸情況更糟，所以國民黨垮了。從此台灣再與大陸斷絕所有政經關係，成為另一單元經濟圈。這時宣布的戒嚴迄今已有34年，它直接間接影響社會經濟利害關係至深、不得不特此附言提醒。

在此情況下，國民政府另一個突出的措施就是管理糧食。當局接管台灣的同時，立即頒佈「管理糧食臨時辦法」，並開設「糧食局」把殖民地末期的戰時糧食統制機構全部照搬，且援用大陸的徵糧方法，亦即田賦徵實和隨賦收購，再加上肥料換穀三種辦法，加強徵糧體制。[19]其結果，當局掌握的米穀，以 1949 年為例，則佔生

---

[18] 黃登忠，《台灣省五年來物價變動之統計分析》，中國農村復興聯合委員會特刊第 3 號，1952 年，第 31 頁附表 2，以及台灣銀行經濟研究室編，《台灣金融年報》，1952 年，第 55 表。

[19] 台湾総督府，《台湾経済年報》，第 2 輯（1942 年度），第 74-87 頁；石浜知行，《重慶戦時体制論》，中央公論社，1942 年，第 143 頁；増田米治，《重慶政府戦時経済政策史》，東京：ダイヤモンド社，1943 年，第 425-426 頁；財政部編，《財政金融資料輯要》，1952 年，第 8 之 11-13 頁，以及經濟法規資料（《台灣銀行季刊》，創刊號，1947 年，第 363 頁）。

產總量的 21.4%，50 年代以後，年年約達 3 成之譜。其目的在充實財政，確保軍公糧，控制穀價，以緩衝通貨膨脹的打擊。[20]然其作用不但把貨幣經濟的發展機能倒退，而且剝削農民。

1948 年後半，大陸局勢告急，迫於形勢，國民政府終於在台實施農地改革。其目的在緩和階級對立關係，鞏固政權安定。從減租到放領，把 144000 甲佃地，由 106000 戶地主放領給 195000 戶佃農。其結果，佃農由 40%減至 17%，數百年來台灣的地主階級從此衰退瓦解。[21]

這個改革的經濟意義，在於增加自耕農，刺激農業生產，收到枯木開花一時之效。一方面，對地主來說當局藉補償地價機會，把農林、工礦、水泥、紙業等公營四大公司移轉給民營，同時透過發行土地實物債券方式，把約 22 億元的實物資金由佃農支付給地主轉向工商業，等於說把地主資本導向工商資本，種下 50 年代以後民營企業茁長的契機。

另一方面，大陸撤退前後，隨國民政府遷台的大陸資本，也在當局卵翼下哺育茁壯，成為 50 年代以後紡織業發展的開端。[22]

50 年代以後迄今的經濟演變，從成長觀點來看，如表 2 所示，大致可分為四個段落，茲將各期特點，僅就成長觀點略述如下。

第一期，從 1953 年到 1963 年之間，等於說是 50 年代。雖困難重重，但比前一段的混亂相比可稱為相對穩定期。此期最大特點

---

[20] 請見台灣省糧食局，《台灣糧食統計要覽（1952 年）》以及同局《十六年來之糧政（1962 年）》兩本書。

[21] Hui-Sung Tang, *Land Reform in Free China,* Taipei: Chinese-American Joint Commission on Rural Reconstruction, 1954, pp.137-138，以及陳誠，《台灣土地改革紀要》，台北：中華書局，1961 年，第 75-80 頁。

[22] 黃東之，〈台灣之棉紡工業〉，台灣銀行經濟研究室編，《台灣之紡織工業》，台灣研究叢刊第 41 種，台北：台灣銀行，1956 年，第 21 頁。

為美援與內向經濟，[23]因為當局遷台不久，人口激增，百事待辦，軍事財政負擔繁重。當局雖靠徵徵糧重稅和公營企業巨額收入，但尚難維持財政，而必須依靠美國援助。其金額相當於國民總生產（GNP）5%至 10%，財政收入的 2 成以及進口的 3 成之規模。[24]表 2 所示，此期資本形成額百分點比國民儲蓄額的多出 6.1%，佔資本形成額之 1/3，這部分就是美援投資。結果，全期平均達成 7.7% 的成長。其原因除美援支撐之外，農工生產與輸出均有著貢獻。而此期輸出主要靠糖米農產品，工業生產則指向國內市場，物價也安定下來。由此可見，除開美援不談，長期奠定下來的農業基礎對經濟安定具有舉足輕重的重要性。

第二期，從 1964 年到 1973 年之間，也就是 60 年代。此期最大特點是把經濟向外開放，引進外資和技術，振興加工業，導向出口，帶動成長，可稱為高度成長期。1965 年美援停止，為迎合此一形勢，1960 年開始積極獎勵投資，優待外資。[25]1965 年爭取到日本援助，一面開設出口加工區。[26]時機值逢國際經濟形勢轉好，跨國籍企業向工資低廉 條件有利的地區踴躍進出，於是外資湧進來，國內私人資本也迎上而起。

---

[23] Ching-yuan Lin, *Industrialization in Taiwan, 1946-1972: Trade and Import-Substitution Policies for Developing Countries*, New York: Praeger, 1973, p.41.

[24] *Taiwan Statistical Data Book,* Taipei: Council for Economic Planning and Development, 1970, p.15，以及行政院主計處編，《中華民國統計提要》，1957 年度，第 72 表；1967 年度，第 87 表。

[25] 請見拙作〈外資導入と合弁企業〉，笹本武治、川野重任編，《台湾経済総合研究》，上冊，東京：アジア経済研究所，1968 年所收一文。

[26] 請見拙作〈台湾輸出加工區の分析〉，藤森英男編，《アジア諸国の輸出加工区》，東京：アジア経済研究所，1978 年所收一文。

如表所示，全期輸出平均成長 29.7%，帶動工業 19.4%的巨步成長，農業雖處於不利地位，尚能維持 4.4%的高成長。結果，GNP 成長率達 11.1%，而難能可貴的是在高度成長中，物價更趨安定，儲蓄與投資接近平衡；此期經濟指標樣樣良好，可稱為戰後的「黃金時代」。這也是當時世界性的一般形勢。台灣在物價安定與高儲蓄兩點比較優異。

第三期，從 1974 年到 1979 年之間的 70 年代，可稱為不穩定成長期。此期的特點是兩次石油危機所帶來的動盪。1971 年第一次石油危機，油價上漲 4 倍，物價猛漲，出口停頓，工業生產立即減退，1974、1975 兩年的情況最嚴重。當局採取非常措施，統制物價，調整資金利息，並維持匯率不動以靜觀形勢。另一方面，同時發動十項建設，指向重工業化，對交通運輸、港口、原子力發電以及鋼鐵、造船，石化等部門進行總額約 60 億美元（按 1979 年評價）的重型投資。[27]這幸好收到緩和景氣惡化之效益，以利克服困難。1976 年經濟開始回復高度成長，這主要仍靠美日景氣的回復和勞力密集加工品之出口來帶動。然而 1979 年石油危機復起，則台灣景氣慢慢衰退，陷於長期停頓不振。至此各方才發覺台灣經濟進入轉型期，亦即工資水平遞增，工業結構若不升級，就喪失國際競爭力，無法再拓展出口以帶動成長。從 1973 年開始的重工業化，是意圖重工業品的進口替代，但有侷限性，沒有十分收效。其問題癥結在於石化上游部門由政府國營而不放，鋼鐵造船重工部門則民營化未成，重工石化基幹部門終又歸由國營，其經營效率差，成本高，加重下游工業的成本，而減低對外競爭力。一方面，民營企業單靠

---

[27] 行政院經濟建設委員會，《十項重要建設評估》，台北：行政院經濟建設委員會，1979 年，第 3-6 頁。

低勞力和當局的保護撈利，而放鬆革新技術和改善經營的努力，招致近年欲振乏力的局面。

如表所示，1980 年迄今，各項指標比前期大幅後退，可稱為低度成長期。農業生產從 70 年代開始轉折趨向衰退，近年竟出現負的成長。工業生產由於出口不振而減到一位數的成長率。民間投資意願隨著低落。此期總成長僅達 5.1%，是 1930 年來最低的水平。不過雖然不景氣，但是物價照漲不誤，而總生產對進出口貿易的依存率卻遞增不減。由是可知近年經濟動態畸形不穩，而其結構越來越容易受到外在因素的影響。

綜上所述，台灣經濟經過 30 年來的快速成長，其產業結構發生很大變化。如表 3 所示，第一（農林）部門，從 1953 年的 38.3% 減低到 1982 年的 8.7%。第二（工礦）部門則在同期間，從 17.7% 增加到 43.9%，農工兩部門替換主導地位，第三（流通）部門則自始就腫大不退，佔 4 成半左右而增減不大。工業化比率在 70 年代反而縮小的理由，並不是由於工業的升級（高度化），而是由於第三部門的不健全膨脹所致。

在此期間，就業人口的動態也隨著變化，如圖 1 所示，農業部門從 1969 年的尖峰期 173 萬人轉折遂漸走下坡，到 1981 年減至 126 萬人。工業部門與它成對比，從 1965 年的 80 萬人逐年遞增，1981 年增至 281 萬人，這 16 年間增加 3 倍半。流通部門則居其間，隨著工業發展年年增加。總觀全盤動態，由圖可明顯看出 1969 年前後是一個轉折點。

當今台灣經濟從產業結構的各項數字來看，已與先進國的形態很接近。台灣可以說已從農業社會轉型到工業社會。但是這樣還不能說是先進地區，因為它就是畸形發展。台灣的資本主義就是專靠小農和不熟練勞工的積累而發展的。

小農商業化與不熟練勞力的積累

一般來說，資本積累的基礎為農民與勞工。台灣的農民，戰後一面從農地改革得到一些好處，但另一面則由於當局的徵糧賤穀政策，受到很大的剝削。關於徵糧政策，如前面所說，當局透過肥料換穀，田賦徵實，隨賦收購等種種辦法，把農民的剩餘糧穀吸收殆盡，以維持軍事財政，[28]這個期間從戰後到 1971 年，長達二十餘年之久。至於賤穀政策，則當局挾其大量掌握餘糧為依靠，控制糧價，抑低農產品價格，優惠工產品價格，兩者成為剪刀形關係〔剪刀差〕，賤穀傷農。透過此兩項政策的作用，把農業剩餘轉到財政與工業兩個部門，促進資本積累。

因此農家經濟很久沒有得到改善。到了 60 年代後半，由於城市加工業大量吸收農村過剩勞力，以致農業勞力開始不足，工資上漲，農業經營惡化。[29]以 1969 年為轉折點，農業失去往日的活力，開始走下坡。[30]迫於形勢，當局不得不把肥料換穀制度撤銷，反用保障穀價政策來鼓勵糧食生產。

如表 4 所示，農戶人口從 60 年代後半開始減退，而農家平均耕地面積一直是 1.1 公頃，始終沒變，每家人口逐年遞減，這個現象與前示圖 1 對照，可看出部分農林勞力移進城市工業，但是另一

---

[28] Samuel P. S. Ho, *Economic Development of Taiwan, 1886-1970*, New Haven: Yale University Press, 1978, pp.181-184.

[29] 請見拙作〈農村の過剰人口と労働市場〉，隅谷三喜男編，《アジアの労働問題》，東京：東洋経済新報社，1971 年所收一文。

[30] Walter Galenson ed, *Economic Growth and Structural Change in Taiwan: the Postwar Experience of the Republic of China*, Ithaca, N.J. : Cornell University Press, 1979, pp.141-146.

面也可把握到小農並不因此而分解。比如附表又示，兼業戶逐年大增，1955 年為 60.1%，1960 年一時減為 52.4%，之後又開始增加，1975 年達 82.3%之多。這表示有相當數量的農村勞力參與工業勞力市場，爭取工資收入。

以上一點看表 5 便知。農家所得中，農業所得與非農業所得之比例，據記帳調查，則由 1963 年的 85.7%對 14.3%，逐漸轉變，1973 年為 58.3%對 41.7%，1980 年則成為 44.6%對 55.4%之比例。所謂非農業所得，大部分是工資收入。這個記帳調查對象的農家，算是規模較大的中農。規模更小的農家依靠工資收入的成分，預料比此更高。可見台灣大部分農家已經不靠農業收入，而主要靠工資收入來維持家計。同時表示，農村勞力商品化的程度很高。

再看農業收入的內容，其現金部分也大有增加，比如 1963 年為 53.1%，1980 年則增至 76.2%。這可表示農業本身的商業化程度同時在加深。總之，農家家計的改善，主要是靠工資收入來維持的。再說，這種農家勞力兼做勞工的情況以及低廉糧價的條件，才是台灣低廉勞力的存在基盤。

談到低廉勞力的積累問題，除與廣泛商業化小農的存在有關之外，也與非常時期下的勞力市場機構以及資本大量僱用童工、女工有密切關係。

第一，台灣所有工會組織與活動都是官製傀儡，當局嚴禁罷工怠工，不許勞工行使集體議價，也就是說勞力市場受到很大的限制，並不是一個資本主義的自由市場。勞力商品只能透過勞工個人與企業組織議價交易。這在形式上是完全自由的，但實質上是不自由、不公平的市場。因為個人議價力量不可能與企業平等，企業僱用勞工、決定工資往往是單方面的，而工資水平往往偏低，不利於勞工。

[31]對此勞工無法對抗，只好頻繁離職移動市場。因此台灣勞工進退率特高。比如紡織、電子加工部門，一年之間有一半以上的員工移動。但是雖然這樣，工資不見得就會提高多少。因為這些勞工以不熟練的女工、童工居多。

我們知道，童工、女工是低廉勞力的代表性形態。因為台灣經濟成長專靠勞力密集加工業的出口來帶動。其加工技術非常單純，所需勞工不需多大技能，亦即工資低、工作效率高的不熟練女工、童工最合乎加工業需求。如圖 2 所示、上述情況一目瞭然。製造業勞力、有 40.8%是女工，而女工以 24 歲以下的年輕工人居多，佔女工全數的 59.4%。男工則以 25 至 29 歲之間最多。這大概與兵役年齡有關。農業則恰恰相反，中年以上的老人居多。如果再從行業別來看，紡織女工最多，縫衣部門則佔 84.5%；另者，加工出口區 85%以上是女工。可見台灣的出口導向工業化以及高度成長是靠這批女工來支撐的。[32]同時，這二十年來的資本積累的特徵之一，就是積累了大量的不熟練勞力。

如表 6 普查資料所示，這 20 餘年來，造業部門的勞工快速增加，由 1954 年的 31 萬人增加到 1976 年的 191 萬人，計有 6 倍之多。其中，絕大多數是受僱用的。僱用率從 1954 年的 77.4%增加到 1976 年的 96.6%。這個數字正表示資本家—勞工關係的擴大，也是資本主義化進展的一個指標。

其次，就是熟練工與不熟練工比例之變化。如表所示，從 54 年的 34.8%對 44.2%、變為 1976 年的 22.3%對 53.7%、就是說在這

---

[31] 拙作〈台湾の労使関係と労働法〉，《台湾の労働事情》，東京：アジア経済研究所，アジアの労働事情研究会資料五，1969 年所收，第 187-205 頁。

[32] 拙作〈台湾における多国籍企業と労働市場〉，《日本労働協会雑誌》，1975 年 4 月号所收一文，以及黃富三，《女工與台灣工業化》，台北：牧童出版社，1977 年，第三章。

期間、熟練工的比重逐漸減低，而不熟練工的比重反而逐步增加。這個傾向對台灣產業的高度化問題，形成一個尖銳的矛盾。換言之，台灣工業實質上是否真的高度化，從勞力結構的內容看，很成問題。

以上所指出的小農分化（商業化）而不分解以及不熟練勞力之廣泛積累兩點，就是衛星結構的典型特徵。

國民黨國家資本主義與財閥資本的積累

所謂國家資本，是指政府直接、間接投資的所有公營企業而言。它雖是一種經營體，但除營利之外，還負有為公益、經濟政策以及財政服務之機能。因此國家資本的積累與規模，應視其國家統治權力的性格而定。

戰後台灣，國民黨政府以民生主義之「發展國家資本，節制私人資本」為名，擁有規模龐大的國家資本，與社會主義國家的國營企業規模相比，並無遜色。其實大部分是接收戰前殖民地日本壟斷資本遺產而形成。所以包括很多行業，公民營之間的區別，本來就沒有具體而明確的準繩。[33]

60 年代，民營企業突飛猛進，與民爭利的紡織部門公營企業，經營惡化，被迫整理撤銷。70 年代，台灣在指向重化學工業化之過程中，國營政策搖擺不定。當政府要擴建石化上游部門時，私人資本有意參與，但當局堅持重要工業國營政策，拒絕下放民營。繼

[33] 請見拙作〈戦後台湾経済の構造——公業と私業〉，《思想》，1972 年 6 月号所收一文。

後當政府決定投資大型鋼廠和造船時，預定採取民營方式，誘勸民資，但民資卻袖手傍觀，這兩部門終於又不得不歸國營。[34]

因此，70 年代後半，在資本主義經濟快步發展的過程中，國家資本的比重反而趨向增加，與私人資本之間形成明顯的產業分工體制。現在的情況，如表 7 所示，所有重工部門或者產業上游部門以及交通、通信、運輸、金融部門的關鍵機構統歸公營。換言之，國家資本占領台灣經濟的關鍵部門，對經濟活動具有舉足輕重之統治地位，形成一種國家資本主義體制。

轉看私人資本，在 50 年代，基礎很薄，它完全在政府卵翼下哺餵而茁壯。亦即國民黨政府在台並沒有節制私人資本，而是積極扶植私人資本。最典型之例就是紡織業的保護政策。1949 年 8 月，政府為迎合大陸紡織資本大量遷台的形勢，便制定「台灣省獎勵發展紡織業辦法」。以中央信託局為中心，採取在大陸「全國花紗布管理委員會」之下實施的「代紡代織」辦法，利用美援進口棉花，給予業者優待配額，優惠匯率以及低利貸款等種種方法，扶植紡織業在台扎根，推動其原始積累。[35]

60 年代，政府制定「獎勵投資辦法」，主要以減免稅捐、關稅以及優待銀行貸款等方法，繼續保護私人資本。此期內外形勢好轉，民資結合外資，集中於出口導向加工，推動資本的快速積累。到 60 年代末，竟出現一股強有力的企業集團。70 年代以後，其規模更加龐大。諸如表 8 所示的關係企業集團，比如台塑、遠東、台南、國泰、裕隆、大同、新光等，已經發展到可與公營企業對比之規模。

[34] 請見拙作〈強まる官主導の官民二重経済構造——経済発展·安定に効果的機能〉，《国際経済》，通巻 216 号，1981 年 2 月所收一文。
[35] 請見林邦充，〈台灣棉紡織工業發展之研究〉，《台灣銀行季刊》，第 20 卷第 2 期，1967 年所收一文。

所謂關係企業集團，其實是以血緣、地緣為紐帶關係的一種財閥資本。

據調查統計，民營最大 100 家企業從 1970 年到 1979 年之間的 10 年中，資本額增加 5.5 倍（扣除物價上漲因素實質增加 2 倍），營收額增加 6.4 倍（實質 2.5 倍）。1979 年的營收額 3819 億元，相當於當年國民總生產的 32.8%。同年公營企業 32 家的營收總額 2800 億元，佔總生產之 24.1%。公民營兩者合計竟達總生產之 6 成之多。[36]由是可知，台灣經濟主要由此龐大的國家資本與少數的財閥資本所壟斷。

國家資本的本質，就是當權階級的物質基礎。在台灣，它也就是為國民黨為首的統治集團利益服務。舉例說，黨官大員當公營企業主管，把董監事位置安排給黨人顯要出任，以便分享其利，令公營企業超額僱用退休退職軍公黨員，安撫其養老生活，分派各種政治捐獻或者黨政活動費用給公營企業做開支，轉嫁負擔。經濟官僚既官又商，亦公亦私，國家資本也就是國民黨官僚資本。

黨官僚階級與資本家階級的關係有兩面，一面是互利相輔，另一面是爭利相剋。由是在上面一層兩者必然勾結，形成一種官商資本。它就是台灣的統治資本，調整各方面利害矛盾，統領全局。例如最近台灣與日本的豐田汽車公司合作成立的大汽車廠，其資本關係就是一個典型例。資本額 106 億元，其中豐田 45%，國資中鋼 25%，民資 9 家 30%，民資主要是台塑、台泥、大同、國泰、遠東、新光等財閥資本。[37]當局欲以此一大汽車廠帶動 80 年代台灣工業化之升級，是一個關鍵性戰略產業。

---

[36] 中華徵信所編印，《中華民國最大民營企業（TOP 500）》，台北：中華徵信所，1980 年，第 6-7 頁。

[37] 請見《中央日報》（國際航空版），1983 年 6 月 8 日第 1 版以及 6 月 12 日第

然而官商資本又有兩面性，一面是買辦性，另一面是民族性。在經濟上它畢竟是附庸於美日壟斷資本。但是在政治上我們則不能把它的民族性一面，完全否定。它偏重於那一面，是要依據今後事實的開展才能斷定。

結語——若干的展望

現在的台灣經濟是達到一個出口導向的中度工業化階段。它的本質，由上述各項特徵來看，仍然是對外附庸，是中樞的衛星。當前的課題，是工業結構的轉型升級，亦即工業的資本技術密集化，附加價值高度化。但它又脫離不了出口導向的方向。轉型升級的可能性要視今後中樞國新國際分工體制的情況而定。[38]如果美日工業更升一級，他們願讓出其夕陽工業分給台灣承擔，台灣就有可能升級。目前，這個可能性並不是沒有，台灣正在機械（汽車）和資訊產業方面努力充實這個承擔能力。一方面，韓國後來居上，與台灣競爭非常激烈，東南亞以及大陸的勞力密集品對台灣的威脅日益嚴重。台灣經濟的升級是有時間性的，80 年代是一個關頭。

再說，近年大陸在福建廣東開設經濟特區，對外開放投資。特區經濟無不是一種國家資本主義，它成為中國社會主義經濟的一個局部，也可以說是左傾國家資本主義。轉看台灣的「民生主義經濟」，

---

1 版報導。

[38] 請見 Folker Fröbel, Jürgen Heüarichs, Otto Kreye, *The New International Division of Labour: structural unemployment in industrialised countries and industrialisation*, Part III, Cambridge / New York : Cambridge University Press / Paris : Editions de la Maison des Sciences de l'Homme, 1980. 以及趙耀東，〈從世界工業發展趨勢談我國現階段工業發展的問題與對策〉，《自由中國之工業》（台北），第 59 卷第 3 期，1983 年 3 月所收一文，第 3-4 頁。

事實上是一種右傾國家資本主義，它的中樞是美日資本主義。這兩者雖有左右之分，但在國家資本主義一點是共通的。所以有其對立面，也有其共通面。對立主要在政治，共通是在經濟。資本是唯利是圖，如果政治面的對立縮小，台灣的民資向特區移動的意願相當大。這是今後值得注目的一個方向。

未來台灣經濟，如果美日經濟隆盛不衰，則乃可沾惠其利而維持下去。如果大陸特區經濟快速發展，則增加它處境的困難，逼使它不是轉型升級就是移動資本。當前是經濟動態將規制政治形勢。

附錄：劉進慶回憶「香山會議」

適逢全國台聯 20 週年華誕，想起長期以來，我作為海外台籍學者，頻繁往返祖國大陸開會、講學、參觀、旅遊等活動，受到台聯數不清的多方照顧，真是感慨良深。

1983 年 8 月，全國台聯配合有關單位，首次邀請居住海外的台籍學者組團訪問祖國大陸, 與國家領導和國內著名學者專家匯聚一堂，就有關台灣之未來發表論文，坦誠交換意見。因會場設在北京西郊的香山飯店，所以叫「香山會議」。與會的海外台籍學者有：團長郭煥圭（加拿大）、張宗鼎（德國）、范良信（美國）、林宗光（美國）、田弘茂（美國）、蕭欣義（加拿大）、邱垂亮（澳大利亞）、翁松燃（香港）、涂照彥（日本）和我，一共十名大學教授。國內參加者主要有趙復三、費孝通、馬洪、孫尚清、陳碧笙、趙寶煦、郭炤烈、鄭勵志、朱天順、周青、闞念倚、陳士誠、李家泉以及台聯的林麗韞、林釹等人。會後，鄧穎超大姐在全國政協接見我們海外學者。之後，海外學者連同家屬一同到西安、桂林、廣州、杭州、上海等地旅遊觀光。全國台聯負責所有接待、住宿、交通以及到地方旅遊等的服務工作，無微不至，讓我們深受感動。

據我所知, 這一次會議是廖承志先生交代下來的一項對台胞的工作，是從 1949 年兩岸斷絕往來後，首次由台胞組團訪問祖國大陸，是兩岸交流的一個突破。由以上的與會名單就可知道這一次會議的重要性。我們的訪問受到重視，我們在祖國大陸任何一個地方都受到尊重、禮遇和熱烈歡迎，其情景迄今記憶猶新、念念難忘。廖公於該年 5 月間仙逝，沒有見到廖公，是這一次大陸行唯一的遺憾事。

第二次會議於 1985 年夏天在廈門鼓浪嶼召開，我們叫它「鼓浪嶼會議」。這一次仍然由郭煥圭帶團，有范良信、蕭欣義、邱垂亮、翁松燃、涂照彥以及新面孔蕭聖鐵（美）、陳炳杞（美）、陳秋坤（美）、廖光生（港）、陳仁端（日）、張明哲（日）和我，一共十三名教授。國內與會人士有趙復三、張克輝、王洛林、陳碧笙、郭炤烈、鄭勵志、朱天順等。會後，我們到西域的烏魯木齊、吐魯番、敦煌、蘭州等地旅遊觀光，所有接待、住食、交通、旅遊等的服務工作，也是由全國台聯全部負責，非常周到，讓每一個參加者都非常滿意。

「鼓浪嶼會議」和參觀活動結束後，我留在北京講學一年，住進友誼賓館，在對外貿易大學開講台灣經濟和開發經濟兩門課。這是基於我任職的東京經濟大學與國內對外貿易大學的協議項目，由我校派遣的公務。在這一年期間，全國台聯每逢重要活動，都邀我參加，我想要訪問的單位，想見的人，想去的地方，都如願為我一一安排，令我在京的工作順利，生活豐富多彩，非常愉快。

90 年代初，我除了有兩年旅美不在日本之外，自從 1994 年夏，我受邀參加全國台聯主辦的第四屆海峽兩岸學術研討會，之後一直到 2001 年夏天的第十屆研討會，我都踴躍參加這一個兩岸專家學者相聚的盛會，互相交換意見，結識了許多台灣和大陸朋友。我所到的地方，除北京之外，還有海南、泉州、杭州、成都等地，也讓我借此機會欣賞祖國大陸各地優美的山河風光。每一次，全國台聯都照顧得很好，令我非常愉快。

2001 年 9 月，我再次前往北京對外貿易大學講學一個月。在這一段期間，我到了幾個地方參觀。其中的一個地方，就是山西的農村。山西省台聯按照我的希望，給我安排最富的和最窮的兩個農村，帶我去參觀。前者是清徐縣王答鄉。這裡鄉鎮集團企業特別活躍，鄉村的學校、醫療等公共設施，建設完善，提供鄉民優質住房非常周到，我看了非常感動，留下深刻的印象。

後一個最窮的農村，就是太行山老區榆社縣東匯鄉山泉峪村，是國家一級的貧困區，也是全國台聯負責的扶貧點。我參觀了山泉峪村小學，看了教室和學生上課的情況，與老師交換意見，也到了村裡參觀農民的住房和生活起居的情況。這裡因為耕地少，自然條件差，人均收入只有王答鄉的三分之一，許多村民到外面打工來補貼收入。即使這樣，這裡也在國家和社會的支持下，大力發展建設，從外面到山泉峪村的交通基建已經具備，村裡已有自來水、電燈設備。往後搞活鄉鎮企業，農民的生活水平將會不斷提高。我目睹大陸農村的變化，體會到國家脫貧事業在扎實地落實，前途是光明的。

返回日本之後，我把對山西農村的觀感，在大學的課堂上給學生作報告。這年春天，我返回台灣的時候，也給家鄉的親朋好友詳細彙報，增進了他們對祖國大陸的瞭解。

我與全國台聯的結緣起始於「香山會議」，長期的交往，台聯不僅幫助我深入瞭解祖國大陸，也讓我從台聯那裡學到許多可貴的精神。我想，愛國愛鄉、溝通兩岸、增進瞭解、服務台胞，這是台聯的宗旨；而我們每一個心向祖國的海外學者，不是也應該在這方面多盡個人的努力嗎？!我衷心感謝全國台聯對我的情誼，祝願台聯事業更上一層樓。

表 1　百年來台灣各期貿易與總生產之動向

清末時期（單位：千海關兩）

年度	出口（百分比）	進口（百分比）	順差
1870	1668 (100)	1463 (100)	205
1875	2926 (176)	2222 (152)	704
1880	6488 (389)	3580 (245)	2908
1885	5616 (337)	3196 (219)	2420
1890	7533 (452)	3900 (267)	3633
1895	9452 (567)	4839 (331)	4613

資料：中國各港口貿易年表以及貿易十年表。由東嘉生，《台湾経済史研究》，東都書籍（台北），1944 年，第 351-352 頁收錄。

日據時期（單位：百萬日圓%）

年度	總生產	出口（百分比）	進口（百分比）	順差
1915	140 (100)	76 (100)	53 (100)	23
1920	422 (301)	216 (284)	172 (325)	44
1925	558 (399)	263 (346)	186 (351)	77
1930	550 (393)	241 (317)	168 (317)	73
1935	710 (507)	351 (462)	263 (496)	88
1939	1243 (888)	593 (780)	408 (770)	185

資料：台湾総督府殖産局，《台湾農業年報》，1943 年，第 10-11 頁以及台灣銀行經濟研究室，《日據時代台灣經濟史》，第 1 集，1958 年，第 136-137 頁、第 149-150 頁，由凃照彥，《日本帝国主義下の台湾》，東京大学出版社，1975 年，第 161 頁第 60 表收錄。

戰後時期（單位：十億元）

	總生產	出口（百分比）	進口（百分比）	順逆(△)差
1958	140 (100)	12 (100)	22 (100)	△10
1960	161 (115)	17 (142)	28 (127)	△11
1965	253 (181)	44 (361)	54 (246)	△10
1970	403 (288)	120 (1000)	133 (605)	△13
1975	613 (438)	246 (2050)	316 (1436)	△70
1981	1058 (756)	570 (4750)	497 (2259)	73

資料：行政院主計處編印，《中華民國國民所得》，1981 年，第 15 頁第 3 表。但金額按 1976 年價格計算。

表 2　戰後各期經濟成長主要指標　(單位: %)

	1953 ｜ 1963	1964 ｜ 1973	1974 ｜ 1979	1980 ｜ 1982
	相對 穩定期	高度 成長期	不穩定 成長期	低度 成長期
	進口導向型	出口導向型		
	輕工進口替代		重工進口替代	
國民總生產年平均成長率	7.7	11.1	8.4	5.1
農業部門年平均成長率	4.4	4.4	3.0	-0.3
工業部門年平均成長率	11.6	19.4	12.4	4.0
出口貿易年平均成長率	24.6	29.7	23.9	11.8
進出口貿易佔國民總生產比率	27.3	56.1	91.6	103.7
國民儲蓄佔國內總生產比率	11.0	25.0	32.3	29.7
資本形成佔國內總生產比率	17.1	24.5	31.9	29.5
城市消費物價年平均上漲率	8.3	3.6	13.0	23.1

資料: (1)行政院主計處編印，《中華民國所得》，1981 年度，第 3、5、25 表。(2)行政院經濟建設委員會編印，《自由中國之工業》，第 59 卷第 6 期，1983 年 6 月第 1、2 表。(3)同上委員會(CEPD)編印 *Taiwan Statistical Data Book 1982*, pp.2, 36, 60, 77, 186.

表 3　產業結構與工業化之動向

	國內總生產	結構百分比 (%)				工業化
	(十億元)	合計	第一部門	第二部門	第三部門	比率(%)
1953	19	100.0	38.3	17.7	44.0	11.3
1958	36	100.0	31.0	23.9	45.1	15.5
1963	70	100.0	26.7	28.2	45.1	19.7
1968	134	100.0	22.0	32.5	45.5	24.1
1973	321	100.0	14.1	43.8	42.1	36.3
1978	750	100.0	10.4	45.7	43.9	34.5
1982	1444	100.0	8.7	43.9	47.4	31.9

(1)第 1 部門為農林漁牧業，第 2 部門為工礦、營造、瓦斯電力業，第 3 部門為銷售，金融交通運輸以及其他服務業。(2)工業化比率之計算方法為製造業生生產額除國內總生產額乘 100。

資料: 前揭《中華民國國民所得》，第 9 表，第 26 頁；《自由中國之工業》，第 4、5 表；*Taiwan Statistical Data Book 1982*, pp.33-34.

表 4　農戶人口結構與兼專業別比例之動向

	人口總數(千人)	農戶人口數(千人)(%)	戶口總數(千戶)	農戶總數(千戶)(%)	農戶每家人口(人)	農戶每家耕地(公頃)	農戶兼專業別比例		
							合計	專業	兼業
1955	9078	5227 (55.7)	1629	774 (45.7)	7.0	1.2	100.0	39.9	60.1
1960	10792	5863 (54.3)	1940	808 (41.6)	7.3	1.1	100.0	47.6	52.4
1965	12628	6647 (52.6)	2257	873 (38.7)	7.6	1.1	100.0	31.9	68.1
1970	14676	6214 (42.3)	2620	916 (35.0)	6.8	1.0	100.0	30.2	69.8
1975	16150	5703 (35.3)	3067	886 (28.9)	6.4	1.1	100.0	17.7	82.3
1981	18136	4964 (27.4)		822	6.0	1.1			

資料: (1)行政院台閩地區農漁業普查委員會編印,《1975 年台灣地區農業普查報告》, 1977 年 10 月，第 1 卷，第 42 頁。 (2)台灣省政府農林廳，《台灣農業年報》，1978 年度，第 46、103 頁。 (3)CEPD, *Taiwan Statistical Book 1982*, pp.4, 58.

表 5　農家所得與家計結構之動向　(單位: 千元)

	1963 (%)	1973 (%)	1980 (%)
每戶耕地面積 (公頃)	1.4	1.4	1.3
每戶人口數 (人)	8.8	8.0	6.6
農業收入 (a)	62	107	221
農業支出 (b)	26	51	96
農業所得 (a-b=c)	36 (85.7)	56 (58.3)	225 (44.6)
非農業收入 (d)	6	42	161
非農業支出 (e)	——	2	6
非農業所得 (d-e=r)	6 (14.3)	40 (41.7)	155 (55.4)
農家所得 (c+f=g)	42 (100.0)	96 (100.0)	280 (100.0)
家計費用支出 (h)	32 (76.2)	70 (72.9)	187 (66.8)
家計盈虧 (g-h=i)	10 (23.8)	26 (27.1)	93 (33.2)

農家記帳調查採用抽樣方法，由全部農戶抽出 400－600 戶為對象進行記帳調查。

資料: 台灣省政府農林廳編印《台灣農家記帳報告》1963，1973，1980 年各年度第 1 表。

表 6: 製造業部門從業員工按身分別職務別結構之動向　　(單位: 千人(%))

		1954 (%)	1951 (%)	1966 (%)	1971 (%)	1976 (%)
	合　計	310 (100.0)	466 (100.0)	584 (100.0)	1202 (100.0)	1908 (100.0)
按身分別	資本主從農者	41 (13.2)	49 (11.0)	21 (3.6)	50 (4.2)	64 (3.4)
	家族從業者	29 (9.4)	31 (6.9)	19 (3.3)		
	員工	240 (77.4)	366 (82.1)	544 (93.1)	1152 (95.8)	1844 (96.6)
			(100.0)	(100.0)	(100.0)	(100.0)
	常傭員工		309 (84.4)	452 (83.1)	975 (84.6)	1655 (89.8)
	臨時員工	——	57 (15.6)	92 (16.9)	177 (15.4)	189 (10.2)
	管理及佐理人員	33 (10.7)	53 (11.9)	68 (11.7)	142 (11.8)	258 (13.5)
按職務別	技術人員	13 (4.2)	25 (5.6)	30 (5.1)	71 (5.9)	114 (6.0)
	技(熟練)工	108 (34.8)	157 (35.2)	170 (29.1)	332 (27.6)	426 (22.3)
	普通(不熟練)工	137 (44.2)	82 (40.8)	281 (48.1)	602 (50.1)	1025 (53.7)
	其他什工	19 (6.1)	29 (6.5)	35 (6.0)	55 (4.6)	85 (4.5)

資料: 台灣省工商業普查委員會編印, 《台灣省工商業普查總合報告》第 1 次 1954 年報告, 製造業第 4, 5 表; 第 2 次 1961 年報告, 第 3 冊製造業, 第 13 (1) (2)表; 第 2 次 1966 年報告, 第 3 冊製造業, 第 7 (3) (5)表; 行政院台閩地區工商業普查委員會編印, 《台閩地區工商業普查報告》, 1971 年報告, 第 3 冊製造業(台灣地區), 第 4 (11)、13 表; 1976 年報告, 第 3 卷第 1 冊台灣製造業, 第 6、7 表。

表 7　最大 10 家代表性公營企業之經營規模　(單位: 億元)

排名	機構名稱	資本額	營收額	純益額
1	中國石油	120	958	66
2	台灣電力	330	451	92
3	中國鋼鐵	166	156	12
4	台灣糖業	43	120	6
5	中國造船	56	71	-0.2
6	台灣肥料	32	57	6
7	台灣鋁業	22	52	-2
8	台灣機械	13	36	-0.5
9	交通部電信總局	84	166	78
10	台灣鐵路管理局	48	68	-9

台灣省菸酒公賣局經營規模雖大，但不予列入。

資料: 中華徵信所編印，《中華民國最大民營企業》，1980 年版，第 78 頁。資料系自 1978 年 7 月－1979 年 6 月為止之數值。

表 8　最大 10 家關係企業集團之經營規模　(單位: 家/億元/人)

排名	關係企業集團名稱(代表人)	主要經營行業	年度	企業數	資本額	資產額	營收額	純益額	員工人數(人)
1	台灣塑膠(王永慶)	塑膠,化纖,合板	1971	——	33	88	73	10	——
			1973	9	68	132	150	25	23298
			1977	11	132	325	281	23	27955
			1979	11	189	480	471	49	29733
2	遠東(徐有庠)	紡織,化纖,水泥,百貨	1971	——	13	51	25	9	——
			1973	7	28	91	55	10	9906
			1977	9	57	179	122	8	16463
			1979	9	70	250	168	16	13188
3	台南紡織(吳三連)	編織,化學,水泥,電腦,食品,營造,貿易	1971	——	13	40	26	1	——
			1973	23	25	75	54	8	13488
			1977	22	55	163	118	3	16135
			1979	23	78	212	177	11	16321
4	國泰(蔡萬春兄弟)	塑膠,汽車,信託,保險,營造	1971	——	5	26	22	1	——
			1973	9	26	108	48	7	5800
			1977	10	38	350	110	7	16753
			1979	37	74	389	222	13	24624

表 8 (續)

排名	關係企業集團名稱(代表人)	主要經營行業	年度	企業數	資本額	資產額	營收額	純益額	員工人數(人)
5	裕隆汽車(嚴慶齡)	汽車,編織,建築	1971	——	9	34	19	1	——
			1973	8	17	61	42	6	8763
			1977	8	38	104	98	8	9385
			1979	9	66	177	218	23	11152
6	大同(林挺生)	電機,電子,電纜,電腦,重機,製鋼,營造	1971	——	12	33	27	18	——
			1973	28	17	52	44	24	12462
			1977	16	28	99	94	4	19510
			1979	33	40	190	182	9	25275
7	新光(吳火獅)	紡織,化纖,瓦斯,金融,保險	1971	——	8	37	21	1	——
			1973	10	17	68	32	6	6758
			1977	13	29	154	75	-5	8464
			1979	15	32	191	125	1	8764
8	永豐(何傳兄弟)	紙業,化學,機械,電腦,食品	1971	——	4	9	12	1	——
			1973	14	10	17	24	4	4534
			1977	17	26	47	54	5	6487
			1979	15	40	77	76	10	6766
9	太平洋電纜(孫法民)	電纜,電機,營造,貨運	1971	——	6	16	14	1	——
			1973	8	15	43	27	4	4475
			1977	7	23	52	47	4	4898
			1979	5	37	89	74	8	4399
10	華隆(呂鳳章)	化學,化纖	1971	——	13	33	17	2	——
			1973	5	24	42	28	10	4582
			1977	4	43	101	38	-3	3833
			1979	4	49	103	59	4	5539

(1)此 10 家仍由筆者按資本額與營收額之大者為準繩而選定，基準未必嚴密。 (2)本資料調查對象限定於總公司在國內、並且 51%資本為本國人所有之企業，故外資企業不包括在內。

資料：中華徵信所編印，《台灣區集團企業研究》，1974，1978，1980 年各年度資料。

圖 1：產業別就業人口的動向

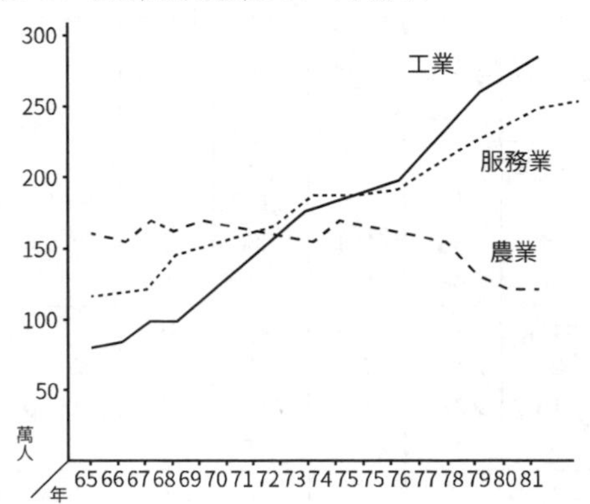

資料：台灣省勞動力調查研究所編，《中華民國台灣地區勞動力調查報告》（季刊）第 42 次調查，1974 年 1 月，甲表 910；行政院主計處編，《中華民國勞工統計年報》，1981 年度，第 11 表；同前，《勞工統計月報》特集「1981 年勞動力調查補足分析」，1982 年 4 月，甲表。

圖 2：按照產農別男女別年齡別就業人口之結構

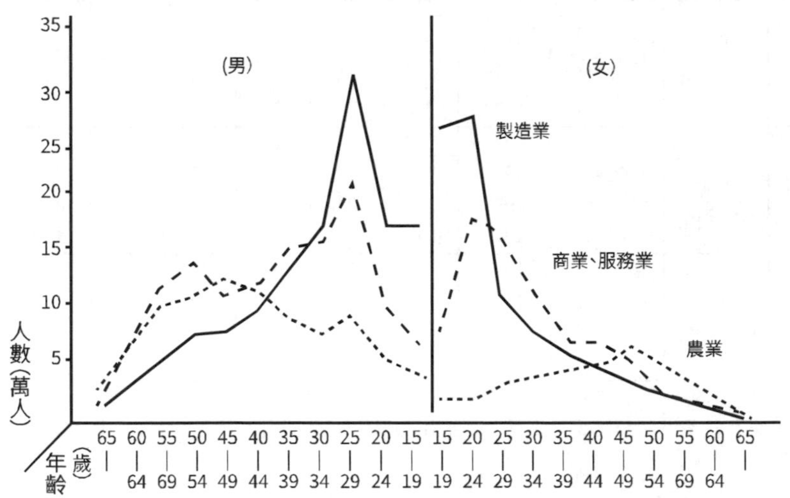

資料：行政院主計處編，《中華民國勞工統計月報》，第 92 期，1981 年 6 月，第 117 表。

從歷史觀點探討台灣經濟成長問題

本文原載於台灣學術研究會於 1987 年 11 月發行的《台灣學術研究會誌》(東京) 第 2 號。

本文所附錄的〈發起成立台灣學術研究會趣旨書〉原載於 1986 年 8 月 15 日發行的《台灣學術研究會誌》創刊號。

一、前言

這二十多年來，台灣經濟快速成長，物價安定，外貿順差大，外匯存底多，各種經濟指標都表示著優異的績效而廣受國際間的注目，這是不可否認的事實。然而有人說，台灣經濟的表現，是奇蹟，是發展中國家的典範，進而把它歸功於戡亂體制以及長期戒嚴所帶來的「政治安定」所致。因此我們要問這是不是真的？這個說法是不是合理？

對於這個問題，我們可以依據經濟理論，站在政府或者民間立場，從成長與結構觀點，從歷史過程以及從國際比較等各種觀點來分析，做出比較客觀的、科學的論斷。本文因篇幅所限，準備單從近代史觀點，加上現代化的角度，來探討這個問題的解答。

二、百餘年來三次經濟快速成長

鴉片戰爭之後，西歐列強不斷侵華。1858 年依據天津條約，台灣開放門戶對外通商、歐美資本主義大舉東漸、近代台灣從此開始起步。這百餘年來台灣政治、經濟、社會的演變，可分成清末（1858-95 年）、日據（1895-1945 年）以及戰後（1945 年迄今）三大段來看，殆無疑義。

在這期間, 台灣經濟的快速成長不自今始, 也不自日據期始有, 而是早自 19 世紀後半清末期就出現。這一事實，試看附圖則一目瞭然。附圖是從各期畫出成長較快的期間各 25 年來看它的動態。首先把資料的可靠性先來檢點一下。先是清末期，此期雖無國民經濟統計資料，但在對外（國）貿易方面，有相當可靠的資料存在。1862 年到 64 年之間，淡水、高雄、安平以及基隆海關之管轄權，相繼落在英人之手，成為「洋海關」、[1]海關統計始臻完備。這個進出口資料雖然沒有包括各港口對大陸之行郊貿易, 然而在當時情況下，沒有比這個更可靠的統計資料，而要間接觀察當時島內經濟動態，尚不失為一個比較客觀而難能可貴的指標。

再談日據期，嚴格地說，此期尚無所謂國內總生產（GDP）的統計資料。但是當局農工生產以及進出口統計相當充實而精密。以篠原三代平、石川滋為首的日本著名學者，在附圖所示《台灣之經濟成長》一書中，使用數量經濟學，方法給予加工推算，終於計出所謂「物財產業粗生產額」來代替現在的 GDP，以便衡量日據期台灣的經濟動態。其研究方法頗為精緻，得出的結果值以應用。

---

[1] 臨時台湾旧慣調査会，第一部調査報告第三回報告，《台湾私法》，第 3 卷上，第 153 頁。

至於戰後期的資料，則當局依據聯合國統一制定的國民經濟計算方法計出，並經過數次修正調整，容可置信，不再贅述。

其次，通觀各期，均可看出有一段期間經濟快速成長。先從戰後期迄今這段來看，在 1958 年到 1983 年的 25 年之間，雖然在第一次石油危機之後的 1974 年成長稍有停頓之外，GDP 之動向好比青雲直上，一直在快速上昇。一方面，進出口貿易之趨勢也緊跟 GDP 之後並行在增加，甚至比 GDP 更加快速。而貿易收支則開始是逆差，從 1972 年轉為順差，1974 年和 75 年因油價暴漲，一時轉回逆差，但很快就回復順差，之後順差並有擴大的趨勢。戰後期的數字是扣除物價變動因素，以 1976 年固定價值計算。結果，1983 年的 GDP 比 1958 年實質增加 8.3 倍，同期出口竟達 54.3 倍之多，是名符其實的出口導向快速成長。[2]

其次是往後看日據期。據詳細資料記載，從 1913 年到 1938 年的 25 年間，受到外在景氣變動影響，有三次負成長。首先是第一次大戰後的 1920 年到 22 年之間，受到世界性戰後恐慌之影響。第二次 1927 年，由日本的「昭和恐慌」所引起。第三次是 1930 年和 31 年，是世界大恐慌之年。除去了這些年之外，GDP 一直在快速成長。1938 年比 1913 年增加 6.6 倍，扣除物價因素，實質倍數大約也在 5 倍以上，[3]比起戰後期的 8.3 倍雖然不及，但是考慮到此期成長由農業來帶動一點來看，這個倍數可謂乃相當可觀。再看進出

---

[2] *Taiwan Statistical Data Book,* Taipei: Council for Economic Planning and Development, 1984, p.2.

[3] 這裡所說 5 倍以上的根據，是依照篠原教授同一個研究資料而來。亦即以 1934-36 年的固定價格計算的工礦業生產額來看，則 1938 年比 1913 年增加 4.9 倍。因為農業生產比工礦業增加倍數更高，所以可以推測生產總額的實質倍數在 5 倍以上。請參見篠原三代平、石川滋編，《台湾の経済成長：その数量経済的研究》，東京：アジア経済研究所，1972 年，第 65 頁，第 15 表。

口，其動向也跟隨著 GDP 之增加而增加，在這 25 年之間，增加 8.6 倍，比 GDP 的倍數更高。收支方面，則從 1914 年以後一直是順差，甚至在負成長期間仍然保持順差。

再次往後看清末期。高雄（打狗）、淡水、基隆三個港口的出口，從 1870 年以後增加很快。之後，除去 1881 年到 83 年期間，以及 1889、1891 年受到世界不景氣影響，比前年減少之外，一直都在快速成長。進口則增加緩慢，與出口的動態不太相關。因此進出口收支從 1870 年開始順差，其幅度逐年擴大。尤其是出口長期保持進口的將近 1 倍之規模，很不尋常。總之，在清末的 25 年間，1893 年的出口比 1868 年增加 10.5 倍之多，比日據期的增加倍數更高。從出口的此一動態，可以看出當時以農業為主的台灣社會經濟有相當快速的成長。

即使拋開附圖所示指標不談，一般來說，當今的快速成長為眾目所睹，不用多述。對戰前日帝統治時期經濟的長足進步，也是眾人所默記者。就是由於它是完全為日本帝國主義服務的殖民地剝削經濟，才對此期之經濟成長不能也不應該正面的以及全面地加以評價，台灣人民自己的立場來講，這是極為正確而重要的看法。然而對日據以前的時期，台灣已有相當的經濟基礎和經驗過一段快速成長這一史實，則知道的人也許並不多，而很少受到重視和正當的評價，這是一大遺憾事。因此，我們有必要特地加強研究清末期的經濟發展情況，以利宏觀瞭解今天經濟成長的歷史意義。[4]

綜合百餘年來的台灣經濟成長動態，可明白地指出，戰後經濟的快速成長，即使可謂順利，也絕不能說是空前，更不能說是奇蹟，而是近代台灣常見的現象，過份把戰後期特殊化，無非表示對史實

---

[4] 請參見拙文〈清末台灣對外貿易的發展與其特點〉，《台灣學術研究會誌》，創刊號，1986 年，第 5-24 頁。

的冒昧無知。至於奇蹟的說法，極不科學，不值一提。這裡我們需要進一步探討各期成長的特點，方可做出快速成長的價值判斷。戰後台灣經濟，是不是可做發展中國家的典型，尚待後段的考察。

三、各期經濟成長的特點

附圖所示各期動態，在快速成長一點，頗為類似。但是百餘年來，各期時代背景不同，生產技術的進步，日新月異。人口增加，生產量的擴大，必然引起社會經濟質的變化。清末期產業以糖、米、茶等農業為主，雖然已經利用有機肥料以及人工灌溉設備，達到技術型農業階段，但仍屬於老式傳統農法，品種沒有改良，農業勞力比較粗放，生產力水平自然比較低。據日本著名學者石川滋教授的研究，1905 年到 1909 年間台灣農業水平與日本比較，設使日本的單位耕地生產額指數為 100，則台灣相當於 49.1%，幾乎是日本的一半水平。可見當時台灣農業生產性還是很低。不過從每戶農家生產額來看，台灣為日本的 82.4%，差得不太大。[5]這個差距的縮短，照理是來自耕地面積比較大或者農副業收入比較多所致。

日據期，台灣主要產業仍然以糖米農業為主，但是所不同者，就是引進近代農法，使用化肥、改良品種、充實大規模人工灌溉、精耕密植，間作多毛、農業勞力相當密集。在農產加工方面，引進新式工場，兩相配合，生產力猛增。依據上述石川教授研究之同一資料所示，日據後期的 1935 年到 1939 年間，台灣農業單位耕地生產性為日本的 89.1%比起前期水平的 49.1%，縮短了 39.0%，可見在此期間農業有長足的進步。再從同期每戶農家生產額水平來看，台灣為日本的 150.3%，也可以說台灣農家收入幾乎比日本高出 1

---

[5] 篠原、石川前揭文獻，第 17 頁，第 4 表。

倍半。[6]這個數字相當驚人，很少有人料想得到的，可直截表示台灣農業的水平已經達到近代技術型階段，並優於日本的水平，是非常值得注目的一件事實。

另者，以糖米農業開發為主的日帝對台殖民地政策，從 1930 年代開始有相當大的變化。日帝走向軍國主義，經濟不斷對外膨脹，為要侵略華南以及南洋地區，需要台灣做為「南進基地」。於是改變原來以農為主的開發政策，在台開始推行工業化。1934 年，以完成日月潭發電所建設為起步，1935 年，引進鋁業、金屬、紙業、化肥、酒精等的新工業。[7]1937 年，發動生產力擴充五年計畫，並積極引進製鋼、機械、石油、油脂、纖維、水泥、以及其他雜項民生工業。[8]這些新興工業，雖然以軍需為目的，而在第二次大戰時，相當部分遭受破壞，但是仍不失為近代台灣工業化的嚆矢。

戰後，農業生產很快就回復戰前水平。1950 年代，台灣經濟除有美國援助來支撐之外，仍大大依靠米糖農業，此時的出口大約 8 成是農產品，其中以糖米之出口為大宗，其金額年均將近 1 億美元左右，幾乎可與當時美國援助的規模相比。[9]糖米外匯用途操在自己手中，比美援更具有積極意義，農業和農民對戰後工業化貢獻至大，這一點容易被人忽視，特此強調。

1950 年代的經濟結構是以農養工。自從 1960 年以後，引進外資，開放經濟，促進工業化與出口。結果，以民生用品為主的勞力密集型加工出口，迎合國際環境的有利條件，快速發展。從 1960

---

[6] 篠原、石川前揭文獻，第 17 頁，第 4 表。
[7] 高橋亀吉，《現代台湾経済論》，東京：千倉書房，1937，第 443 頁。
[8] 大藏省管理局，《日本人の海外活動に関する歴史的調査》，通巻第 15 册，台湾篇，第 4 分冊，第 5 部《台湾の経済（其の二)》。
[9] ibid, *Taiwan Statistical Data Book, 1984.* pp.199, 214。

年後半, 產業結構開始轉型, 台灣由農業社會快速轉移到工業社會, 社會生產力更上一層。

以上所述為各期生產力之變化，從傳統農業而近代農業，進而工業化，逐步升級，這是各期成長內容所不同之處。然而進一步從資本、勞力、市場、產業結構以及生產關係來看，則可發覺百餘年來，有一貫不變的結構形態。總括有六個共通特點，從外而內依順序為出口導向、依附外資、低廉勞力、單項產業、專制開發以及外貿順差。以下逐項略述其要點：

首先是出口導向；這一點可以從附圖明白看出。清末期，尚無仔細而完整的統計，所以無法指出其社會總生產的貿易依存度。但是從當時, 糖產量的 7 成, 茶與樟腦產量的全部為輸出這件事來看，就可知道當時台灣社會總生產對出口貿易的依存度相當高。[10]日據期則如圖表所示, 1913 年的貿易依存度為出口 31.5%, 進口 35.8%，進出口合計為 71.9%，可見其依存度一開始就很高。[11]整個社會總生產，以稻米的生產為主，而稻米產量的一半以及砂糖產量的 8 成輸出日本, 也就是說依靠糖米出口帶動快速成長, 所以也是一種出口導向型成長。戰後期 1950 年代的貿易依存度大約在 25%之間，開始時不算高，也不比日據期高。然而，工業化進展之後的 1960 年代後半起，貿易依存度就隨之逐年加速擴大，1965 年為 38.9%、1970 年為 62.7%、1975 年為 81.5%，現在已經超出 100%，非常之高。[12]換句話說, 社會總生產之一半是出口, 單從製造業一門來看，可能高到生產額的 2/3 是依賴出口，此一比例很畸形而不尋常。在

---

10 拙文，前揭資料，第 9 頁。

11 篠原、石川前揭文獻，第 77 頁，第 22 表。

12 行政院主計處編，《中華民國國民所得》，台北：行政院主計處，1981 年，第 15 頁，第 3 表。

這過程中出口增加率始終大大高於工業生產以及 GDP 之成長率。也就是說出口帶動工業化以及 GDP 的快速成長。當今出口導向型的經濟結構比日據期更加提高，台灣既不是轉口貿易地區，已達到不宜再高的程度。

其次是依附外貿；照理出口導向的經濟未必是依附外資，日本經濟是一個例子。然而台灣的出口導向與依附外資分不開，關係非常密切。清末三大出口商品中，最重要一項的茶業是依賴外商開發，依附外商出口，砂糖與樟腦大部分也是依靠外商出口。此期台灣的出口和經濟成長，在英國帝國主義支配下帶動。日據期，糖米的開發，出口以及經濟成長不消說，主要還在日帝壟斷資本控制下促進。戰後 1960 年代開始引進外資，其後的工業化以及出口的成長，也都由美日為首的外資來主導，電器電子產業的發展，為其典型之例。當前外商對台灣的投資與出口具有巨大的影響力，加工出口產品的大部分，都依賴外商的市場，[13]這些情況是有目共睹的。

第三是低廉勞力；這一點是依附外資，出口導向型成長之基礎，最典型者即為戰後之例，外商來台投資最主要的動機在於僱用台灣的低廉勞力來加工出口。[14]因此出口加工業主要為勞力密集型，例如電子、化學、機械部門的外資企業形態就是。由於台灣教育水平

---

13 台灣僑外資企業的外銷，占出口總額之 1/4。例如 1978 年為 26.4%，79 年為 26.2%，80 年為 24.2%，其中外資企業約占 20%，僑資企業約占 5%左右（請參見經濟日報社編，《中華民國經濟年鑑，1982 年》，第 1046-1049 頁，以及行政院經濟建設委員會編，《自由中國之工業》，第 63 卷第 3 期，1985 年 3 月，第 45 頁）。但是除此之外，許多內資企業的外銷，都依靠外商出口，綜合外商對台灣出口的操縱力，將達一半之多。

14 據日本的東洋經濟新報社對日本進出外海企業之調查報告，1984 年對台投資企業之動機，以廉價勞力為由者占 43.7%，以擴大市場為由者占 34.7%。1983 年的調查數字，則前者 45.6%，後者 33.6%。此一比率比其他國家及地域，高出甚多。請參見《東洋経済·海外進出企業総覧》，1984 年版，第 418 頁以及 1985 年版，第 7 頁。

高，勞力價廉而質優，加工產品的國際競爭力強，成為擴大出口、促進快速成長的有利條件。[15]戰後工業勞力的特點是低工資，日據期以及清末期的農業勞力更是低廉，不用贅述。

第四是單項產業；亦即意謂經濟成長特化於單項產業（monoculture）。此地所謂單項並不嚴密地指單項一種，而是表示少數幾種。如上述，清末期是糖、茶與樟腦三種，嚴格地說是糖茶兩種。日據期侷限於糖米兩種。戰後依靠工業化成長，雖然看起來行業五花八門，但是主導成長部門乃少數幾種，尤其是 1960 年代以後迄今，主要為紡織被服與電器電子兩門，當今單此兩門的生產與出口就占全體的將近一半之譜。[16]其舉足輕重可左右整個經濟之動態。再說產業特化於單項部門的原因，即離不開經濟受制於外商，工業化被安排在國際分工體制中擔任邊陲性角色所致。當今以電子、紡織為首的加工出口，以及日據期的糖米、清末期的糖茶，均是同出一轍，無一例外。

第五是專制開發；所謂專制開發，就是指依靠強權來推動經濟開發，促進快速成長之意。凡是搾取低廉勞力的經濟，必然需要依靠強權獨裁。外商來台選定單項產業，利用低廉勞力，促進出口，這種成長必然犧牲廣大的農工大眾之利益，形成畸形發展，必然會引起民意之不滿與社會不安，而一定需要政治強權來壓制反抗，處理矛盾才能維持生產，保證成長。清末期，在腐敗虛弱的封建政權下，台灣社會經濟陷於半殖民地狀態，任由歐美外商控制剝削，民

---

15 據台灣的勞工統計，1984 年 4 月，有關生產勞動工人 293 萬人之教育程度結構為不識字 6.7%，小學 42.7%，中學 29.5%，高中 5.4%，高職 13.6%，專科 1.9%，大學 0.3%。見行政院主計處編，《中華民國勞工統計月報》（台北），第 127 期，1984 年 5 月，第 22-23 頁（第 2-7 表）以及第 34-36 頁（第 3 表之 3）。

16 1984 年，紡織被服的外銷占總出口的 20.0%，電器電子則占 21.6%。見前揭，《自由中國之工業》（台北），第 63 卷第 3 期，第 65-67 頁。

者無告。日據期，台灣完全是日帝殖民地，在台灣總督府專制獨裁下，日本壟斷資本搾取低廉農業勞力，從事糖米開發，輸出原料和糧食給日本，為日本資本主義撐腰，這就是一個典型的專制開發。戰後國民黨一黨專制，把所有日本壟斷資本國有化，編成國家資本＝官僚資本占領產業和金融管制高地。在政治方面，發「動員戡亂條款」、實施戒嚴、維持非常體制、嚴禁工運。在經濟方面則扶植私人資本，積極引近美日外資，任其搾取廉價勞力，促進加工出口，帶動經濟成長。在戒嚴體制下的勞資關係，完全是資本家片面支配工人的關係，兩者毫無對等立場可言，民者無告。此乃典型的專制開發，與日據期頗相類似。當今的韓國以及東南亞、中南美諸多國家，在軍政獨裁下達到經濟成長，均屬於此類專制開發類型。嚴密地說，戰前的日本也是一種專制開發。

以上五個特點，互為因果，關係甚為密切。改變其中一項，都會使經濟開發生重大變化。比如說當今台灣非要工業升級不可，其理由在於近年工資不斷高漲，在國際競爭上，逐漸失去低廉勞力的優越條件。但是要擺脫低廉勞力型改為資本與技術密集型經濟，可不容易。因為是出口導向，非有外資合作，則不易做到；而台灣的工業升級，若不適合外資跨國藉分工戰略，就得不到其合作。為要克服這個困難，國家資本不得不出面帶頭，又是離不開專制開發的形態。

最後一個共通特點是貿易順差；在百餘年來成長過程中，台灣對外貿易收支基本上一貫是大規模的順差結構，如本文附圖所示，清末日據以及戰後 1970 年代迄今，均可看到此一事實。比諸其他發展中國家，是屬於少見的。然而這些順差，對台灣社會的資本積累以及民富，有了多少貢獻，依據清末以及日據期之經驗，則是否定的。過去殖民地、半殖民地社會，貿易順差操在外資之手。一日政變，更朝換代，以外匯形態保存的成長成果，一夜之間化為烏有。

依照當今的政治經濟結構，這種可能性一樣存在，令台灣人民大眾不能不提高警覺。由是觀之，戰後台灣經濟成長要成為發展中國家的典範，從內部來看，尚有一段距離。

四、經濟成長的含意與現代化問題

綜上所述，對戰後台灣經濟成長的評價，可以提出許多看法。茲將歸納為以下三點來論述，重點放在第三的現代化問題一點。

第一、是戰後經濟快速成長乃為歷史發展累積的產物。這也是社會經濟史過程中的繼承與斷絕之問題。清末、日據、戰後三個時代都不同，但是經濟的成長有其繼承的一面，也有其斷絕之一面。從以上的考察來看，繼承面重於斷絕面，也可以說，形式上是斷絕無關而實質上是繼承累積。清末到日據，從半殖民地到殖民地，改朝換代，經濟圈改變，農業由傳統而現代化，形式是斷絕，但實質上農業生產力是被繼承下來的，經濟結構有改變的也有沒有改變的。日據到戰後，從殖民地解放，經濟圈擴大，人民頭上的日本壟斷資本變為國民黨國家資本以及日美外資，工業化更上一層。形式有斷絕，但實質上農業生產力完全繼承，工業化部分繼承，經濟結構與戰前頗有相類似之處。可見戰後經濟成長是近代台灣社會經濟史發展積累的一個產物。其相接繼承下來的發展根柢是農業以及台灣勞動大眾的勤勞。經濟成長的因素無他，無論任何時代，基本上應該歸功於這些勤勞的台灣勞動大眾。如果說是歸功於當代統治政權的本領，那末，日據期之成長應歸功於日本帝國主義之殖民地統治，清末期之成長應歸功於滿清腐敗政權或者英帝國主義之支配。站在民眾立場，這是說不通的。因此，從邏輯上來講或者歷史經驗來說，戰後台灣經濟成長，應該不是國民黨政權統治之績效，也不是美日外資的恩惠，而仍是台灣勞動大眾的勤勞成果，這才是理性的認識，也是歷史的經驗。

第二、是經濟成長與經濟附庸可以同列並存。如上所述，清末期台灣經濟依附於英國帝國主義，而經濟照樣成長。日據期依附於日本帝國主義，而經濟照樣快速成長。一樣道理，戰後的快速成長，並不排除經濟結構上的附庸關係。實際上，當今的台灣經濟是依附於美日跨國資本，殆不容置疑。依照附庸理論來看，台灣是一種邊陲性經濟。[17]

近代台灣社會經濟一直受到帝國主義的控制。帝國主義支配低開發地區之形態，從「自由貿易帝國主義」理論來說，其支配形式分有「公開的」與「非公開的」兩種。[18]清末期是後者，日據期是前者，而戰後則屬於「非公開的」支配。同時，帝國主義的支配必定對當地傳統社會加以破壞，由此產生的影響，依當地社會經濟條件之不同而異，大致分有兩種不同的類型。第一類型是消極的破壞，亦即連更生、自立的社會經濟條件也被破壞殆盡者。第二類型是積

---

[17] 此問題，請參見拙文，〈從中樞衛星關係的觀點看台灣政治經濟的演變和展望〉，郭煥圭，趙復三編，《「台灣之將來」學術討論會論文集》，北京：中國友誼出版公司，1983 年 8 月，第 309-343 頁。

[18] 所謂自由貿易帝國主義（The Imperialism of Free Trade）學說，為戰後 1950 年代，由英國學者加拉哈（J. Gallagher）和羅賓遜（R. Robinson）所提倡，是來探討 18 世紀英國產業革命以後所產生的世界性帝國主義屬性之一支新興理論。它的理論特點為第一，把英帝國主義看做以自由貿易為主導的帝國主義。第二依對方的條件，定出不同的貿易以及殖民地政策，其間極富有彈性，亦即盡可能使用非公開的控制，必要時即用公開的控制。第三，控制方法的選擇看對方內部的社會經濟條件而異。因此，被支配地區的反應以及所受到的影響也有不同。這種認識，不把帝國主義的性格分成歷史階段，而通觀 18、19 世紀以及戰前戰後，無論那一個時代帝國主義的形態雖然不同，但其本質屬性則一。在這一點上與法蘭克（A. G. Frank）和阿民（S. Amin）的附庸理論或者邊陲理論有共識。請參見毛利健三，《自由貿易帝國主義：イギリス產業資本の世界展開》，東京：東京大学出版会，1978 年，序及第一章。

極的破壞，亦即具有促進更生，創造自立＝自我改革的破壞。從近代台灣社會經濟發展過程的經驗來看，台灣是屬第二類型。[19]因為台灣的勤勞大眾向來對商品貨幣經濟之適應非常積極，整個歷史的以及社會經濟條件具有深厚的潛力。

第三、是經濟成長與現代化的問題。近代台灣各期，經濟都在成長，但卻沒有給政治帶來進步。經濟快速成長都在專制政治下達成。清末期的農業發展，帶來了洋務派劉銘傳的土地清賦，以及鐵路建設等經濟改革。[20]但是政治社會始終沒有進步。比如說，1895年，在台灣人民的意願完全被漠視的情況下，清廷把台灣割讓給日帝，就是一個要例。日據時期，雖然經濟長足成長，法制、經濟、土地制度的現代化有所進展，但是民族歧視的政治和社會制度在日帝殖民地統治下，始終沒有得到根本的改善。整個社會的現代化，受到侷限。戰後工業化更上一層，經濟更加發展，但是政治在戡亂體制下反而更加保守、更加專制，與台灣社會的現代化方向，背道而馳。經濟成長與政治進步為何會脫節，這是一件非常重大的問題。吾人非徹底追究其道理不可。

通觀發展中國家經濟成長之本質是工業化。關於工業化（industrialization 又稱產業化）與現代化（modernization 又稱現代化）的關聯問題，茲將藉助日本著名經濟史家大塚久雄教授之學說來提出下列看法。所謂現代化一詞，用法很廣。一般來說，是意味著從傳統社會過渡到現代社會的過程中之各種層面而言。大塚教授從經濟史上工業化問題的觀點，來把現代化概念規定為「扶持著傳統社會體制的各種制度臻於解體崩潰，從而釀成現代社會（又稱

---

[19] 毛利前揭文獻，第 110-111 頁。

[20] 前揭《台湾私法》，第 1 卷上，第 277-288 頁。

產業社會）的過程」。[21]因此廣義的現代化概念，不一定僅指類如現代西歐國家，從封建社會過渡到資本主義社會之過程，也可以包括從傳統社會過渡到另一個新社會之過程。

現代化的經濟現象就是產業化，所以現代社會也可以說是產業社會。何謂產業化，教授把它的概念規定為「產業各部門逐漸地形成營利企業（business），或者做為經營體來運作的過程」。[22]在這過程中，工業優於農業而終於取代農業，因此產業化亦即等於工業化。總之，重點在於產業各部門的企業化，經營化。再者，此一企業經營的發展，以貨幣經濟或者商品流通（商業）的存在為前提，同時又可擴大商品經濟。

如此把現代化與工業化（產業化）的概念規定明白之後，大塚教授對此兩者的因果關係，透過經濟史研究的結果，提出非常重要的理論命題。第一命題，即「現代化必然會引起產業化，而同時會受到產業化的扶持來更上一層」。[23]但是關係倒過來時，未必有同樣的結果。即第二命題，「產業化對現代化的關係，有兩面性。在某一方面，它確實協助現代化，推動現代化。但在另一方面，則反而與傳統社會的各種制度和利害結合起來，阻礙現代化的進展……

---

[21] 大塚久雄，〈近代化と産業化の歴史的関連に——とくに比較経済史の視角から〉，《経済学論集》（東京大学経済学会），第32巻第1号，1966年4月，第2頁。再說，大塚教授為戰後日本著名的經濟史家，專攻西洋經濟史，以研究韋伯（Max Weber）社會理論著稱，在史學方面獨創一家學派，叫做大塚史學。教授融匯西洋經濟史以及日本明治維新以來的近代經濟史之研究結果，在上開一篇論文上展開他對現代化與產業化關係的看法，其見解值得吾人借鏡。

[22] 同上文獻，第3頁。

[23] 同上文獻，第4頁。

在這個意義上，使產業化本身也不得不停頓不前」。[24]大塚理論的重點，在於第二命題這一段。

依據上開命題來看戰後台灣工業化與現代化的關係。1950 年前後，台灣實施農地改革，使傳統社會的地主階層從此崩潰，同時把國營四大公司轉讓民營，逼使土地資本轉移對工業資本。這個結果，帶來了 1950 年代農工產業的發展。這一段確實是農地制度的改造＝現代化引起產業化的過程，恰恰適合大塚理論第一命題的規定。然而這個產業化是由國民黨政權來領導，先天具有侷限性。這一點與國民黨統治下的政治經濟制度有關。戰後，國民黨當局把日本在台所有壟斷資本編成國家資本（國營事業），形成一個龐大的國家資本體制。[25]在農地改革時轉讓給民營的四大公司，只是其中一少部分，不影響整個經濟體制。所謂國家資本的本質，寧可說是亦官亦商的國民黨官僚資本，是國民黨政權的物質基礎，其經營先天就難於徹底地企業化、合理化。[26]

1950 年代以後，由當局帶頭來扶殖民營企業，從此民營資本在官僚資本和當局保護政策的卵翼下，茁壯長大，台灣經濟終於形成官民（公私）資本雙重結構。1960 年代以後，民資與外資合作，工業化更加進展，隨著資本積累的擴大，一小撮民資蛻變為集團企業。在這過程中，官僚資本依舊占領基本工業、能源以及金融經濟管制高地，民資仍然非依靠官方扶植不可，於是官商勾結的關係也逐加深，十信案就是一個例子。總之，在工業化過程中，民間大型資本始終寄生於專制政權，在其保護下推動資本積累。利害息息相

---

[24] 同上文獻，第 6 頁。

[25] 請參見拙著，《戦後台湾経済分析》，東京：東京大学出版会，1975 年，第 1 章第 2 部「戦後接収と国家資本の形成」。

[26] 請參見拙文，〈台湾における国民党官僚資本の展開——国家資本主義研究の手掛りに〉，《思想》（東京），第 591 号，1973 年 9 月。

關，進而與國民黨法統體制相結合，擁護傳統制度阻礙政治社會的現代化。

國民黨的法統體制，就是 1947 年在大陸依中華民國憲法產生的政治體制與政治集團。繼後在國共內戰中，1948 年當局發佈「戡亂條款」，凍結憲法、鞏固法統。1949 年在台實施戒嚴，編成半永久的非常體制，逾三十八年於 1987 年解嚴。在大陸選出的民意代表，成為終身具有特權的戰後台灣「貴族」階級。這一系列法統體制無論形式如何，實質上帶有深厚的半封建性統治。比起日據期總督府專制統治，有過而無不及。戰後的工業化 = 產業化更上一層，但是它與半封建法統體制結合，而使社會政治層面的現代化後退一大步。這個現象完全符合大塚理論第二命題之規定。台灣在專制政權下，經濟仍然可以快速成長的道理，以及專制開發的形態可以存在的理由，可在上開經濟史理論中找到答案。戰前的日本，把天皇制神格化，據此財閥與軍國主義勾結帶動經濟成長，加深黑暗統治，而把日本的現代化阻擋，就是一個典型的歷史教訓。

然而，大塚理論第二命題又說，工業化本身也會停頓不前。這一點，可由台灣當前的工業升級問題看出。當今台灣產業適逢轉型期，需要升級，需要引進資本與技術密集型產業。[27]但是民間投資意願甚低，產業轉型緩慢，工業升級遲遲不上。[28]其主要原因大致

---

[27] 關於台灣產業的轉型問題，請參見拙文，〈台湾の産業高度化の課題〉，《国際経済》（国際経済社），第 21 巻第 7 号，1984 年 6 月，以及〈台湾における産業構造の転換と労働問題〉，《中国研究月報》（中国研究所），第 439 号，1984 年 9 月登載之兩篇文章。

[28] 即近年台灣報章不時在指出當前經濟最主要課題為民間投資意願低落，欲振乏力（例如《中央日報》，1985 年 6 月 20 日，第 1 版〈李達海面臨兩項新課題，提高投資意願，整頓經濟紀律〉以及同年 6 月 22 日，第 1 面社論）。其實，投資意願低是結果，重要的是它的原因。對此，最近議論紛紛，朝野各界提出很多理由，例如，經濟部長李達海提出 16 項投資問題（《中央日報》，

有二：第一是官民產業雙層結構的問題。亦即官資占領產業金融高地，又不能徹底經營企業化，形成國民經濟的一大包袱。但它是專制政權的物質手段，放不得。[29]一方面民資尚不夠巨大，對資金要多，風險又大的資本、技術密集產業，如電子尖端部門之類者，則沒有資力與信心參與，而找不出投資的新對象。第二是政治問題。民資對當前領導體制以及對台灣的政治前途沒有信心。擔心政治形勢的轉變，只做眼前短期打算，不敢做長期投資。由是可知，政治經濟制度的現代化停頓，使工業化本身也受到阻礙。戰後日本，痛定思痛，即時著手民主（政治、司法）、勞動（工運）、經濟（財閥）以及農地改革等一連串的現代化改造，使日本的產業化突飛猛進，擠上當今的經濟大國。這是現代化與產業化關係之一個正面的歷史教訓。戰後台灣的政治經濟頗似日本戰前型情況，這一點，不能不發人深省。

五、結語

綜上所說，在前言所提的問題，已在上開論述中做出解答。茲容再重複總結如下：第一、台灣經濟快速成長，在台灣近代史上屢見不鮮，近幾十年的成長績效，雖具有其特點，但並非奇蹟而是來

1985年6月3日，第1版），台灣經濟研究所長劉泰英提出7項問題（同報、同年6月4日，第2版）。

[29]「台灣國營事業的最大問題是鐵飯碗」，多年來管理效率低落，人員冗濫，成本偏高，投資浪費，疏忽企業化及合理化經營原則，情況非常嚴重（請見《中央日報》，1985年3月8日，記者李月華特稿以及同年6月9日社論）。民間輿論對其弊病多有指責，要求國營開放民營之聲很大。例如，經濟改革委員會金融組，建議當局把銀行開放民營。對此輿論，當局的立場是「國營事業負有政策性任務，不宜輕言開放民營」（《中央日報》，1985年6月3日第1版以及6月4日第1版報導）。

自歷史發展的積累以及人民大眾努力的成果，第二、台灣經雖難有巨步成長，但尚未擺脫其史的邊陲性附庸體質以及底淺層薄的結構弱點。第三、經濟成長與政治的進步脫節，致使台灣的現代化推遲一大步，其結果已經影響到當今經濟更進一層的發展，台灣的「政治安定」帶來經濟成長，而經濟成長使政治更趨安定的說法並不一定都對。最近韓國的政治經濟動態就是一個例證，前車覆，後車戒，本文的結語不外是這一句話。

圖：近代台灣對外貿易與經濟成長之動態

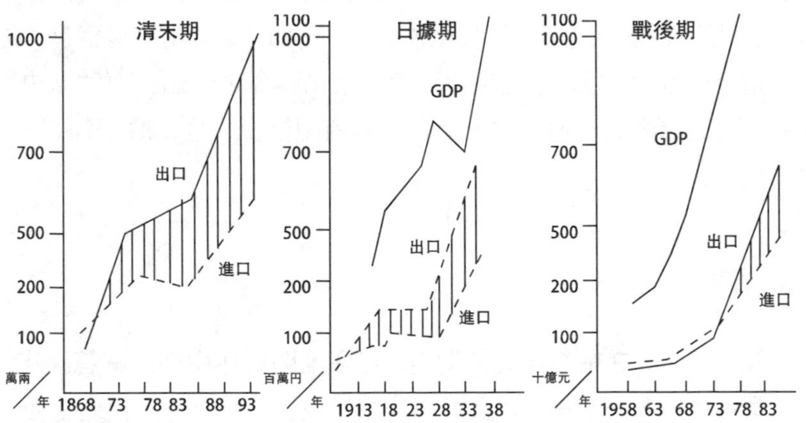

貨幣單位之區分，清末期為海關兩，日據期為日幣圓，戰後期為新台幣元。戰後期價額以 1976 年固定價格為準。

資料：(1)清末期為東嘉生，《台湾経済史研究》，東都書籍（台北），1944 年，第 351—352 頁，第 12 表。但其典據來自中國各港口貿易年表以及貿易十年表。(2)日據期為篠原三代平、石川滋編，《台湾の経済成長：その数量経済的研究》，アジア経済研究所，1972 年，第 77 頁，第 22 表，但其典據來自《台灣工商統計》，1940 年版以及其他資料。(3)戰後期為 Council for Economic Planning and Development, *Taiwan Statistical Data Book, 1984*, p.37, Table 3-8c.

附錄：發起成立台灣學術研究會趣旨書

如所周知，戰前台灣的留日學生，曾經用集團作業的方式，替自己的鄉土做了真大的貢獻。例如「台灣青年社」、「台灣藝術研究會」等對於促進台灣的文化學術地位有過不可湮沒的功績。反觀戰後的情形，留日的歷史已經有三十年，人數也不下數萬人之多！雖說個人次元的成就或貢獻不無可稱述的事蹟，然而以集團的方式對於台灣鄉土的學術文化作過貢獻，奉獻過成果，向社會公開門戶，替海內外研究台灣學術的人員提供學術服務，這樣的學術團體，這方面的事蹟，很遺憾，我們還是孤陋寡聞的。

日本殖民台灣的五十年間，曾經遺留下龐大的珍貴材料，這些材料如何使其替我們的社會服務，是留日同人的主要責任之一。留日同人來留學而留下來十年、二十年以上，且在此地從事教學、研究與實業工作著有成績者頗不乏人。我們自承沒什麼能力，但願意招呼各留日同人結合起來，共同替鄉土盡一些義務。我們呼籲打破文人相輕「傳統」，開啟文人相扶的風氣，在「是是」而「非非」的原則之下，發起成立「台灣學術研究會」。

我們構想中的會，雖然以在日研究台灣學術的人員為主，但並不分畛域國籍，諸外國人士、歐美或島內的人員均可以參加。會的門戶完全公開，會的運營是民間的、自主性的。而且將來我們的展望是要擴大成立一個「台灣學術研究所」，想透過這個「機構」，來為鄉土、鄉友、同道提供可能的服務。僅此簡介發起成立的主旨，歡迎海內外君子指教與支持。

1985 年 7 月 27 日

台灣學術研究會發起人代表

劉進慶　張良澤　許極燉　林　銀　郭安三

台灣資本主義性格的探討與國家權力

1994 年 3 月 26 日，台灣社會科學研究會邀請恰好返台掃墓的劉進慶前往會內發表演講，本文即當時演講的記錄稿。記錄稿原載於 1994 年 7 月發行的《海峽評論》（台北）第 43 期。

本文所附錄的〈台灣社會科學研究會章程前言〉則是陳映真等人於 1993 年撰寫的材料。此處據原件刊印。

台灣在殖民統治下一些社會問題的論爭，我沒有做專業研究，只是要找一些經濟資料的時候，順便去把它拿出來看，不是那麼有體系的瞭解。

戰後期的分析，我的觀點完全是從經濟方面，尤其是政治經濟觀點來看。但是我的政治經濟觀點是依據日本東大的方法，重視歷史觀點，同時又加上日本資本主義，尤其是戰前的軍國主義下日本資本主義的一個研究方法，把這些觀點用來套上台灣戰後期經濟分析。這就是我基本的觀點。

個人與集體的關係

60 年代我是一直在日本思考台灣的問題，所以在時間上一定受到冷戰下一些事體，如越南戰爭、文革，還有中國革命的思潮所影響。我也受到東大獨特的學風，包括政治經濟以外的社會思想，文化價值體系等方面的學術薰陶。

我這本書（《台灣戰後經濟分析》）裡，關於社會思想問題，我有一個基本問題意識，就是現代化與前現代社會中，個人與集體、公與私的關係之定位問題。這個關係如果沒有突破的話，現代化就是一個假的，偽裝的。這是從日本現代化過程的觀察中學到的一個基本想法。

比如說德川政權。德川統治的那個二百五十年的體例，是一個私人家天下王朝，明治維新時的「大政奉還」就是把私人的政權還給公（國）家，公與私的轉折非常重要。

包括台灣的近代中國社會，這個問題一直都沒辦法好好處理。從清末到現在，中國革命很多非常開明的領導人，不管是軍人還是文人，抓權以後把公與私又搞不清楚。社會上一般人也弄不清楚，這是個很大的問題。

我基於這個認識把它套上台灣的公營企業跟民間企業經濟關係上，剛好形成一個社會思想和政治經濟結合起來的非常清楚的理論邏輯架構。這一點我的思考不只是受到馬克思經濟學影響，多少也受到韋伯（Max Weber）的社會經濟思想的影響。

我在書裡最後一章第二節談到將來控制台灣統治資本的是一種官商金融資本，這完全是從理論上推論出來的。如果點到今天台灣現實的話，這完全是理論治學的勝利，而不是我個人的直覺，完全是靠理論史觀所推出來的結論。我是把一些邏輯理論、真實的事實，不避開不保留地把它撰寫出來。

今天我仍然繼續在觀察台灣的社會經濟、政治經濟到底是怎樣一個性格？怎樣一個體質？台灣社會在往哪個方向去走？

台灣資本主義性格我比較下工夫去觀察，而對國家權力的性格之探討，我是外行。我只是從經濟基礎觀點來看政治上層結構，推論國家政權的性格。這部分是我的淺見。

商人資本主義社會

先說今天我的結論，我認為台灣的社會經濟是一個商人資本主義、商業性的工業化，而不是一個現代的產業資本主義。

我首先要說台灣資本主義的性格。這個性格要找具體例子來看看是不是能夠解釋，能解釋即能成為活的理論。

到底什麼是資本主義？寫這本書時，「台灣資本主義」這句話我用的不太多。戰後二十年的台灣是個蔣家家產制國家的半封建經濟，嚴格地說不能算是資本主義。當然資本主義在民間企業已經有一個潮流在發展，但主流還是以國營企業為基礎的家產制國家。60年代後半到 70 年代，我們肯定台灣資本主義勢力已經慢慢在超越過半封建的蔣家家產制國家。此時社會勢力已經有個倒轉的形勢。

馬克思學派跟韋伯學說對資本主義的看法不一樣。一般說來，歐美馬克思學派認為所謂資本主義是勞資關係的成立，社會上有資本家、工人兩階級的形成。資本制生產是機械制大量生產和無政府主義生產為特徵。

在日本，東大學派的獨特看法是，資本主義是一個現代特有的經濟現象，最基本的特點是勞動力的商品化，勞動力商品化成為資本主義最重要最基本的判斷標準。

社會由農業轉為工業化，在新社會裡，勞動力成為商品賣給資本家，此架構形成後，我們稱之為資本主義化社會。現代資本主義特色是國家壟斷資本主義，自由競爭的時代已經過去了。尤其是 20 世紀 30 年代以後，完全是國家在幫助資本主義的延命，不然的話，資本主義沒辦法自我調整景氣，克服經濟恐慌。

相對於馬克思學派，韋伯學派認為資本主義幾千年前就有，資本主義的概念是營利，用營利來從事生產活動即成資本主義。所謂營利行為即生產活動的開始與終點的一段時間資本的增殖，以增加利潤為目的來從事生產活動，即資本主義。

現代跟前近代的資本主義不一樣。近代以前的資本主義有兩個類型：一個是商人資本主義；另一個是政治寄生資本主義。靠商品財富的轉手流動，買廉賣貴或者靠兌換貨幣高利貸這樣的方法來營利，就是商人資本主義。

靠政治權力的護航來營利，就稱政治寄生資本主義。前近代資本主義的共性是形式不合理的營利。如商人靠市場信息和機會，靠欺騙撈利，形式不合理。寄生政治資本主義也不合理，它靠政治力量的大小影響利潤大小。這裡面沒有正當利潤的概念。

現代資本主義營利的本質是形式合理，最大的特徵是複式會計制度的普及。現代資本主義靠合理的資本計算，合理的技術和管理來增加附加價值，賺取正當利潤，達到營利、資本增殖的目的。

產業資本不是主流

這三個類型，在當代每個國家都存在，輕重不同。發達國家是現代資本主義為主，它的內涵是靠製造業。現在歐美也好，日本也好，它主要的利潤來源來自製造成品。製造業不但要巨大設備，也要僱用大量勞力，動用巨額資金從事技術開發，來增加產品附加價值，這是現代資本主義的一大特徵，所以它可以稱為產業資本主義。

台灣的資本主義，當前商人資本的力量比產業資本強。產業資本路很難走，商人資本擴大特別快。台灣戰後資本主義是什麼樣的一個體質呢？

一般地說，戰後落後國家離開殖民地體制後，要建立一個什麼樣的社會經濟呢？這個時候有兩條路。一個是追求資本主義，一個是避開資本主義走另一條路，即走社會主義的路。

一些國家如中國、北韓用革命的方法一下子走進社會主義，其他的國家在摸索的過渡期間就走國家資本主義。台灣在冷戰體制，受美日卵翼之下，只有走資本主義道路。然而大陸轉移到台灣的政權，對資本主義也不太熟習，它是一個半封建權力與殖民地經濟接木，再套上一個所謂的民生主義，即發展國家資本，節制私人資本做為門面的半封建半殖民地經濟。

節制私人資本受到美國干預與反對，但一下子還是沒辦法馬上走資本主義道路，50 年代可說是美國的影響與蔣家政權性格矛盾對立的時期的時期。60 年代以後，脆弱的資本主義力量與外國結合長大，迫使半封建家長制經濟慢慢衰退。總歸一句，這個階段是政治寄生資本主義，靠政治保護來營利。

之後從 70 年代到現在為止，政治寄生資本主義蛻變到現代資本主義，80 年代轉型的結果，照我的看法，它不是產業資本主義，而主要是商人資本主義。當然產業資本主義在台灣也有一定的力量，但主流我覺得是一種廣義的現代商人資本主義。

今天我準備了兩份資料，其中有幾個指標可以提供大家做參考。台灣產業結構確實在轉型，這個轉型是農業在國民生產毛額的產值越來越少，而工業在國民生產毛額中的產值趨勢由增轉減。最多的時候在 1986 至 1987 年，之後它一直在縮小，而服務業卻快速在擴大。

今天我們的產業結構外表與發達國家很接近，日本、美國也差不多。但是能不能說我們已經轉型到一個後工業化社會？不行的。以日本為一個發達國家模式來看，我們的國民所得還是日本的三分之一。同樣一個產業結構，為什麼所得還相差很大呢？我們產業結構附加價值還不是很大，但我們產業的水平還不是很高，所以我們才要產業升級。產業不升級，我們附加價值不增加，我們所得是不能高的。

一個倒立著的經濟

產業水準還不成熟的這個階段，製造業就相對縮小、後退，而服務業開始擴大，這是不是表示產業在空洞化呢？所謂產業空洞化有產業消失不存在的意思，其實產業還是存在，但不能靠產業吃飯。今天台灣產業升級問題非常嚴重的理由在這裡。

過去是勞力密集型輕工業，70 年代後半期台灣就開始指向重工業化，高唱產業升級，唱到現在還是沒有辦法。1990 年李登輝提出「亞太營運中心」構想，他這句話意義很深，他自己承認產業升級無望，只好靠國際服務業來吃飯。

台灣經濟要角是中小企業，而不是大企業。因為經濟發展靠出口，出口靠中小企業來帶動。大企業是靠國內市場撈利，就是政治寄生資本，靠特權。今天喊自由化，喊那麼久了還是沒有辦法自由化，為什麼？政商特權要砍自己利益是不可能的。大企業不好好在國際市場上發揮，而在國內壟斷市場吃飯。中小企業在國內沒有辦法，技術也沒有，資金也沒有，就跑到國際上跟人家競爭，台灣就是這樣一個倒立的經濟。

產業升級的具體內涵就是資本密集、技術密集型工業化。資本密集型工業，台灣有資金，八百億的外匯，應該說不成問題，但技術就糟糕了，技術淺薄。技術引進台灣比韓國少很多，最近還下降。台灣這麼多錢，自己不開發，也不買人家的技術。整個國家技術投資與開發費用佔國民生產毛額到底是多少？比起來，日本非常多。韓國原來和台灣差不多，80 年代不一樣，一直拚命在投資，自己外匯不多，沒有錢也去借錢來投資。台灣呢？錢很多，但投資的太少。民間投資意願長期低落不振。

台灣經濟外面非常好看，順差很大，賺很多錢，但錢沒有好好用來投資。使儲蓄與投資乖離很大。1984 與 85 年我就畫出這個圖，對台灣經濟做個警告。投資與儲蓄率剪刀差這麼大，表示台灣的產業升級結構上有問題，紙上談兵。一般宏觀經濟現象是：投資與儲蓄差不多，剩下這麼多錢用來投資，才能擴大再生產。台灣產業升級非常需要時，企業偏偏不投資，不用錢。因此順差就跟著越積越多。韓國投資比儲蓄還高，不夠的錢向外國借。它的目的是要產業升級與日本競爭，我們的企業沒有這個志氣。

勤做股票、大炒地皮

台灣開發研究費用比韓國少，比日本少，是一個問題。另一個問題在誰在做研究開發呢？外國大部分是民間，我們的開發研究政府佔一半，韓國 80%是民間，日本更多。民間不做，政府做有什麼競爭力呢？我沒有聽到中國石油、中國鋼鐵、台電，或者其他公營企業有什麼高科技。台灣民間有這麼大財團，很少去投資研究開發。政府已看到這個情況不行。我去世貿看電子展覽，我問工研院電子所他們發展技術怎麼辦？他們說要找民間企業賣給他們。我說 80 年代有一次你們發展的技術台灣民間企業不買，你們不是賣給韓國了嗎？他說是呀，我說現在你們怎麼辦？他說現在還在找。技術不能企業化、商品化，這個技術是死的。

台灣主要的基礎工業是國營企業。國營企業，研究開發沒有做到，它放棄應有的責任，官僚經營，沒有這樣的必要，沒有這樣的興趣。它生意好做，不要做開發研究，金額那麼大，不知幾年才回收。民間呢，財團看高科技製造業風險大，乾脆去做股票，去炒地皮，不必在那裡費心，利潤又高。中小企業沒有錢，就不投資了，所以沒有人去搞開發研究。我說這就是一個商人資本主義社會。

有天我坐計程車時和司機聊天，他說現在世界上最笨的人就是王永慶，他老是在那裡製造東西，做石油的原料，但是他晚上睡不著覺，因為他知道不一定賺錢。他說在中國要賺錢就去做官，掌握政權，掌握權力以後，保證你賺，絕對不會虧本，又沒有風險。台灣的製造業現在很苦，大家不願去投資。

像這樣一個資本主義，我說它是商業性的工業化。但要問台灣工廠那麼多，你怎麼解釋。這先要弄清楚現代商業是個什麼樣的概念？加工出口業從日本進口很多零組件，再加工，轉手賣給美國，這應當算是廣義的商業，而不是製造業。現代的製造業是把原料、勞力以及科技結合起來，而增加附加價值，不是用轉手的方法。台灣的加工出口我覺得是廣義的現代商業範疇。

商人資本的營利和產業資本的營利目的一樣，是增殖資本，但是方法不一樣。方法不一樣會影響社會的思想和價值觀，兩者之間有密切的因果關係。商人靠機會，靠信息來買廉賣貴撈利。產業資本靠合理經營合理技術合理計算，一分錢，一個計畫不能差錯，來達到營利的目的，要用老老實實方法做事情。商人資本社會與產業資本社會價值觀不一樣。

譬如有天傍晚，車子在堵的時候，我從許昌街叫計程車去中山北路一段，車程太短，司機不理。朋友表演給我看，「唉，中山北路一百塊。」門果然開了。情況對他有利的話， 計程車司機就變成一個商人，不照計程表，把價格抬高了。 依時刻、天候、情況而議價，台北哪裡有「計程車」。

商人資本主義社會輕視形式合理，營利不擇手段，所謂不奸不成商，沒有正當利潤的觀念。這種社會離現代化社會還有一段很大的距離。

權力以官商金融資本為基礎

最後談到國家權力的性格。以商人資本主義為經濟基礎的國家權力，具有那一樣性格？這一點我不是專業，只談談一些觀感。目前台灣的統治權力以官商（黨官與財團）金融資本為經濟基礎。如此一來，其上層建築的國家權力必然與金錢勾結而商人化，黑道化，例如動用金錢力量賄選，為使贈賄效果提高，為使花錢收效，不能不動用黑道力量來達成目的。外表上形式上雖是投票選舉，實質則以違法不依法手段來抓權，其本質不是現代的「依法統治」的權力。如果再繼續惡化下去，國家將會後退到「依權威統治」或者「依傳統統治」的局面。

民主，需要花時間逐步學習才能落實。何謂民主，我有一個假說，即「三值定量說」。就是說，人都在追求錢、權和名三方面的價值（成就），在民主社會，每個人的身上，這三種價值合起來應該是定量。換句話說，有錢人不應該再給他權力或者名譽，抓權的人，不該再給他財富與名譽，有名（榮譽）人可不必要財富與權力。這樣的社會才能平等，才有民主。把這三種價值集中在一身的人，必然是獨裁者，不講理，不守法，他的財富是不義之財，他的榮譽是虛偽的。台灣現在的社會亂象，來自實質上的不民主，人人還在摸索民主，沒有抓到民主的真諦。

附錄：台灣社會科學研究會章程前言

1920 年代中後，日帝殖民地下台灣前進的知識分子，為了克服當時台灣社會的民族與階級的矛盾，援引了馬克思關於政治經濟的理論，進行了對於台灣社會與歷史之科學的自我認識工作，並且留下一定的知識和理論的遺產。

這個以進步的社會科學探索台灣社會和歷史的傳統，在 1931 年遭到日帝的鎮壓。繼之，在 1950 年到 54 年的白色恐怖中，此一傳統作為一門科學、知識和哲學，遭到殘酷和徹底的破壞而完全中絕者凡四十年。1950 年後，美國保守、自由派社會科學，作為意識型態霸權，支配了台灣戰後社會科學領域，基本上為冷戰體制下台灣反共國家安全體系的建制，提供辯護的服務。

1980 年代中後，台灣的政治經濟起了巨大變化。然而，台灣的社會科學界對此一新變化卻無法提出前進的、批判的說明。

我們有鑑於此，深感一方面批判地繼承 20 年代台灣社會性質論的遺產，一方面又進一步汲取二戰以後依附理論、世界體系論以及其他各種進步的關於社會、政治、經濟和文化各理論新的反省與發展，同台灣社會具體現實結合起來，建構一個科學地、批判地認識和改造台灣社會與歷史的論述系統，誠為當務之急。

欲達到這些目的，我們協意成立了這個研究會。

台灣資本主義特性與未來走向

——國際比較研究（節錄）

本文節錄自劉進慶發表於《台灣研究》的〈台灣資本主義特性與未來走向——國際比較研究〉一文。本文分為上下兩篇，先後發表在該刊 1994 年第 4 期與 1995 年第 1 期。

資本循環與台灣資本主義特性

〔……〕台灣企業的投資意願低，這句話對嗎？不然。一般來說，台灣企業的投資意願非常旺盛，只是對增加固定資本的投資意願低，這才是正確的說法。換句話說，凡是有利可圖的行業，諸如商業、金融證券、房地產以及其他服務業，企業都積極投資，對製造業、工業則不感興趣。因為前者比後者有利可圖，營利性高。這是資本主義經濟的原則，無可厚非。應該投資於製造業的說法，是站在國民經濟整體的立場才能成立。

所謂資本主義經濟的本質，就是「營利」。營利的概念是資本增殖 $K \rightarrow K'$（$K' = K + G$）。資本增殖的過程大致有兩大循環類型。如圖 5 所示，資本（K）可分成兩大類型，一個是產業資本（industrial capital = K_1），另一個是商人資本（mercantile capital = K_2）。產業資本（K_1）的循環是僱用勞力（L），購買生產原料（Pm）和生產設備（Pe），開發技術（T）來製造（P）產品（C'），行銷得利（G），而來增殖資本（$K'_1 = K_1 + G$），達到營利（$K_1 < K'_1$）的目的。商人資本（K_2）的循環，是廉價購進商品（C），高價銷售商品獲得利益來增殖資本（$K'_2 = K_1 + G$）。其中再可分成兩種過程，一種是商業，即販銷貨物商品（Cm）來獲利，另一種是金融業，即貸款金融商品（Cf）來獲利。兩者都是廣義的商人資本。商人資本與產業資本之間，在資金借貸與商品流通方面有一定的聯繫和互補關係。

商人資本的歷史悠久，自古以來相當發達，現代以後，隨着產業以及交通運輸的發展而更上一層樓，尤其是現代金融資本與產業資本息息相關，相輔相長。至於產業資本的發達始於近代，尤其是利用機器的大量生產，使設備（Pe）擴大，科技（T）進步日新月異，帶動史無前例的高度生產力，促進現代經濟的發達。所以產業資本是現代先進經濟的核心部門，是現代經濟的一大特徵，現代經濟主要是靠產業資本的增殖來發展。

回看台灣的情況，如上面所述，K_1—K'_1的產業資本循環在1980年代後半以降，逐漸相對式微，K_2—K'_2的商人資本循環相形擴大。上述固定資本投資意願低，嚴格來說，是指K_1的Pe（生產設備）和T（技術開發）的投資不足而言。台灣產業資本的發展，主要依靠K_1—C'過程中的L（勞力）和Pm（生產原料）結合的勞力密集型加工業。其中Pm是多靠進口，C'—K'_1過程中更多靠出口，產業附加價值不大。加強和充實Pe和T的投資才能提高附加價值，但是這種投資的期間長而風險大。相形之下，商人資本的活動非常旺盛，因為K_2—K'_2循環的利潤相對比K_1—K'_1高，大多財團企業都靠K_2—K'_2來獲得資本的快速增殖。所以總體的K→K'之資本增殖仍然很大。這樣才能解釋1980年代以來，雖然國民投資率偏低，但仍然能夠大量出口，獲得大量順差和外匯存底。同時我們可以看出台灣資本主義的主流是商人資本，而不是產業資本。這一點可以從台灣的製造業由中小企業來支撐的事實看出。

圖 6 是從製造業的員工人數與生產額來比較大企業與中小企業的結構關係。據工商普查結果，1986 年，中小企業的員工佔製造業全體的比率大約 3/4，生產額則佔 2/3，剩餘的就是大企業所佔比率。而 1976 年與 1986 年 10 年間的趨勢是中小企業在擴大，大企業在縮小。中小企業的 K_1—K'_1 循環，具多依靠 L 和 Pm 結合的勞力密集型，依賴 Pe 的 T 部分不大，也就是說固定資本的投資少。這個圖的事體與上述投資率低的說法符合。一方面說明大企業的資本增殖，得力於商人資本循環，1980 年後半迄今，更加擴大其資本力量，令台灣資本主義的商人資本性格更加顯明突出。

商人資本與產業資本的評價與定位。從個體企業的立場來看，只要資本增殖 K—K'（K＋G），G 的極大化最要緊，無所謂商人資本或產業資本那一種類型優勢。不過，從國民經濟的觀點來看，則有不同的看法，個體經濟利益的總和是不是就等於國民經濟利益？則未必如此。再從勞動價值理論的角度來看，商品價值的源泉，來自產業資本活動（K_1—K'_1），至於商業資本活動（K_2—K'_2）是從中分配附加價值，兩者之間在社會經濟上的評價與定位不同。如上所述，依據近代經濟史的經驗，先進國家的經濟是以產業資本的發達為主流。我要特此強調，當今台灣經濟的走向，與其對是針對「日本型」的方向，倒不如說是朝往「香港型」的方向走。所謂「香港型」經濟，就是製造業以中小企業為主，產業主要靠國際金融和中繼貿易來發展商人資本主義經濟。台灣近年的動態很類似這個情況。

未來在亞太經濟中扮演的角色——代結語

綜上所述，台灣經濟的轉型就是經濟重點由工業轉移到服務業，這種轉型並不意味產業升級，並不表示台灣的工業化再上一層樓，登上後工業化社會（post-industrial society），而由於國民投資的長期偏低，台灣的工業極有可能走向空洞化（de-industrialization）。所謂空洞化，嚴格地說，並不表示整個產業的衰退或消失，而是指局部有競爭力的產業，例如電子、化學、機械部門仍可升級發展，另一方面，相當部份的夕陽傳統工業即將消失或外移的意思。兩岸經濟交流的加深和關稅貿易總協定（GATT）的加盟，將會加快這個腳步。同時，台灣企業的營利形態之主流，業已偏向商人資本積累的特性，而對技術研究漠不關心。如此一來，台灣經濟的走向已無多大選擇餘地，而不能不自我侷限於從國際服務業方面覓求出路。政府及有關部門暗地察覺到這個問題，早在 1991 年初提倡「亞太地區營運中心」構想，其背景和用意無非在於此。

概觀亞太經濟，尤其是整個東亞地區的經濟成長非常輝煌。在世界體系下，以美日為龍頭，先是帶動四小龍（NIEs），接着衝擊東協國（ASEAN）和中國大陸，近年波及越南及中南半島，遠東西伯利亞，除此北朝鮮不久即將開放，各地區經濟發展好似「雁行形態」，[1]一連串趕上來。尤如泰國、馬來西亞和中國大陸，對先進的四小龍乃有用出於藍、後來居上之勢。這是全區性、連鎖性的發展。冷戰結束之後的世界，政治對立的形勢被經濟合作的潮流所取代，亞太經濟的地位更加浮顯突出。台灣處在這個新潮流中，何去何從應有新的認識與定位。其中，海峽兩岸的交流，確實是兩岸政經對立關係的緩和之產物，除此之外，更是亞太形勢的全面改變所

---

[1] 這個理論是由日本赤松要教授（《経済政策論》青林書院，1957 年）提出，繼由渡邊利夫教授加予實證，並發展為「構造轉換連鎖」理論（《アジア相互依存の時代》，東京：有斐閣，1991 年）。

帶來的必然局面。所以兩岸交流不應僅止於兩岸關係，而應該定位於亞太經濟合作環節中的一環來看，才是客觀正確的認識。

台灣在整個亞太地區的經濟發展形勢中，冷靜理性地掌握全局，衡量自己的份量與經濟體質，覓求最合適的出路，是當務之急。其中，台灣的農業已無前途，製造業技術積累淺薄，企業又無意追求高科技，產業難望如意升級，剩下只有國際服務業一條路可尋，即依靠台灣豐富的經營人才和金融力量以及有利的地理條件進軍國際舞台，扮演一定的角色。從這個意義上來看，「營運中心」構想，乃不失為一個適當的選擇。問題在於營運中心（operation center）的內涵是什麼？其可行性多大？這些問題都尚待嚴密的探討。其實，政府當局對營運中心的內涵並未提出具體內容，尚在摸索之中，然而它不外是一種國際服務基地的構想。以下結合媒體報導的消息，加以整理略述管見。

政府構想中的亞太地區營運中心，概略包括金融、貿易、交通、科技、加工、利潤等六個項目。其中，利潤中心一項，內容不明，容不涉及。科技中心則如上分析，台灣沒有這個實體，只是畫餅充飢。加工中心一項，並無新意，何況正在面臨部分產業的空洞化問題，如果說侷限於電子、機械工業的升級，成為特定高科技工業的加工基地，尚有追求意義。除此之外的金融、貿易、交通三項則可行性比較大。其中，金融、貿易中心的構想最早有。為要取代香港九七大限，早在 1980 年代初，就有把台北做成國際金融中心的想法。然而限於公營銀行壟斷下台灣金融制度與機能落後，民營銀行不發達，國際金融人才的缺乏以及政治戒嚴體制等原因，遲遲難於推動。現在條件逐步在改善，民營銀行已經開放，妥善運用巨額資金外匯，其可行性增加。問題在於九七後的香港，未必有大幅度變動，台灣取代香港的可能性幾乎沒有。在亞洲，東京是這地區的金融中心，香港還算副中心，台灣如果能夠爭取到亞太許多副中心中的一個地位，算已不錯。[2]至於貿易中心，包括交通中心在內，最大的問題在於台灣的機場、港口以及島內基本建設尚未充實完善，較諸國際先進水平還相差一大步。高雄、基隆雖是良港，但已飽和，另外設良港，也很難找出理想的候補地，是一大侷限。除此之外，營運中心的構想中，把其腹地假設在中國大陸，這是切實的。問題是中國大陸也正在天津、上海、廈門、汕頭、廣州等沿海城市等設類似香港結合深圳的多功能經濟中心。在這樣情況下，台灣不可能成為東亞唯一的營運中心，而是成為許多複數基地網絡中的一個。重要的是如何在亞太地區諸多經濟基地的網絡體系中，覓求台灣的定位和活動空間。所謂華人經濟，也應該包括在這個體系中去考量。

最後，台灣仍然不能不重視與美日的關係，但是美日的定位今後將有所變化。總歸一句，冷戰結束後日本在亞太扮演的角色越來越大，相形之下，美國的份量將不得不後退。日本有充分的資金和技術，也正在亞洲地區找出路，除四小龍、東協國之外，將包括中國大陸、中南半島等地。台灣應該配合中國大陸和日本的經濟動態，在合資、經營、商機信息、市場行銷方面，做出橋樑的角色，這是客觀上台灣最可靠而有所作為的出路，如何把它容納在上開營運中心構想中發揮，是台灣經濟未來走向的一大課題。

---

[2] 據報導，美商麥肯錫顧問公司的一篇評估報告，斷言「台灣要發展區域金融中心為時已晚」，對此，台灣財經金融領導認為未來可以推動「籌款中心」。詳報請見台灣《中央日報》(國際版)，1994 年 6 月 2 日，第 7 版。

圖 5： 資本循環 (circuit of capital)的兩大類型

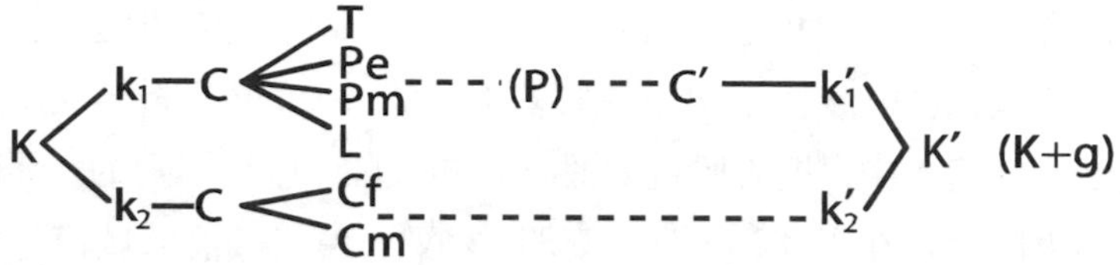

$$K \begin{cases} k_1 - C \begin{cases} T \\ Pe \\ Pm \\ L \end{cases} \cdots (P) \cdots C' — k_1' \\ k_2 - C \begin{cases} Cf \\ Cm \end{cases} \cdots\cdots\cdots k_2' \end{cases} K' \quad (K+g)$$

K＝資本，K＜K’ (K＋G)，G＝利益，K_1＝產業資本，K_2＝商人資本，C＝商品，Cm＝貨物商品，Cf＝金融商品，L＝勞力，Pm＝生產原料，Pe＝生產設備，T＝技術，P＝生產。

圖 6： 台灣製造業的中小企業與大企業之比較 (%)

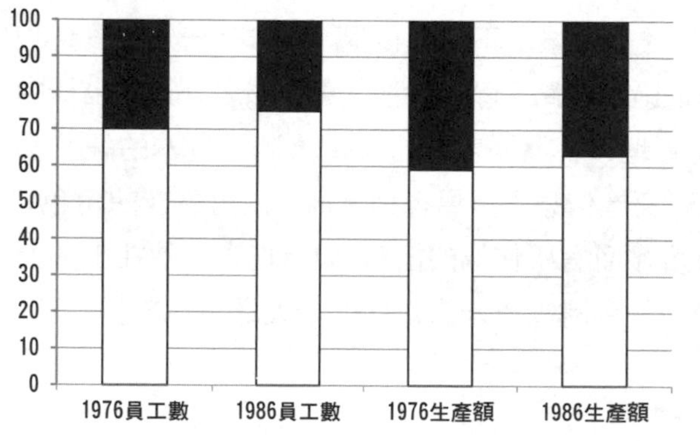

黑色部分為大企業
白色部分為中小企業

資料： (1)台灣行政院台閩地區工商業普查委員會,《台閩地區工商業普查報告》(1976年)，第 3 卷第 1 冊，台灣地區製造業，第 426-427 頁。 (2)台灣行政院主計處，《台閩地區工商業普查報告》 (1986 年)，第 3 卷，台灣地區製造業，第 22-23 頁。

恐怖政治下的搜刮經濟與其反動性格

本文為劉進慶於1997年2月23日宣讀在第一屆「東亞冷戰與國家恐怖主義學術研討會」（1997年2月22日至23日）的論文。

一、問題所在與剖析角度

本文的目的，在於剖析台灣戰後白色恐怖時期專制獨裁政治之經濟基礎，解明其結構與機制以及其反動性本質。所謂反動之含意，即指背向社會進步，或者違背歷史現代化發展的動態而言。所以從政治、社會觀點而言，反民主自由，反人性人權，反現代化的制度機構以及措施功能，均可屬於反動的概念和範疇之內。從經濟觀點而言，倒退市場機制，強權搾取百姓，搜刮人民財富而來做為恐怖政治之物質基礎的經濟體制應可視為是反動經濟。

台灣戰後經濟，自從1945年到1960年代白色恐怖時期之一大特點為搜刮經濟（squeeze economy），是政府在米糖農業、公營經濟（工業，金融，流通）、軍事財政三方面，不惜倒退市場、貨幣經濟機制，強權搜刮農工人民大眾，護航特權工商資本原始積累。從近代發展史觀點來看，可以說是從日本統治下的殖民地資本主義經濟轉移到國民黨一黨專制下的半封建性前近代資本主義經濟，是一個歷史反動倒退的過程。從社會經濟層面來看，是一種國家權力強制積累以及政商資本原始積累的過程。此一過程的經濟機制之基本性格，本文擬用搜刮經濟一辭的概念來剖析。

「搜刮」一辭的含意一般是指竭力求錢，強要財富。用在本文分析概念則可包括掠奪、搾取、剝削等國家撈取人民財富或者剩餘勞動價值而言。搜刮在此又可分成兩種範疇，一種是經濟外強制性的搜刮，例如透過徵收地租、稅捐等手段的掠奪應屬於這一種搜刮。另一種是市場機制的搜刮，亦即利用經濟活動和市場交換關係的搾取或者剝削均屬於這一種搜刮。上開國民黨政府對米糖農業的搜刮手段包括掠奪和剝削，公營經濟的搜刮手段則基於市場交換關係的剝削，至於軍事稅捐的搜刮是完全屬於單行道的掠奪，幾乎沒有建設開發或財富再分配機制可言。

搜刮經濟大有別於開發經濟（Development economy）。搜刮經濟是社會單純再生產經濟，在經濟機制上鮮有開發指向因素存在，是軍事專制政權的物質基礎，具有濃厚的半封建性、前近代性格。相形之下，開發經濟是社會擴大再生產經濟，雖然政治是獨裁制，但是基本上指向開發和經濟現代化，因此，一般把 1970 年代以後的台灣、韓國等東亞地區的經濟發展定義為開發獨裁制（Development oriented authoritarianism）或者獨裁制開發（Development with authoritarianism），則白色恐怖時期的台灣搜刮經濟便可定義為搜刮獨裁制（Squeeze oriented authoritarianism）或者獨裁制搜刮（Squeeze with authoritarianism）。兩者之間應予嚴格區別，前者具有超克專制獨裁的辯證性歷史發展因素，有一定的進步性，而後者則保守專制獨裁，是倒退的、反動的政治經濟體制。

台灣要從搜刮獨裁制走到開發獨裁制之間的一大轉折，自有其內外不可抗拒的時代背景。1950 年代末到 1960 年代初，美蘇冷戰形勢有所轉變，台海對峙局勢趨向固定化，國民黨政權的反攻大陸無望明確化，黨外勢力抬頭，國際經濟環境巨步變化。此一形勢逼使國民黨政權在台灣為要長治久安，把獨裁統治正當化、持久化，則非對外開放，覓求經濟開發之路不可。由是搜刮獨裁制失去其存在的時代背景和內外條件。台灣經濟遂於改革開放，朝向開發獨裁制轉軌躍進。

因此，我們絕無理由也不應該以往後的經濟發展而把白色恐怖時期的反動搜刮經濟正當化，或者美化，反而更應該闡明其是非，批判其負面遺制。歷史的錯誤是會重演的，所以歷史的教訓應該要好好吸取，白色恐怖下搜刮經濟的反動性應該徹底揭發，做為後事之師。

本文剖析的角度，首先要從歷史裁判的觀點以及民眾史觀的問題意識來看問題。其次，對一個政權的性格之探討，特別注重政策手段的觀察來理解其目的，接近其本質，亦即利用實證的方法來剖析問題。這一點需要強調，一般的國家權力所標榜的目標，可以說都是崇高完美，然而要達到這個目標所採取的政策手段或者制度機構的實踐運作，往往是另外一回事。例如，國民黨政府在白色恐怖時期所標榜的反共理念為民主、自由、人性、反極權、反殘暴，然而當時台灣的政治現實恰恰是相反，是戒嚴體制下的專制極權、恐怖、非人性血腥鎮壓。口號與現實、目的與手段之間有雲泥之差，甚至有羊頭狗肉之嫌。即使美國也不例外，它標榜著民主、自由、人權理念的推廣，然對當時台灣恐怖政治的現實，為著本身外交利益考慮，採取雙重標準態度，睜一眼閉一眼，安有民主、自由、人權理念在？所以還是手段的觀察為重要。至於白色恐怖時期的劃分，從何時開始，何時告段落，從政治、經濟、社會各方面來看，各有說法。本文對此一問題無意深入涉足，概略以 1950 年代到 1960 年代的一段時期為主要考察對象。

二、 搜刮經濟的歷史時代背景

白色恐怖時期國民黨政權對廣大人民大眾的搜刮經濟體制和機制之形成，必然有它歷史和時代的背景。一個反人民、反民主、反人性、反現代的社會經濟體制必須依靠或寄生於內外特殊的環境與條件才能存在。當時台灣的時代背景和社會條件，大約可分成三方面，即台灣本身的日本殖民地經濟遺制；大陸的國民黨政權性格和內戰非常形勢之規制；以及國際間東西冷戰反共體制的制約三方面因素。

第一，關於日本殖民地經濟遺制的因素。我們知道搜刮經濟體制是以龐大的公營經濟體制為依據，而此一公營經濟體制是完全來自於接收所有日人在台的壟斷資本，將它幾乎全面國有化而形成的。例如，完備無欠的米穀糧食管理制度是繼承台灣總督府戰時糧食統制配給制度來改編；台灣糖業公司是統合所有日人糖業壟斷資本而組成的，其他重要骨幹產業以及金融、貿易機構大部分來自日產的接收，具體事例不勝枚舉。至於日人在台的中小型企業，則綜合起來編成為工礦、農林兩個公司。這一類公司殊難適合公營，遂於 1953 年藉農地改革之際，連同水泥、紙業兩公司轉讓給民間，從整體公營經濟來看，規模不大，無關重要。由是可知，公營經濟為依據的搜刮經濟體制完全建立在日本殖民地經濟遺制之上，非有殖民地經濟就難有龐大的公營經濟，而搜刮經濟也就失去形成的條件。同時，這裡勿忘另一個條件，也就是台灣本地民間資本的力量薄弱，一時間無足夠力量承擔日人遺留下來的現代產業經濟，又無力抗拒新政府的大規模國有化措施。說來，民間資本力量薄弱的原因，也是來自於殖民地統治的結果，日本殖民地統治之害，誠是深長無比，而新來國民黨政權之體質和接踵而至的中國內戰非常形勢，更加提供搜刮經濟體制強化而加深的條件。

第二，關於國民黨政權性格和中國內戰非常形勢的規制。這個問題，首先要指出孫文學說中民生主義的「發展國家資本，節制私人資本」指導理念。因為國民黨政權是依據此一指導理念來推行公營經濟政策。本來此一理念本身有其合理性，而問題在於國民黨政權實踐「發展國家資本」的具體表現，卻就是 1930 年代以及抗戰時期重慶政權下茁壯的中國官僚資本主義體制，是以四大家族為核心的剝削人民大眾，獨厚四家一黨的搜刮經濟。[1]不幸，此一性格的政權和政策戰後延伸到台灣來，先是將所有日人產業國有化，來創建公營經濟，後以內戰非常時期為由，強化搜刮經濟，苛歛誅求，使戰後台灣民不聊生。待國民黨中央流落到台灣之後，此一政權政策性格，一脈相承，而體現在 1950 年代白色恐怖時期的台灣搜刮經濟上。例如，對米糖農民的強權搜刮，公營經濟的壟斷利潤，為龐大軍費支出的苛捐重稅等經濟機制比比皆是，詳情俟後再述。

第三，關於東西冷戰反共體制的制約，是屬於國際因素。1950 年韓戰爆發，中國為抗美援朝而參戰，遠東進入東西冷戰體制。美國為發動圍堵中國大陸政策，便結合鞏固台日韓以及南越等東亞反共國家，而展開大規模對外經濟軍事援助。美國的對外援助，本著本身國家安全和外交利益，只要是反共政權，一概鼎力支援軍事經濟，而對反共軍事政權的獨裁專制、不民主非人性殘暴措施則坐視不管。對台灣的經濟援助，主要集中於公營企業，間接支援搜刮經濟體制。致使在台苟延殘喘的國民黨一小撮統治集團坐大，有恃無

---

[1] 參閱渡辺長雄《中国資本主義と戦後経済：国共経済体制の比較研究》，東京：東洋経済新報社，1950 年，第 32-57 頁，以及中嶌太一《中国官僚資本主義研究序說：帝国主義下の半植民地的後進資本制の構造》，滋賀大学経済学部研究叢書第一号，大津：滋賀大学経済学部，1970 年，第 92-144 頁。

恐，恣無忌憚地推動恐怖統治，搜刮人民，形成東亞地區獨裁專制極右反共軍事政權的典型代表。現在看來，無非是在冷戰體制下才能存在的反動體制。

綜上所述，日本、大陸和美國三方面的歷史社會以及政治軍事因素之介入深深地影響，規制當時台灣的白色恐怖下社會經濟體制。我們順筆不能不提及，此一基本架構與當前的形勢格局相比，卻可發覺惟有輕重之分而無本質之變。所以說歷史是活的，亦即歷史是過去，也是現在和未來。以下將針對 1950 年代到 1960 年代期間，分成國民黨政權對稻蔗農民的搜刮以及透過公營經濟，苛捐重稅對人民大眾的搜刮兩方面，來探討白色恐怖政權的物質基礎以及其反動性格。因已有敝著詳予論證，[2]本文則止於略述扼要。

三、統制米糖農業搜刮稻蔗農民的機制

1950 年代到 1960 年代的台灣社會經濟，以農業為主要產業，農業之中以稻蔗兩項種植業為骨幹，而國民黨政權正對此米糖農業採取強制手段加予統制，全面掌握主要農產品和農民勞動剩餘價值。當然米穀與砂糖產業的統制方法不盡相同，應分開來探討，首先來看米穀統制。

（一）對稻農的搜刮機制——肥料換穀

歸納糧食徵收政策，可分成三種方法與範疇。第一是地租收取實物米穀方法，是無償徵收，屬於掠奪範疇的搜刮。第二是強制收

---

[2] 參閱敝著《戦後台湾経済分析》，東京：東京大学出版会，1975 年，漢譯本《台灣戰後經濟分析》，台北：人間出版社，1992 年。本文基本上依據敝著舊稿，諸多資料典據不便逐一列出，請諒。

購米穀方法。以低於市價的公定價格徵購，是不等價強制交換，兼有掠奪與剝削範疇的搜刮。第三是實物交換方法，主要是肥料換穀。因肥料供應由政府壟斷，交換比例也是公定，所以是不等價交換，屬於剝削範疇的搜刮。同時此一方法把貨幣經濟倒退，代之實物交換，具有反市場經濟、反資本主義以及反現代性格。糧食徵收政策的三種方法中，正以此一實物交換統制經濟為主要部分，更可見此一搜刮農民政策的反動性格。

台灣戰後糧食統制是接踵日本投降而始。1945 年 10 月，新政府在日據戰時糧食統制辦法的基礎上，頒布《管理糧食臨時辦法》。1946 年 7 月，公布《台灣省田賦徵收實物實施辦法》，從同年第二期作物開始實施實物地租。同年 11 月設立「台灣省糧食局」專管糧食統制。1947 年 7 月再予公布《台灣省糧食收購辦法》，實施糧食強制收購。1948 年 9 月再公布《台灣省政府化學肥料配銷辦法》，實行肥料換穀制度。由是可知上述三種方法的糧食徵收政策，早在戰後不久的期間已經釐定，而此一糧食徵收政策與制度，是淵源於國民黨政府重慶時代的戰時經濟政策。更可見此一糧食徵收的搜刮經濟是台灣殖民地經濟遺制與大陸戰時統制經濟的結合體，而更臻完整，徹底無漏。

1952 年台灣實施「耕者有其田」農地改革，結果有 143552 甲的農地由 106049 戶的地主放領到 194823 戶的佃農。[3]此一改革確實鼓勵小農提高農業生產力，而隨著糧食生產的增加，政府的糧食徵收規模也隨著擴大，使 1950 年代的農民搜刮機制在數量上擴大而加深。以下從數量方面來探討對糧農搜刮的情況。

如表 1 所示，從 1951 年到 1965 年的十五年之間，政府的糧食

---

[3] Hui-sung Tang, *Land Reform in Free China*, Taipei: Chinese-American Joint Commission on Rural Reconstruction, 1954, pp.137-138.

徵收情況一目了然。從總體來看，隨著每年米穀生產量的增加，政府以各種名目和方法徵收到的米穀總量也在遞增，對生產總量的占有率維持在大約 30%左右，規模相當之大。徵收方法如上所述，大致可分成收取、收購和交換三個範疇領域。其中以肥料換穀一項最為重要，占有徵收總數的 2/3（66.3%），成為糧食徵收手段的骨幹。其次是強制收購的 14.2%，再次是隨賦收取的 13.7%，其他一項微不足道。隨賦收取部分是無償徵收，其他兩項是透過市場價格機制的徵收，主要以不等價交換來剝削，首先來看肥料換穀的搜刮關係。

此期台灣的肥料供應不管是國內生產（台灣肥料公司）或者從外國進口，統由省糧食局一手來包辦。肥料換穀的比例（以重量計算）前後略為一比一之比數，即農民 1 公斤的米穀向糧食局換來 1 公斤的肥料（硫氨為準）。此期肥料供給情況大約 60%是從外國進口。[4]進口每噸的價格又如圖 1 所示，比國產肥料價格低，而為米穀價格之 1/2 乃至 1/3 之譜，[5]顯然是大幅度的不等價交換。而此一差價部分就是政府對稻農的剝削之具體形態。至於政府進口肥料所費多少？俟後再提。

其次，關於強制收購的搜刮關係。糧食局對農民的徵收價格為公定價格，低於自由市場價格。如圖 2 所示，公定價格大約為自由價格的 2/3，[6]也是不等價交換，仍是政府對糧食的具體剝削關係。

再說，政府為了進口肥料，將一部分徵收稻米出口換取外匯便

---

[4] 台灣省糧食局，《台灣糧食統計要覽》，1966 年，第 126-127 頁。

[5] 依據台灣省糧食局，《台灣糧食統計要覽》，1966 年，第 139-145 頁。《台灣銀行季刊》（台北），第 16 卷第 3 期，第 109 頁，以及《中華民國年鑑》1959-1966 年各年度資料算出。

[6] 依據台灣省糧食局，《台灣糧食統計要覽》，1952、1955、1967 各年度，以及同局《十六年來之糧政》1962 年資料算出。

支付進口肥料所費, 期間的關係可以從表 3 看出。從 1952 年到 1965 年之間進口了 455 萬噸肥料，總計 27044 萬美元，同一期間台灣出口稻米 191 萬噸，總計 27700 萬美元，兩者金額相接近。[7]這不是一個偶然，而可視為有計畫的平衡。再說 191 萬噸的稻米折算成米穀的數量，對政府徵收米穀總量的占有率大約是 20%，這是屬於肥料換穀的成本範疇, 再加上強制收購所付現款就可算出政府徵收米穀糧食的全部成本。折來算去，總體來說，大約可算出徵收米穀總量的 1/3 是成本，2/3 是無償由糧農搜刮取得的。換言之，政府每年的徵收米穀為總產量的大約 30%，而其中 20%是搜刮稻農而無償取得的，規模不能說不大。

政府徵收的糧食之用途，除一部分出口之外，大部分是供應軍公糧，支援軍事財政，一部分留在手頭調節市場米價以及存備救災之用。

綜上所述，糧食徵收政策中隱藏著搜刮稻農機制，其主要手段為肥料換穀，即倒退貨幣經濟而採取實物交換以便搜刮，無償掠奪了米穀總產量的 20%之實物，強要稻農剩餘生產物。此期國民黨政權在台灣為形勢所逼，實施耕者有其田改革，表面是為農民謀福利，實則並非真正照顧農民，而是犧牲農民利益而來減輕軍事財政負擔，安定糧價，維持低工資，一面護航特權工商業的資本積累。換言之，在倒退貨幣市場經濟，犧牲農民利益這一點以及支援軍事消耗，鞏固專制獨裁的機制上，可看出搜刮稻農經濟的反動性格以及此期國民黨政權的反動本質。

---

[7] 台灣省糧食局，《台灣糧食統計要覽》，1966 年，第 102-103、124-125 頁，以及 *Taiwan Statistical Data Book*, Taipei: Council for Economic Planning and Development, 1968, p.130.

（二）對蔗農的搜刮機制——加工分糖制

甘蔗種植為台灣商品農業的代表作物，歷史悠久，與稻米種植並駕形成台灣商品農業的雙壁。戰後，日人遺留下來的四大糖業壟斷資本全部國有化，改組統歸台灣糖業公司一家壟斷，對種植甘蔗農民的支配關係，比戰前更加強大，比糧食局與稻農的關係更加直接而緊密。

糖業的再生產結構分成甘蔗種植、砂糖加工以及成品的市場販賣三個過程。台灣糖業甘蔗原料的 80%依靠耕地規模不到一公頃的個體小農，剩下 20%才由糖業公司的農場供應。至於砂糖加工全部由台糖公司的糖廠一手承包，市場販賣則透過政策規定幾乎由台糖全盤控制。所以供應甘蔗原料 80%的種蔗小農就成為台糖（政府）的統制和搜刮對象，其主要方法就是加工分糖制。

蔗農種植生產的甘蔗原料，必須賣給糖廠加工才能成為砂糖成品。加工分糖制就是這一段過程的台糖與蔗農的經濟交換關係和方法，也就是說，蔗農的甘蔗原料交給糖廠加工，按照一定比率領取砂糖成品，台糖獲得另一部分砂糖做為加工以及其他所費的報酬，可見加工分糖制也是一種倒退貨幣經濟的實物交換經濟。問題不僅於此，分糖比率實質上由台糖單方公定，另外，蔗農應得的砂糖成品之一半以上規定必由台糖收購輸出國際市場。由是可知，實物交換關係以及強制收購的方法，與米穀徵收手段的性格一脈相承，一氣相通。米糖經濟完全可用同一個搜刮概念來理解。以下來看其概況。

1950 年代台灣甘蔗種植面積大約有 9 萬公頃，生產甘蔗原料每年大約是 650 萬噸，加工製成砂糖大約 75 萬噸，其中有 80%的產量是由 15 萬戶的蔗農供應原料，農戶耕地規模為 0.5 公頃左右居多。台糖對蔗農具有壓倒性壟斷關係。其搜刮關係可分成加工分糖比率和強制收購價格兩個層面來探討。

首先，關於加工分糖比率，如表 4 所示，農民與台糖公司大致以 50%對 50%按分，亦即蔗農提供甘蔗原料，支付砂糖成品之一半做為加工費而取得另一半砂糖實物，此一交換關係是否等價交換？是問題的癥結所在。一般來說，糖廠是一個技術粗放的機械制工業，加工成本不應該這樣高。依據日據時期糖業公司的製造費統計資料，每年稍有不同，但總不超過 20%。[8]即使上開 50%之分糖比率中包括甘蔗原料收穫費，也不至高到如此比率。由是可知農民與公司之間的 50%對 50%的加工分糖比率是顯然的不等價交換。同時再次強調此一分糖比率是台糖一方決定的壟斷性比率，等於是一種壟斷價格。政府對農民的搜刮關係可以從這一個分糖比率和決定程序的壟斷性上看出。

其次，關於強制收購的方法和價格。從表 4 可看出蔗農應得砂糖是否能自由領出在市場販賣，依時期而異。台灣的砂糖出口市場受到嚴重制約的 1949 年到 54 年之間，亦即大陸撤退之後失去大陸市場，一時難於找到可替代的國際市場時期，農民則可以自由領出，但是從 1955 年恢復輸出日本市場之後開始設限，農民只許領出農民糖的 30%至 40%，其餘則由台糖強制收購，以便輸出，獲得外匯。此期台糖公司的經營目標，除了為政府賺取壟斷利潤之外，出口創匯是一大任務。因此，台糖為要收購一定數量的出口砂糖，在收購價格方面不能不考慮蔗農的立場，亦即考慮與稻米種植的競爭關係，否則農民就不願種蔗，影響台糖經營。這一點再看表 4 所示，1950 年到 53 年間，砂糖收購價格訂在與米價相同水平，所謂的「斤米斤糖」時期，以後則參照國際糖價的起伏和稻米價格

[8] 資料來自《台灣銀行季刊》（台北），第 2 卷第 2 期，1948 年 2 月，第 178 頁。

動態來決定農民糖收購價格。其主要的考慮在於種蔗與種稻之間，農民在收入上不要有太大的差距，以期維持一定數量的甘蔗原料供應，達成台糖的最大利潤和創匯目標。

台糖對農民糖的收購價格，為考慮與稻農收入的平衡而釐定，表面上似無不等價或者剝削關係，實則不然。第一，強制收購本身就已經具有搜刮性質，第二，糖價的釐定針對米價來平準，而米價則完全控制在省糧食局手中低價政策之下，其不等價與掠奪性格已論證如上。因此米價已證實剝削關係，農民糖收購價格之機制，更脫離不出政府對農民搜刮的範疇之外，而正可旁證砂糖收購的剝削搜刮性格。因為糖與米的頭上「老闆」都是政府，是連貫的。

綜上分糖制以及農民糖強制收購政策的全貌，台糖公司與蔗農之間砂糖分配和市場流通的狀況，大約可用圖 3 的圖表來概括。亦即台糖公司自己供應砂糖總量的 20%，其餘 80%，以加工分糖制由蔗農取得 40%。蔗農應得的農民糖有 40%，其中台糖再用強制收購方法取得 15%，又藉各種農貸費用以實物償還的方法再取得 10%，其餘 15%任由農民在國內市場販賣。由是台糖公司可以收集到砂糖生產總量的 85%以供外銷創匯，15%的農民糖供應國內消費。

結果，從 1955 年再打開國際市場之後到 64 年的十年之間，台糖公司獲得利潤 350700 萬元，繳納法人稅 159000 萬元，砂糖稅 248000 萬元，其他諸稅 161000 萬元，總計 925000 萬元上繳國庫，年均 93000 萬元。另一方面，砂糖輸出創匯總計 80300 萬美元，年均創 8000 萬美元之譜，[9]接近當時美援年均規模，可見從蔗農搜刮的財富十分龐大而重要。

---

[9] 楊乃藩，〈台灣之製糖工業〉，《台灣銀行季刊》（台北），第 17 卷第 1 期，1966 年 3 月，第 21-22 頁。

從農民的立場來看，在當時台灣農業的條件下，農民只能選擇種稻或者種蔗兩種作物，而此兩種作物不是統制在省糧食局手中，就是控制在台糖公司手上。其實兩者都是國民黨國家資本的一環，是國民黨專制統治的經濟基礎，米與糖的統制經濟是一體的兩面，是為搜刮農民剩餘勞動價值連接貫通的，米與糖的搜刮方法之共同點在於實物交換和強制收購，是倒退貨幣。商品市場經濟的發展，是反歷史進步的前近代體制。這一點，戰前日本殖民地下台灣農業的所謂「米糖相剋」關係，戰後卻被統一在國民黨國家資本的搜刮經濟之一條線上。米糖相剋關係的消失，表示著米糖生產的競爭機制，亦即農民透過種稻與種蔗的選擇對資本的制衡作用終告喪失，而農民則面對國家資本全盤一邊倒壟斷的格局，是加深而擴大掠奪與剝削關係。總之，國民黨政權一面實施農地改革，放領耕地給農民，以示對農民的「德政」。另一面則推行米糖搜刮經濟，大力掠奪農民勞動成果，基本是一個政治偽善。[10]其本質是反農民、反民主、反現代，基本是反動的。美化白色恐怖時期的台灣經濟無論如何是極不道德的。

四、 公營經濟與軍事財政對人民大眾的搜刮

（一）公營經濟的壟斷搜刮

上述台灣省糧食局和台灣糖業公司只不過是龐大的公營經濟

---

[10] 搜刮農民的結果，農業逐步衰退，1960年代面對嚴重危機，1973年終於廢除肥料換穀制度。詳細參閱敝著《台湾の経済》，東京：東京大学出版会，1992年，第78-79頁，漢譯本《台灣之經濟》，台北：人間出版社，1993年，第80-81頁。

中之兩個機構，如表 5 所示，其他還有 261 家（1966 年）的公營企業，包括礦業、製造業、建築業，水電瓦斯業以及商業、金融業、交通運輸、通信等所有行業，無所不包，形成一個強大的國民黨國家資本壟斷體制，本文將它統稱為公營經濟。此一公營經濟正是國民黨專制統治的經濟資源和物質基礎。它繼承台灣殖民地遺制，套上「民生主義」理念而更加鞏固。從 1950 年代末到 1960 年代末期間，說是民間企業快速發展，實則公營經濟力量茁壯擴大，超過民營經濟。再看表 3 所示，將 1954 年與 66 年比較，從企業家數來看，公營幾乎沒有增加而民營則增加 1.7 倍。然而從資本額來看，1954 年公營與民營的總額規模差不多，到了 1966 年公營為民營的 1.4 倍，其間公營資本增加 41.4 倍，民營增加 29.4 倍，公營的增加主要是每一個企業規模的擴大和壟斷性的加強。這一個動態與資本主義經濟的發展背道而馳，是畸形的發展。

公營企業在每一個行業的規模比起民營企業超大，均為每一個行業的壟斷資本，同時因為是政府機構，都具有特權地位，所以它的企業利益之定位和含意是別於一般企業利潤。第一，它是一種壟斷利益。因為公營企業在每一種行業的市場都具有壟斷與享受不完全競爭的寡頭壟斷利益。第二，它可大可小。因為公營企業不一定完全以追求利潤為經營目標，需要為政府政策目標服務，利潤的大小未必最主要。第三，它與財政公賣利益範疇重疊。因為公營企業的營業利益需要上繳國庫，局部具有公賣利益的性格，做為政府財政收入的重要項目之一。

基於以上的認識來看主要國營企業的營業收支和損益狀況。如表 6 所示，1963 年隸屬中央部級管轄直接投資的主要 26 家國營企業之營業狀況，當年營業總額為 1469 億元，營收最大的是台糖公司的 496 億，占總數的大約 1/3，其次的排行是中國石油，台灣電力，台灣肥料的順序。台糖和台肥是承擔搜刮農民經濟的主要機構，省糧食局是省級單位，不在此表。再看損益狀況，利益總額為 386 億，占營收額的 26.3%，此一比率依照一般企業經營的水平來看相當高，可看出公營企業壟斷利益之一端。其中果然台糖公司利益超大，為 224 億元，占利益總額的一半以上（58%），同時，與營收額對比，竟占營收額的 45.2%，非常之大，是不容置疑的壟斷利益以及「公賣利益」，此一數據與上述糖業加工分糖制搜刮性格的論證一致。但是台肥的狀況就不然，其當年利益為 19 億元，次於中油和台電。依上述肥料換穀的考察來看，台肥的利益不止此，但並未表明在損益帳上。同樣的情況就是省糧食局，它所徵收到的大量米穀之收支，因為是實物交換，與台肥的收支連結並未照實表現在帳上，尤其供應軍公糧部分是屬於財政收支範疇，是一種軍事機密收支，無法用統計資料來證實。正因為如此，也就可以察知，公營經濟之機制透過市場經濟的壟斷特權，充分地具有搜刮一般大眾的功能。另外，也應該指示，因為是壟斷特權，以致經營績效惡劣，虧損累累，將遭受淘汰的公營企業也在出現，如表 4 所示，26 家主要國營企業中，有六家虧損，有兩家損益為零，可見公營經濟體制違反市場經濟的不合理之一面。除此之外，尚有一群省級公營企業，因紙張所限不便一一枚舉。

這裡有必要概略言及冷戰體制下美國援助對公營經濟體制所扮演的角色。據統計，1950 年代主要國營企業的資金來源，如表 7 所示，美援和借款占總數的 60%之譜，比率非常之大。[11]借款資金來源大多是美國，因此也表示著國營企業的資金來源，主要依靠美國。所以美國資金是公營經濟體制能夠維持而擴大的主要台柱，換句話說，美國是支持公營經濟搜刮人民的「助手」，進而在物質基

[11] 袁宏，〈國營工礦事業經營概要〉，《台灣經濟》月刊，1960 年 6 月，第 26 頁。

礎上支援國民黨專制恐怖統治的「幫兇」，是一種冷戰體制下國際政治犯罪的「共犯」，美國的民主人權口號對外是羊頭狗肉。

（二）軍事財政的大眾搜刮

如上所述，公營經濟與財政分不開，尤其是此期的軍事財政，更需要公營經濟的支援，例如糧食徵收政策，加工分糖制就是最典型的事例，而其掠奪剝削的功能幾乎接近苛斂誅求之性格。

此期台灣財政的最大特點就是軍事財政，亦即龐大的軍事負擔規制整個財政的結構和性格。具體說，占有中央歲出大約 80%的國防支出，左右整個歲出的質量，而軍事歲出的優先地位進而主導歲入的結構和特徵，財稅之苛捐搜刮的性格也淵源於此。所以這裡應該先從歲出結構來看財政的面貌。

如表 8 所示，1950 年代中央政府的歲出之中，國防部支出占全部的大約 80%，其次是外交部支出的 3%，其他部門的支出微不足道。[12]可見中央歲出幾乎就是軍事支出。其規模之大，可謂是極不尋常，是畸形。再看連同地方政府在內的整個台灣的財政歲出結構，則如表 9 所示，從 1951 年到 65 年的十五年間，平均中央占有 2/3，地方占有 1/3，此一結構前後基本上沒有變化。據此計算國防支出占中央和地方全部的比率，應為 53.9%。表中「國防政務」一項包括行政費用，扣除國防支出後的政務支出應為 14.3%，排位第二，其次是教育 10.9%，再次是保安警察 5.5%，經濟建設 5.4%，社會保障 3.5%的順序。以上可看出軍事支出占整個歲出的過半，政務和保安警察支出的比率之和為 19.8%，假定國防政務和保安警察兩項支出統稱為軍事特務統治費用，則其比率達到 73.7%，非常

---

12 《中華民國統計提要》，1957 年，第 73 表。

之高，相比之下，經濟建設的 5.4%和社會保障的 3.5%微不足道。可知此期的財政歲出全力集中在軍事和公安，幾乎沒有建設開發也沒有財政再分配的回饋功能可談，是一個非常而畸形的歲出，正是專制恐怖統治的寫照。搜刮獨裁制之所以別於開發獨裁制的理由和依據亦在此。

其次再看財政歲入的結構，如表 10 所示，中央政府的歲入大項目分成租稅，企業．財產以及借款．援助三大範疇。從 1952 到 65 年之間，其平均結構為租稅占 49.2%，企業．財產收入占 26.1%，借款、援助占 15.6%，其他 9.1%。大致可說關稅、物品稅、公賣收入以及美援收入為主要歲入項目，至於所得稅收入比率則很小，只有 7.4%。防衛捐是國家非常時期的特別稅捐，特為加強軍事公安支出而課徵，比率 6.5%接近所得稅，公營企業和其他財產收入合計 9.9%，超過所得稅，接近美援收入，規模相當大而重要。租稅收入不到一半，所得稅又很少，表示稅基薄弱，歲入非靠特殊苛捐手段不可。

財政稅捐給人民的負擔情況，一般可以用直接稅和間接稅的兩個概念範疇來探討。一般地說，直接稅是按人民（個人和法人）的所得、財產收入來徵課，間接稅是針對人民的消費，財貨的流通過程來徵課。直接稅的性格是依據所得，財產的負擔能力來累進課徵，富者多付，窮者少付，是各階層公平負擔的稅制，諸多先進國家都以直接稅為主要稅源，以期人民的實質公平負擔而達到財富的再分配功能，所以直接稅為主的歲入表示進步發達。相形之下，間接稅是一種消費流通稅，不分貧富，按機會一律定額或定率負擔，也容易徵課，所以間接稅為主導的稅制比較容易推行，但是具有負擔不均和不公、擴大社會各層所得差距的負面功能。

依照以上的認識來看台灣此期的稅捐情況，如表 11 所示，把上開表 10 的各項歲入分類為直接稅與間接稅兩種來看其直間比率。從 1956 年到 65 年之間的平均，則直接稅為 19.2%，間接稅為 80.8%，顯然台灣的歲入是間接稅為主。[13]不消說，上述公營經濟的收入在歲入上多屬於間接稅，而直接稅的徵課卻相對地很小。可見台灣的財政收入是以人民大眾的負擔為主，對富者有利，窮者不利的不公平稅捐，是落後的稅制，是搜刮人民大眾的前近代財稅體制。

由是再結合上述歲出的結構與特點來看，就可明白地掌握到此期財政結構的全貌是以對人民大眾的苛捐重稅收入來支付龐大的軍事消耗這一個收支循環關係，搜刮大眾支援軍事財政，從而來鞏固反共專制的恐怖統治。

這裡還要留意歲入結構的另一個特點，亦即以消費流通面的間接稅課徵來搜刮人民大眾的同時，對所得財產收入的直接稅徵課則放開一面，給富者以及工商階層留有資本積累的餘地。換言之，搜刮農工優惠商賈。因此，即使反動反人民的軍事財政，仍有護航工商業發展的功能，促進政商資本原始積累。正因為這種搜刮經濟結構，依靠人民大眾的國內消費市場的擴大有限，1950 年代末經濟很快就遭遇到生產過剩的不景氣，整個經濟受到向外開放發展的重大壓力。另一方面，國民黨政權的反攻大陸無望，為要把專制獨裁統治在台正當化、持久化，則有必要轉舵，覓求經濟開發。1960 年代國際環境的變化，提供客觀條件和機遇，民間資本也迎合這一股潮流，結合低工資過剩勞力，趕上外向型加工出口工業的發展，邁向另一個開發獨裁制階段的資本積累。

---

13 《中華民國統計提要》，1964 年，第 67 表；1967 年，第 94 表。

五、結語　揪出反動搜刮經濟的現代意義

綜上所述, 白色恐怖時期的國民黨專制政治的物質基礎為搜刮農工大眾的經濟, 主要機制為米糖農業統制, 公營壟斷經濟體制以及大眾苛捐的軍事財政, 其特性為倒退的實物經濟, 反現代、反民主的前近代落後經濟體制，是歷史進步的反動，是一個搜刮獨裁制。如上據實剖析，鐵證如山，勿容置疑。

此期的反動搜刮經濟, 有別於開發獨裁制, 因此即使繼後台灣經濟朝向發展, 也勿容正當化。因為由於內外客觀形勢的變化, 反動政權為要維持專制統治, 便不得不覓求經濟開發, 向開發獨裁制轉軌, 由是促使民營經濟、市場經濟以及開放經濟的發展。民營經濟超克公營經濟才是繼後經濟成長的基本因素, 是否定而克服公營經濟的歷史辯證性發展。此期的反動搜刮經濟倒不如說是阻礙和推遲台灣社會經濟歷史發展，絕不可把它正當化，更不容美化。

然而, 反動搜刮經濟的殘餘勢力尚無完全消除, 而成為今天台灣社會經濟畸形的後遺症。茲從政治與經濟兩方面來指出其一端。從政治面來說, 眾所周知, 今天台灣的金權政治、黑金社會乃至黑金權三結合的統治勢力嚴重危害台灣民主政治以及社會經濟的正常發展, 此一黑金政治的根源正在於白色恐怖時期反動搜刮經濟。國民黨今天擁有的龐大財富資源、黨營事業是完全依靠當權的特權, 從公營搜刮經濟亦公亦私的官僚資本積累得來者。在今天的先進國家, 一個政黨擁有如此巨大財富資源而來左右政黨政治之例是罕見的。回顧近代中國，權力與財力勾結，在形式民主選舉的運作上，再結合黑道勢力，成為黑金權三位一體的反動統治勢力，是國民黨政權的傳統體質，此一體質不自今始而早見於 1930 年代以及戰後的大陸時期，殊不足為奇。只不幸，今天尚留根活躍在台灣，

嚴重阻礙台灣的政黨政治、民主政治的進步。

其次，從經濟面來看，公營與民營經濟的兩元結構，公營經濟長期壟斷骨幹產業和金融高地的結果，排擠和阻礙民間現代產業資本的發展，使民間企業侷限於中小型家族經營的發展以及商業性加工出口工業化。同時特權經濟的橫行，令民間大賈政商化。今天產業升級所面臨的困局以及台灣商人資本主義的特質，應該淵源於此。[14]

最後，談到白色恐怖下搜刮經濟的國際性意義。上述搜刮獨裁制經濟的歷史時代背景，本文提出殖民地遺制、大陸國民黨政權體質以及冷戰體制三個因素，其中筆者認為冷戰體制因素的規制最為基本而重要。換言之，前兩個因素是屬於台灣和大陸的特殊因素，冷戰體制是一般性因素，而如果沒有此一冷戰因素，則白色恐怖政治也難於維持而持久。再說，冷戰因素是國際性因素，從這一點來看，台灣和韓國的國家恐怖主義具有共性，是冷戰體制的產物，由是美國為首的遠東反共冷戰體制的功過，應予重新定位檢討。筆者認為台韓國家恐怖主義是現代世界的一大政治犯罪，冷戰是此一政治犯罪的「幫凶」、「共犯」，難能脫離後世的歷史裁判而自在。

---

[14] 參閱拙文〈台灣經濟體質總體檢〉，高希均、李誠主編《台灣經驗再定位》，台北：天下文化出版，1995年，第63-90頁。

表 1　1961 年國府糧食局之米穀徵收狀況　(單位: 千噸)

	徵收				強制徵購				物物交換	其他				
年份	地租	縣教育捐	國防稅	公有地地租	公有地隨賦徵購	公有地隨賦徵購	大中戶餘糧徵購	預借徵購	肥料交換	放領農地地價	(一)土地債券實物兌換	差額收購合計	米穀年間生產噸	對產量之徵收比率(%)
1951	58	17	17	9	78	11	4	34	279			507	1931	26.3
1952	57	17	17	3	78	8	2	15	335			532	2041	26.1
1953	91			3	77	6		27	346	134	-73	611	2135	28.6
1954	90			3	76	6		27	409	121	-84	648	2204	29.4
1955	82			3	70	6		21	415	112	-81	628	2100	29.9
1956	89			3	74	7		27	455	143	-67	731	2327	31.4
1957	93			3	77	7		13	477	143	-62	751	2446	30.7
1958	90			3	75	10		16	504	133	-67	764	2462	31.0
1959	81			3	68	6		14	501	123	-67	729	2413	30.2
1960	83			3	69	7		10	489	120	-73	708	2486	28.5
1961	89			2	75	7		11	453	130	-70	697	2621	26.6
1962	113			2	73	7		11	510	130	-70	776	2747	28.3
1963	104			2	66	6		12	556			746	2742	28.3
1964	118			2	75	7		10	666			878	2921	30.1
1965	124			2	78	8		10	567			789	3052	25.9
合計	1362	34	34	46	1109	109	6	258	6962	1289	-714	10495	36628	28.6
(%)	13.0	0.3	0.3	0.4	10.6	1	0.1	2.5	66.3	12.3	-6.8	100		

見台灣省糧食局，《台灣糧食統計要覽》，1952、1955、1967 年；台灣省糧食局，《十六年來之糧政》，1962 年。

(1)1953 年後，縣教育捐與國防捐與地租合計。此外，大、中戶餘糧徵收在 1953 年土地改革中撤銷。(2)1952 年，縣教育捐及國防捐及 1961、62 年份「其他」項下數字，因欠缺資料為推算所得數字。(3)肥料換為徵收量，以糧食局每年肥料配給量換算各年糧肥交換比率推算所得。(4)「預借收購」之徵發量，以當年蓬萊米市場之價格（以台中縣員林鎮為基準)換算而得貸付金額。(5)米穀年間生產量，以糙米產量之 1.3 倍換算而得。

表 2　化學肥料之自給、輸入別供給構造　　(單位：千噸)

年份	計	自給	政府輸入	美援輸入	輸入比%	年份	計	自給	政府輸入	美援輸入	輸入比%
1946	39			39	100	1956	545	183	362		66.5
1947	83			83	100	1957	544	159	385		70.8
1948	57	7	50		87.7	1958	553	165	388		70.2
1949	109	15	53	41	85.1	1959	575	210	365		64.5
1950	245	28	69	148	88.6	1960	565	229	316	20	59.5
1951	267	52	77	138	80.6	1961	569	220	327	22	61.3
1952	447	75	90	282	83.2	1962	653	363	290		44.4
1953	446	105	167	174	76.5	1963	752	431	321		42.7
1954	436	156	280		64.2	1964	905	550	355		43.6
1955	474	133	341		71.9	1965	960	595	365		38.0
						合計	9224	3676	4601	947	
						%	100	39.9	49.9	10.2	

見台灣省糧食局，《台灣糧食統計要覽》，1966，第 126-127 頁。但 1946-47 年之 122 千噸之美援進口肥料為救濟肥料。

表 3　稻穀輸出與肥料輸入之統計　　(單位：千噸)

年份	米穀		化學肥料		備考	年份	米穀		化學肥料		備考
	輸出	金額	輸入量	金額	稻穀輸入量		輸出	金額	輸入量	金額	稻穀輸入量
1952	110	22600	372	35540	5	1960	44	5760	336	15571	111
1953	85	15919	341	18381		1961	90	11700	349	17099	13
1954	87	13898	280	21039		1962	35	4728	290	11455	2
1955	166	24926	341	22192		1963	182	24808	321	15609	25
1956	111	14734	362	21157		1964	231	33407	55	9929	2
1957	260	34333	385	24537		1965	235	34763	365	16169	
1958	179	23601	388	19544		合計	1905	277000	4550	270443	
1959	90	11823	365	22221	32						

見台灣省糧食局：《台灣糧食統計要覽》，1966 年，第 102-103、124-125 頁。但肥料進口金額，見：*Taiwan Statistical Data Book*, 1968，第 130 頁。化學肥料之進口與進口金額，資料出處不同，故兩者數額不一定一樣。

表 4　台灣糖業公司與農民間分糖、收購之條件

製糖年度	分糖比率 (%)		農民每噸現物取得限度(%)	公司徵購農民	徵購保證價格
	農民	公司		糖價格基準	(每噸/元)
1946/47	48	52	5	國內批發平均價格	無
1948	50	50	5	國內批發平均價格	無
1949	50	50	自由	米價的 2 倍以上價格	無
1950	50	50	自由	國際價格	與米價同價格
1951	50	50	自由	國際價格	與米價同價格
1952	50	50	自由	國際價格	與米價同價格
1953	50	50	自由	國際價格	與米價同價格
1954	50	50	自由	國際價格	1400
1955	50	50	40	國際價格	1800
1956	50	50	40	國際價格	2000
1957	50	50	40	國際價格	2270
1958	50	50	40	國際價格	2375
1959	50	50	35	國際價格	2400
1960	50	50	40	國際價格	2750
1961	50	50	30	國際價格	2950
1962	50	50	35	國際價格	3200
1963	55	45	35	國際價格	3520
1964	55	45	30	國際價格	3520
1965	55	45	30	國際價格	3831
1966	55	45	26	國際價格	3831

台灣糖業公司農務推廣資料，楊乃藩，《台灣製糖工業》，第 17 卷第 1 期，第 7-8 頁所錄。

表 5　總資本之部門別(除農業部門)　公民營企業別構造

	1954 年								
	資本額						企業數		
	計		公營		民營		計	公營	民營
	百萬元	%	百萬元	%	百萬元	%	百萬元	百萬元	百萬元
合　計	6144	100	3090	50.3	3054	49.7	127746	241	127505
礦　業	60	100	21	35	39	65	336	2	334
製造業	4018	100	2369	59	1649	41	39748	52	39696
建築業	261	100	6	2.5	255	97.5	2654	2	2652
水電瓦斯業	508	100	505	99.4	3	0.6	159	149	10

表 5 (續)

	1966 年								
	資本額						企業數		
	計		公營		民營		計	公營	民營
	百萬元	%	百萬元	%	百萬元	%	百萬元	百萬元	百萬元
合　計	217726	100	127811	58.7	89915	41.3	217651	263	217388
礦　業	1474	100	287	19.5	1187	80.5	781	4	777
製造業	67237	100	20457	30.4	46780	69.6	27709*	43	27666
建築業	1879	100	239	12.7	1640	87.3	4752	2	4750
水電瓦斯業	19839	100	19772	99.7	67	0.3	147	137	10
工業小計	90429	100	40755	45.1	49674	54.9	33389	186	33203
商業	14046	100	707	5.0	13339	95.0	124082	18	124064
交通金融其他	113251	100	86349	76.2	26902	23.8	60121	59	60180

表 5 (續)

	1966 年					
	從業員數					
	計		公營		民營	
	百萬元	%	百萬元	%	百萬元	%
合　計	1531067	100	174744	11.4	1365323	88.6
礦　業	78242	100	10390	13.5	67852	86.5
製造業	589660	100	79726	13.5	509934	86.5
建築業	182838	100	5314	2.9	177524	97.1
水電瓦斯業	18934	100	18843	94.8	91	5.2
工業小計	869674	100	114273	13.1	755401	86.9
商業	300699	100	1844	0.4	298855	99.6
交通金融其他	360694	100	58627	16.3	302067	83.7

1954 年者見台灣省工商業普查執行小組編，《台灣省工商業普查總報告》，1954 年，總表 1，第 3 表。1966 年者見台灣省工商業普查執行小組編，《台灣省第三次工商業普查總報告》，1966 年，第一冊 (提要)，第 2、3、6 表。

*關於製造業企業數，1966 年之企業數少於 1954 年者之原因，在 1954 年普查之製造業之範圍包含了零細經營之加工店、修理店，而 1966 年之普查中，則將這些零細經營包括在商業中。

表 6　1963 年國營(直接投資)企業之營業收支及損益狀況

企業名稱	營業收入		營業支出		損益	
	決算額	對預算比	決算額	對預算比	決算額	對預算比
	百萬元	%	百萬元	%	百萬元	%
總計	14685	11.0	10826	0.4	3857	58.1
台灣糖業	4956	26.6	2718	-6.1	2238	119
台灣肥料	1227	13.6	1040	17.3	187	224.6
中國石油公司	2249	11.2	1706	9.1	543	18.4
台灣電力公司	2230	-1.3	1742	-5.3	488	16.3
台灣鋁業	369	-21.4	348	-19.1	21	-46.5
台灣鹼業	157	-0.1	141	-4.9	16	84.1
台灣機械	196	-19.1	194	-19.7	2	268.2
台灣紡織建設	69	4.4	88	23.3	-19	-256.4
中華機械工程	187	6.7	187	11.8	0	-99.8
台灣金屬礦業	175	-8.2	172	1.4	3	-83.3
中國煤礦開發	76	-28.5	88	-15.6	-12	-780.1
中國漁業	69	-30.5	80	15.8	-11	-376.2
台灣製鹽總廠	160	10.3	143	5.5	17	79.5
郵政總局	316	2.8	248	-4.0	68	38.7
電信總局	481	6.1	351	-1.1	130	32.4
招商局	332	-8.5	383	3.4	-51	-588.9
新中國工程打撈	56	35.6	57	44.6	-1	-288.7
中央銀行	287	25.6	228	54.9	61	-26.4
中國銀行	197	18.6	116	19.7	80	14.6
交通銀行	139	12.3	117	33.3	22	-39.4
中國農民銀行	1	-57.3	1	-21.1	0	-95.7
中央信託局	531	30.2	459	32.3	72	18.6
再保險基金	184	14.4	182	16.4	2	-57.3
藥品供應處	15	-25.1	16	-15.8	-1	-262.2
麻醉藥品經理處	6	0.9	5	0.1	1	6.3
聯合工業研究所	20	2.0	18	10.4	2	822.6

《中華民國統計提要》，1964 年，第 190 表。

表 7　主要國營企業之資金金來源

	1954		1956		1958	
	千元	%	千元	%	千元	%
折舊準備金	133330	29	196954	19	439707	23
公司內保留金	19635	5	18535	2	10431	1
增資	23494	6	111027	11	46854	2
銀行長期借款	14858	3	17038	2	21185	1
美援　借款	224406	50	644954	63	1212580	60
其他	32697	7	33351	3	279152	13
合計	445420	100	1021859	100	2009909	100

袁宏，〈國營工礦事業經營概況〉，《台灣經濟》月刊，1960 年 6 月號，第 26 頁。

表 8　中央政府之歲出構造　(單位: %)

	1952	1953	1954	1955	1956	平均
國防部支出	73.9	83.9	86.7	80.8	79.0	80.9
外交部支出	2.6	3.4	2.2	3.1	3.7	3.0
其他支出	23.5	12.7	11.1	16.1	17.3	16.1
合計	100.0	100.0	100.0	100.0	100.0	100.0
歲出額 (百萬元)	1918	2309	3785	3895	3792	

參見《中華民國統計提要》，1957 年，第 73 表。1956 年為預算額。

企業名稱	營業收入		營業支出		損益	
	決算額	對預算比	決算額	對預算比	決算額	對預算比
	百萬元	%	百萬元	%	百萬元	%
總計	712	6.9	694	7.5	18	-14.1
雍與實業	117	-2.5	119	-8.6	-2	78.6
台灣紡織	77	-18.7	80	-23.9	-3	68.8
中本紡織	115	1.8	114	3.9	1	-80.4
中農化工廠	8	-20.4	8	-15.0	0	-93.0
中國物產	2	-66.0	3	-59.3	-1	-584.1
中國農業供銷	21	-7.9	20	-4.9	1	-62.1
中國產物保險	123	-17.7	118	18.8	5	-1.6
郵政儲金匯業局	180	31.7	173	42.7	7	-52.4
中央造幣廠	9	2.2	9	10.6	1	-39.2
中央印製廠	59	22.8	50	28.9	9	-34.6

表 9　中央、地方總歲出構造

		1951	1952	1953	1954	1955	1956	1957	1958
用途別	國防政務	69.0	65.0	64.5	65.9	68.4	65.1	65.8	68.6
	保安警察	4.6	6.0	7.1	6.5	6.5	7.1	5.9	5.3
	教育	6.1	6.4	6.6	7.2	8.0	12.2	14.6	13.8
	社會保障	2.0	1.8	2.2	2.5	2.7	4.3	3.9	3.9
	經濟建設	4.1	5.1	5.4	5.3	5.4	6.0	6.0	5.5
	其他	14.2	15.7	14.2	12.6	9.1	5.4	3.9	3.0
	合計	100.0	100.0	100.0	100.0	100.0	100.0	100.0	100.0
機構別	中央政府	69.4	63.0	61.9	64.0	64.2	62.6	64.3	65.9
	地方政府	30.6	37.0	38.1	36.0	35.8	37.4	35.7	34.1
	合計	100.0	100.0	100.0	100.0	100.0	100.0	100.0	100.0
		1959	1960	1961	1962	1963	1964	1965	平均
用途別	國防政務	70.5	68.5	71.4	73.2	70.5	70.5	66.7	68.2
	保安警察	4.7	4.6	5.1	4.7	4.6	4.9	5.0	5.5
	教育	11.7	12.6	12.9	12.0	12.0	12.5	14.2	10.9
	社會保障	4.1	5.4	4.3	4.0	3.8	4.2	3.6	3.5
	經濟建設	6.5	6.4	5.1	4.9	5.8	4.8	5.2	5.4
	其他	2.5	2.5	1.3	1.3	3.3	3.2	5.4	6.5
	合計	100.0	100.0	100.0	100.0	100.0	100.0	100.0	100.0
機構別	中央政府	67.2	69.0	69.7	71.0	70.7	69.3	66.7	66.6
	地方政府	32.8	31.0	30.3	29.0	29.3	30.7	33.3	33.4
	合計	100.0	100.0	100.0	100.0	100.0	100.0	100.0	100.0

依據行政院主計處《中華民國國民所得》1967 年，表 17 (頁 21)

表 10　中央政府之歲入構造　(單位: %)

	財政年度	1952	1953	1954	1955	1956	1957	1958	1960	1961	1962	1963	1964	1965	平均
租稅	所得稅	9.3	7.4	6.7	11.2	7.9	7.1	6.5	6.9	7.0	6.2	5.8	7.3	7.3	7.4
	關　稅	27.1	21.7	16.9	18.8	19.8	21.6	18.5	17.2	17.6	16.9	18.5	18.9	19	19.4
	物品稅	5.6	5.8	10.8	12.1	13.8	12.4	11.4	11.4	12.2	10.5	14.3	15	13.6	11.5
	防衛捐	2.5	5.9	9.9	9.0	—	13.3	11.7	7.2	7.0	5.1	4.4	4.3	4.3	6.5
	其　他	4.0	7.1	4.7	5.6	6.0	5.1	4.3	4.4	3.9	3.3	3.3	3.2	2.7	4.4
	小　計	48.5	47.9	49	56.7	47.5	59.5	52.4	47.1	47.7	42	46.3	48.7	46.9	49.2
企業財產	專賣收入	—	20.3	21.2	18.1	20.6	17.2	15.3	16.4	17.1	18.3	16.1	15.5	13.9	16.2
	企業收入	3.8	3.7	2.0	3.5	7.1	7.4	5.8	8.2	7.2	9.4	5.5	11.6	14.1	6.9
	其他財產收入	3.0	0.7	0.5	1.8	2.7	0.5	2.0	1.9	1.5	5.9	5.4	5.2	8.4	3.0
	小　計	6.8	24.7	23.7	23.4	30.4	25.1	23.1	26.5	25.8	33.6	27	32.3	36.4	26.1
借款援助	公債收入	9.1	1.2	4.1	0.1	4.1	—	5.7	1.5	5.4	8.8	9.3	6.7	7.9	5.0
	美援收入	20.1	4.2	19.6	12.2	8.8	7.1	5.3	12.3	14.8	10.8	10.5	7.6	5.0	10.6
	小計	29.2	5.4	23.7	12.3	12.9	7.1	11	13.8	20.2	19.6	19.8	14.3	12.9	15.6
其他	其他收入	15.5	22	3.6	7.6	9.2	8.3	13.5	12.6	6.3	4.8	6.9	4.7	3.8	9.1
	合　計	100	100	100	100	100	100	100	100	100	100	100	100	100	100
	歲入額(百萬元)	1918	2362	3785	3949	4226	5454	7068	7885	8849	9179	10133	11903	15272	
	%	100	123.1	197.3	205.9	220.3	284.4	368.5	411.1	461.4	506.7	528.3	620.6	796.2	

參見《中華民國統計提要》，1957 年，第 72 表；《中華民國統計提要》，1967 年，第 87 表。

表 11　直接、間接稅別租稅構造

	1956	1957	1958	1960	1961	1962	1963	1964	1965	平均
直接稅	12.2	19.3	19.2	19.6	20.1	20.7	20.9	21.2	20	19.2
間接稅	87.8	80.7	80.8	80.4	79.9	79.3	79.1	78.8	80	80.8
合　計	100	100	100	100	100	100	100	100	100	100
租稅專賣收入總額(百萬元)	5908	7046	7649	8351	9782	10206	10997	12840	15246	

參見《中華民國統計提要》1964 年，第 67 表；《中華民國統計提要》，1967 年，第 94 表。在本表中包含公開部份之防衛捐，但因收入項目沒有區分，為歸在間接稅中。

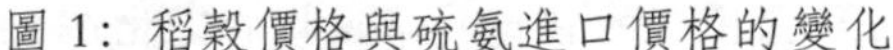
圖 1: 稻穀價格與硫氨進口價格的變化

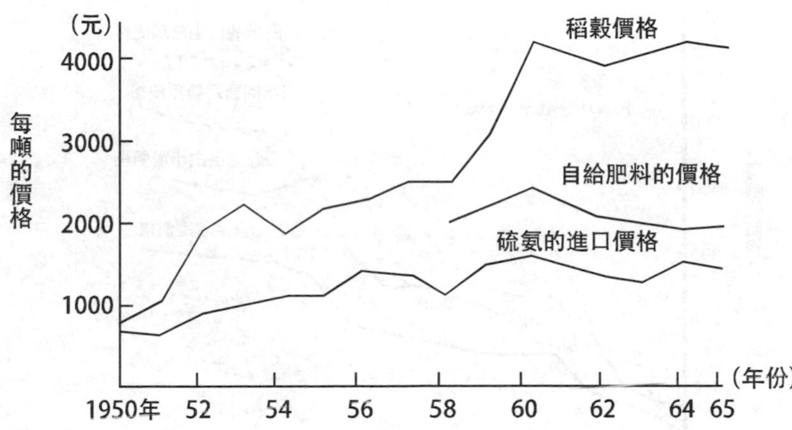

資料：稻穀的價格根據台灣省糧食局，《台灣糧食統計要覽》，1966 年，第 139-145 頁的資料整理。硫氨的進口價格根據台灣省糧食局和台灣糖業公司的資料（見《台灣銀行季刊》，第 16 卷第 3 期，第 109 頁)的資料整理。1954 年以前是按美圓的到岸價格計算，1955 年以後按美圓的離岸價格計算，按當年的匯率換算。台灣自給肥料的生產價格係根據《中華民國年鑒》，1959、1960、1961、1963、1965、1966 各年的資料整理。按尿素的價格換算。

圖 2：稻穀、白米的自由市場價格和國民黨的官定收購價格的變化

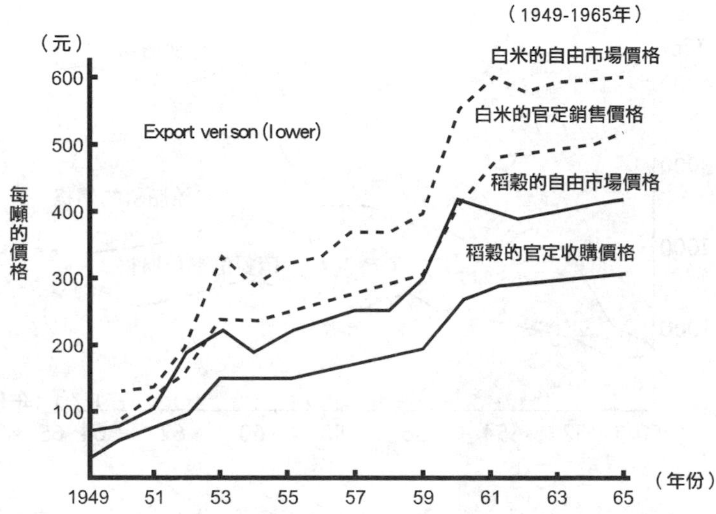

資料：根據台灣省糧食局，《台灣糧食統計要覽》，1952、1955、1967 年，以及台灣省糧食局，《十六年來之糧政》1962 年的資料繪製。

圖 3：砂糖的分配狀況

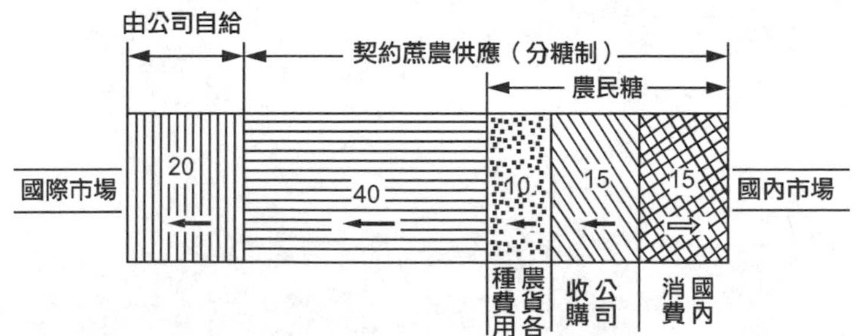

實心箭頭表示台灣糖業公司的收購，即供應到國際市場去。
空心箭頭則表示供應到國內市場。
圖中數字為百分比。

兩岸經貿交流與台灣前途

台灣的經濟結構與一國兩制

本文是 1986 年 8 月 11 日劉進慶在北京「台灣同學會」所舉辦的「1986 年學術討論會」發言提綱。

一、問題癥結

在歷史轉折關頭，從社會經濟史研究來看，一般有兩個基本因素規制其去向，一個是階級利害，另一個是思想狀況。兩岸統一是中國現代化史的一大轉折，從而應從台灣社會各階層對這個問題的利害關係以及中華民族團結統一的願望和感情狀況。換言之，應從階級利益與民族大義這兩個方面來探討其去向。而這兩個因素在特定歷史條件下，又有其輕重之分。

一般地說，在國家民族危亡之重大關頭，民族大義必然重於階級利益。第一次和第二次國共和談之所以成功，其歷史條件就在於此。反過來說，在國家和平建設時期如當今形勢之下，其左右歷史方向的因素，則不能不說階級利益必然勝過民族大義，是乃向明之理，勿庸贅述。

因此，當今要探討兩岸和平統一問題，就非要深切分析台灣社會各階層之經濟利害關係不可。尤其若要以「一國兩制」的設想來解決這個問題，則更需要考察在「一國兩制」的形勢下，台灣哪一個階層有利而哪一個階級不利、或者哪一個集團有害無益，從而尋找切實可行的途徑。由是，本文旨在透過台灣經濟結構的分析，解明各經濟階層的立場和利害，據此進一步探討「一國兩制」問題的展望。

二、經濟主體──公私資本結構之雙重性與其功能

在台灣作為經濟主體的企業資本形成公私資本雙重結構，此乃台灣經濟結構的一大特點。從產業結構來看，台灣所有的基本工業，舉如：電力、石油、化學、鋼鐵、造船、肥料、機械、金屬、製糖等重型工業均為當局支配的公營形態，其他有關交通、運輸、電信等流通骨幹部門也均為公營。民營企業則分擔衛星產業。

例如：紡織成衣、電子機電、化學塑膠、食品加工、水泥、汽車組裝、建築、雜項工業等眾多工業部門則由私人資本來經營。由是可知公有資本與私人資本在產業結構上形成骨幹與衛星、重工與輕工之垂直分工關係，而公營企業占領產業高地，居高臨下，控制廣大的民營企業。兩者的規模，從企業家數來看，公營 27 家，民營則大大小小多達 12 萬家之譜。然從資產總值來看，公營卻達 30000 億元，占有一半，與民營規模旗鼓相當。

可見公營企業規模之大，而均具有獨家壟斷一行之性格。民營企業數多有大型與中小型之分。大型企業有數百家，非名前頭數十餘家已經具有集團企業形態。

另從金融結構來看，台灣的主要銀行皆屬公營。例如中央、交通、農民、中國國際商業，台灣、土地、合庫、第一、華南、彰化等比比皆是。其他中信局、郵政儲金匯業局是公營更不在話下，只有華僑銀行一家是例外。其他眾多信託公司、信用合作社、農會信用部以及由合會改組的中小企業銀行才屬於半公半民或者民辦金融機構。兩者之規模由貨款金額來看，則公營占 64%、半公半民占 23%、民營占 13%。可知公營銀行一樣獨占金融高地，具有絕

對優勢地位，民辦機構附庸其下，彌補零星金融市場之功能。

然而，公民營企業在台海經濟發展上的作用，則民營優於公營。在非農業產業部門的總產值中，公營只占 19%，而民營 81%。

另從市場結構來看，內銷市場公營占 39%，民營占 61%。外銷市場公營毫無成績，只占 3%而民營竟達 97%包辦全部外銷。民營外銷之中，大型企業占 36%中小企業占 61%，中小企業外銷近兩倍於大型企業之規模。大家知道，台灣經濟的出口導向來帶動增長，而出口產業全賴民營，尤其是中小企業為最，這也是台灣經濟的一大特點，值得留意。

總而言之，公民營企業雙重結構之特點。在表明台灣經濟並不完全是資本主義，充其量是半資本主義，其性格視公民營經濟之特點而定。公營經濟為國民黨政權的物質基礎，其性格受制於國民黨政權之本質。大家知道，國民黨政權是一個半封建性專制權力，從而公營企業的性格屬於官僚資本範疇，它主要為國民黨權力集團服務。一方面，民營企業的性格完全是私人資本主義。它結合外資在生產與外銷方面帶動經濟增長，握有主導地位，但在技術與外銷方面附庸於外資，受制於跨國企業，資本底子尚薄，帶有邊陲資本主義性格。

官僚資本與私人資本有勾結互利的一面，也有矛盾對立的一面。據就業人口職位統計，企業主占有 4.5%，這相當於資本家階層的規模。

三、積累基礎——工人與個體經營（包括小農）

台灣之經濟增長和資本積累主要依靠勞力密集型出口加工，而其基礎為質優而廉價的勞動力。教育的普及和過剩人口提供豐富的人力資源。非農業生產工人在就業人口中約占 23%，勞動市場則女比男低。因此，出口加工的戰略性產業集中僱用年輕工和女工。例如，紡織成衣、電子組裝、塑膠加工、雜項工業的僱用女工特多，占雇工全數的 2/3，出口加工區的女工竟達 85%，同時加工組裝之技術簡單，對工人的技術要求不高。因此，製造業工人以年輕工，女工以及不熟練工居多。正因這樣，他們的流動率特高，每年平均75%的工人移動工作單位。老幼工人月平均工資新台幣 12500 元，為發達國家的 1/4。

工會與工運活動受到非常時期各種法令規章的限制，工人在社會上的地位偏低，與其經濟發展的勢頭頗不相稱。

其次，個體經營包括農民，家庭勞動力為主的小生產者以及商業，服務業等行業。首先談農民，台灣社會基本上已經沒有地主階級，農民以自耕農為主，其耕地經營面積平均在 1 公頃左右，屬於小農，自耕小農是台灣農民的代表類型。由於城市工業的發展，農業的地位相形低落，農民就業人口降到 18%，農戶的 85%兼業化，農家收入中農業收入已經降到 45%以下，非農業收入占 55%，它主要來自工資。一方面，農業收入中 76%是現金，這表示農業的商品化比率相當高。但是在這樣情況下，農戶並沒有出現兩極化。因為地價貴、農業的投資並不合算，同時農家也因地價的前景看好，也不願意變賣農地而離農他去，由是留下老年人和婦女從農，形成農民的老年化和婦女化，農業的資本主義化受侷限，農村廣大的自耕小農，成為供應廉價農產品以及廉價勞動力的社會基礎。

第三產業的就業人口占 40%，其中有 13%是商業和服務業部門的個體經營，隨著經濟發展和城市化，這一階層有日益增加之趨勢。它和領高工資的薪水階層（12%）以及非生產勞動力者（20%），受消費生活高檔化影響，在意識形態上形成一個寬厚的中產階層，是工業化和城市化的一種產物。

四、外在條件——外資與外貿對美日的依賴

台灣出口導向型的經濟增長, 其外在條件主要依靠美日外資和外貿市場來帶動。台灣引進的外資有 52 億美元，其中華僑資本 12 億，外國人資本 40 億。兩者的投資形態迴異，僑資的投資部門為紡織、建築、金融、服務、旅遊居多，與本地資本有爭利之處。外資則以電子機電，化學、機械為主，對引進技術，促進出口的影響較大。在外資中，美日兩國占 3/4，顯然具有領導地位。

台灣的進出口貿易在國民生產總值中所占的比例非常之高, 已達到 100%（貿易依存度），可見外貿對經濟的影響至大。進口商品結構農工原料占 69%，生產資料占 24%。出口則 93%是工業製成品，其中紡織成衣占 21%，電子機電占 19%，品目相當集中。進口地區以美日為主，從日本進口為 29%，美國為 23%；出口則美國為 49%，日本 10%。地區分佈更加集中於這兩國。貿易收支基本上順差, 以對美的順差來彌補對日的逆差。台美日形成一種三角貿易，在這個關係上，台灣已成為日本的外圍加工基地之一環。近年來貿易順差逐年遞增 1985 年達到 10 億美元，外匯存底隨著猛增，將近 300 億美元，形成了一種經濟包袱。不管其問題如何，由上可知，台灣經濟對外結構緊緊地縛束在美日的關係上而難予脫離。

五、「一國兩制」的含意

兩岸統一用和平途徑來解決，是合乎於人民利益，是正確的。既用和平方法，「一國兩制」的基本設想是可取的，目前沒有比這個更好的辦法。一國的概念非常清楚，統一之後台灣的政府成為地

方政府。然而兩制的概念，則需要加深探討。台灣的經濟並不是資本主義而是半資本主義，台灣當局也表明說是有計劃的自由經濟。一方面大陸的經濟並不是完全的社會主義，而是初步的社會主義經濟，是有計劃的商品經濟。在經濟結構方面，台灣的公營企業、民營中小企業、個體經營之分與大陸的全民企業、集體企業、個體經濟之別頗有類似之處。

在理念方面，國民黨的民生主義以追求均富為目的，共產黨的社會主義則以共同富裕為目的，兩者相當接近。由是觀之台灣與大陸的兩制事實上並不能表示資本主義制度與社會主義制度的兩制。再說，兩制的要義在於台灣的現行制度不變一點，則這種說法也有問題，如果把一國的概念結合上去，則統一之後台灣的現行制度是不得不變的。因為台灣當局成為地方政府，公營經濟的上層建築發生變化，公營經濟制度的性格以及形態是不得不變的。

六、一國兩制與階級利害關係

一國兩制有兩個範疇。一國是政治的、兩制是社會經濟的。在這意義上，台灣社會各階層各集團的利害關係是迴異的。一言以蔽之，台灣當局的利害關鍵在於一國而不在於兩制。他們一旦接受一國，承認自己是地方政府，則全面否定自己的政治立場，連留在地方政府的地位都保不住，而必然喪失公營經濟的既得利益，得不到兩制的利益，所以一國兩制對當局有百害而無一益。一方面廣大的中小企業、個體經營以及工人的利害關係不在一國而在兩制。[1]中

---

[1] 參與同場討論會的黃順興先生從另一個角度論證「一國兩制」只能以廣大台灣人民做為寄希望的主體:「如果蔣家還在掌權時，一般台灣反國民黨勢力對凡是能打倒推翻國民黨的都會贊成、都是朋友；可是四合一局面是一個外

小企業的出路大部分靠外銷，近年在國際市場遇到保護主義的抬頭對大陸市場抱有深切關心。工人勞動者的社會地位在統一後必然提高，客觀上是最積極的階層。包括農民在內的個體經營雖既得利不大，但他們抱有小資產階級意識，立場比較中立。大型企業積累大批財富，把部分資金轉移到海外以備避風，對統一問題採取觀望與騎牆主義態度，是一個消極階層。由上可知，上萬中小企業與工人勞動者是最容易接受一國兩制的社會階層。

七、結語

兩岸統一問題根本取決於大陸、台灣、美日三個方面的形勢。其中最重要是大陸形勢，現在的改革要繼續堅持下去。這是最基本的前提。美日在台灣的權益非常之大，對兩岸統一問題，絕不會積極協助，寧勿暗裡阻擾則足。台灣經濟雖有政治前途的陰影，但是潛力仍然很大，統治集團與資本家之既得利益非常雄厚，只要美日經濟一日不衰退，台灣經濟乃可維持一定的增長水平，統治階級是絕不會輕易放棄其既得利益的。是故當前要與台灣當局謀求兩岸和平統一是一廂情願，既不可得，也極不科學的。

省人三個台灣人，三對一，尤其是國民黨殘渣，實際上是第二代精英，跟台灣政壇第二代的人物沒有內外之分，都是同一利益。他們合起來，表面上讓台灣人當皇帝，形象上就是台人治台，這就是美帝的陰謀。那時北京要動武也很困難。假如現在張春男帶兵去解放台灣的話，占軍隊 80%的台灣兵不會和我們打，而且一定會響應。可是當台人治台的局面形成以後，再去動武，即使我跟中共的『阿兵哥』（解放軍）去，我在台灣的侄兒也一定會打我。這個局面是多麼可怕！多危險！」「我們不反對一國兩制，但是我們堅決反對國共合作方式的和平統一，台灣人民絕不願再忍受國民黨殘渣政權繼續統治。」「所以我今天特別指出，對黨外民主運動要給與積極的支持，不是天天廣播宣傳，可以秘密、巧妙地做。」——編者按。

兩岸政經關係與和平統一

本文是 1994 年 8 月 2 日劉進慶在「第四屆海峽兩岸關係學術研討會」(1994 年 8 月 2 日至 4 日) 宣讀的論文。

一、兩岸關係的反思

千島湖遊船遇難事件一發生，兩岸交流關係後退一大步。大陸感意外，台灣卻以為意中事，雙方對一件事體的認識有雲泥之差。經過這一次陰差陽錯的事件演變以及它所帶來的後遺症，令人察覺到兩岸關係經過七年來的交流往來，表面上是加深，實則基礎仍然脆弱不堪。我從自己專業的經濟觀點來看兩岸關係與和平統一，一向持有樂觀的態度，即便從政治與經濟兩方面來看，長遠走向仍是樂觀的。不過，透過這次千島湖事件，發覺過去的想法和看法，有很多漏洞，不周全。單從經濟方面來看當然不夠，再加上政治因素來看還是不足，同時經濟決定論的看法尚覺太教條，對兩岸關係與和平統一的看法，需要深深再考反思。

二、兩岸政經關係的基本架構

過去、現在以及未來一段時間的海峽兩岸關係之政經基本架構，我總認為：政治與經濟的走向相左。目前看到，經濟的走向互動互惠和互依關係越來越緊密，越靠近。然而政治的走向，由於台方政治的民主化、本土化，對大陸的關係卻越疏遠，拒統勢力越猖獗。兩岸之間的政治與經濟走向正好背道而馳，擴大其對立矛盾的幅度。不過，政治與經濟同是一股社會力量，形式可以分開，但實質是一體。依據政治經濟學史觀，經濟基礎必然決定上層建築的政治結構。再看冷戰後的世界潮流，是經濟帶動政治的時代。基於這個觀點，我總認為上述兩岸政經關係的矛盾對立問題，將取決於經濟利害關係，而兩岸經濟相互依賴關係的壯大和加深，將左右台灣政治走向，而有利於兩岸的和平統一。此一設想，一般來說，是肯定的、正確的。

然而，有一點需要反思的，假如把經濟互利當做手段，政治統合當做目的，則兩者的關係，應認為經濟互利是政治統合的必要條件，但非充分條件，光是兩岸經濟互惠互依關係的加深，還不能充分地來帶動政治統合。當今世界形勢，各地區各國之間的經濟合作與依賴關係加深，未必意味著政治統合的取向，經濟的結合是一回事，政治的分合又是一回事。當然兩岸關係有它的特殊性，不能以世界其他地區之事例來比，不過此地要強調的是經濟的結合未必促進政治統合這一點。試問，七年來。兩岸經濟關係的加深。有沒有縮短政治關係的距離？有沒有消除或者減少雙方的敵對關係？幾乎沒有。即使人的來往越來越頻繁，加深了雙方的認識，但是有沒有消滅台胞對大陸的疑心？有沒有提高台胞對兩岸統一的意願？可以說幾乎沒有。相反地，正因為台灣經濟依賴大陸的成分越大，正因為台胞瞭解大陸越多，卻助長了台方在政治上被統合的危機感，而做出一連串拒統反統的動作，使政治走向更趨向分離方向。我要說，兩岸交流對和平統一有正面效果，但也有負面效果。其中，負面效果雖小於正面效果，但萬不可忽視，掉以輕心。

綜合兩岸政治經濟的力學關係，經濟是一種向心力，雙方趨向一個互利點接近，而政治卻有一種離心力，台方用力向一個統合點離開。兩者之間存在著相反的互動關係。為何這樣？其癥結在何處？這才是思考問題的關鍵所在。兩岸經濟的向心力，我們可以舉出許多數據，不難點出。至於台方政治的離心力，則不僅止於政治核心本身的問題，還要牽涉到台灣歷史、社會、意識形態等很廣泛的問題，需要投下很大功夫來探討，才能覓求正確的認識。

從去年以來，兩岸經濟交流在貿易、投資方面加倍增長，更上一層樓。另一方面，台方加入聯合國運動、南向政策以及最近的台方首腦渡假外交等一連的動作，在政治方面更加表態維持分裂、分治走向。交流七年的兩岸關係，正面臨一大轉捩點。以下先從兩岸經濟交流方面，概觀最近動態。

三、經濟向心力的浪潮

(a)貿易往來倍加密切

海峽兩岸間接貿易，從 1980 年代後半以來，一年比一年增加，腳步非常快速。如表所示，兩岸貿易從 1980 年代初，雖在嚴格禁止的狀態下，就開始胎動，規模不大。情況的轉變，始於 84 至 85 年，由於大陸進一步改革開放，台灣又不景氣，台灣對大陸的輸出，冒著禁令加倍猛增。不過幾年，第一次轉捩點在於 87 至 88 年，88 年這一年台灣對大陸輸出比上年加倍，達到 22 億美元，台灣順差 18 億美元。其背景明顯來自台灣的解嚴和開放大陸探親訪問，由此兩岸地下經貿交流化暗為明，帶來很大的質量變化。之後的第二次轉捩點該是去年。以下把重點放在 1993 年的情況來探討。

1993 年台灣對大陸間接進出口為 144 億美元，出口 129 億美元，為上年的兩倍。進口僅 15 億美元，台方順差達到 114 億美元。這個數目比台灣同年對美順差的 68 億美元多，也比對外貿易順差總額的 79 億美元還多，可見，如果沒有對大陸的巨額順差，台灣的對外貿易收支早已淪為逆差地位，對大陸順差的重要性，由是可見其一端。

另外，包括對大陸間接貿易在內的台灣對香港貿易，年年增加，提高其重要性。1993 年對港進出口超過兩百（203）億美元，出超 167 億美元，創造有史以來的出超最高額。其中出口為 185 億美元，占台灣總出口的 21.7%，比起對美出口的 27.7%，相差只有 6.0%，[1]如果照目前速度增加，台灣對香港出口明年就要超過美國，對大陸出口則 3 年後就要比美國多。這表示台灣對外貿易結構的巨大轉折。

這一點，可以再從貿易額成數來看相互依賴關係。1993 年台灣的外貿總額為 1620 億美元，其中，出口 850 億美元，進口 771 億美元。依據這個數目，可知台灣對大陸出口占總額的 15.2%.，進口則僅占 2.0%。再從大陸方面來看，1993 年大陸外貿總額為 1958 億美元，已經超過台灣。其中，出口 918 億美元，進口 1040 億美元。[2]據此可知，大陸從台灣進口占總額的 12.4%，對台出口僅占 1.6%。由以上百分比的比較可知台灣對大陸出口的依賴度相當的高，早已突破台灣自我設定的「紅燈」信號 10%水平，並繼續在增加。預料不過幾年，大陸市場的重要性，可與美國並肩，同時還要超過，這是由於台商大量赴往大陸投資的必然結果，難予阻擋。至於大陸對台出口非常少，全無依賴關係存在，這是由於台灣限制大陸產品進口的關係。再說，大陸從台灣進口的依賴雖有 12.4%，但這也是由於政策性鼓勵的結果。由是可知目前雙方貿易不但是間接的，而且也是跛行的單行道關係，很不尋常。即使這樣，台灣出口對大陸市場的依賴度快

---

[1] 台灣行政院經濟建設委員會，《自由中國之工業》（台北），第 81 卷第 4 期，1994 年 4 月，第 200-207 頁。

[2] 《人民日報》（海外版），1994 年 3 月 2 日，第 2 版，國家統計局公報。

速在加深。展望雙方加盟關貿總協（GATT）後的形勢，則勢必責成雙行道的直接貿易，兩岸貿易關係必更邁進一大步，台灣對外貿易架構重心即將由東轉西，由美國轉向大陸。這個走向，再從投資動態來看，則可更加肯定。

(b)台商投資猛增十倍

據台灣當局統計報告，1993 年台商赴往大陸投資 31.6841 億美元。[3]另外一個報告，表示 1 至 11 月台灣新設工廠及原有工廠增資之投資總額為 6027 億台幣元，較上年同期減少 23.1%，赴往大陸投資則 802 億台幣元（約 31 億美元），較上年增長 1168%，[4]是增加 12 倍，此一數字很不尋常。據統計，從 1952 年到 92 年台灣對外投資總數 1537 件，56.198 億美元。[5]那麼 1993 年一年赴大陸投資額就占有以往合計的 56.4%之多，同時，大大超過同年包括日本、香港在內的亞洲地區投資總額的 23.7746 億美元，可見去年台商大量赴往大陸投資一事，非常突出。幾這個事實與上述貿易動態相符合。

一般來說，向台灣當局登記赴往海外投資的統計金額，比實際數目少得多，大約是 1/5 乃至 1/10。到底有多少台商赴往大陸投資？目前確實數目雙方都沒有明確掌握。據大陸方面的估開，大約有 2.1 萬戶，100 億美元。[6]另外，台灣方面推測，連同周轉資金在內，將達 200 億美元之多。這個數目不能說不大。1993 年一年向台灣當局登記赴往大陸投資數目的猛增，其原因很多。台灣方面的理由，主

[3] 台灣經濟部投資審議委員會，《對大陸間接投資統計月報》，1993 年 12 月，第 72 頁。

[4] 《中央日報》（國際版），1994 年 1 月 8 日，第 7 版，經濟部工業局資料。

[5] *Taiwan Statistical Data Book*, Taipei: Council for Economic Planning and Development, 1993, p.248.

[6] 《人民日報》，1994 年 1 月 3 日，第 3 版，全國政協數據。

要是當局改變政策，一面放寬許可準繩，另一面表明登記者受保護的方針，使地下經濟化暗為明。另外，去年在新加坡的汪辜會談，應該也有正面效果。大陸方面的理由是經濟快速增長、商機增多所致。去年不只是台商，世界其他地區國家的外商也大舉赴往大陸投資。據報導，1993 年這一年大陸引進外資再掀高潮，全年新簽外商直接投資的協定金額超過千（1109）億美元，實際投資 258 億美元，比上年分別增長 90.7%和 1.3 倍，已註冊的外商比上年增加 8.3 萬戶，總數為 16.8 萬戶。[7]在世界經濟全盤衰退，發達國家景氣回復緩慢的情況下，大陸成為世界最大的投資市場，這個事實是國際間有目共睹的。香港、日本以及美國都向大陸增加投資，其中台商顯得特別踴躍。

不管台灣對大陸的政治氣候叵測或惡劣，兩岸貿易以及台商的「大陸熱」一直在升高。這並不是所說的一廂情願或一時之興致所致，而是客觀上經濟的地區分工合作關係加深的結果，也就是說，台灣經濟正在轉型，傳統的勞力密集型工業，由於工資的上漲和勞力不足而失去生產費比較優勢，產業非朝向資本密集、技術密集型的部門發展不可。但這個轉型未必順利進展，所以台灣有豐富的資金或輕工業加工技術在覓求出路，一方面，大陸擁有非常豐富而低廉的勞力，也有一定的資源和廣闊的國內市場。雙方的優勢和供需關係一拍即合，形成一個互利互惠的強大經濟向心力。經濟結合，甚至即將有一體化之勢。兩岸經濟的這個走向，假以政治反動也阻擋不住的。何況這一個走向，未必只限於兩岸這個地區，而是包括日本、南韓、香港以及東南亞在內的西太平洋地區今天的整個區域經濟發展之形勢，是一股世界性大潮流。台灣若不好好迎頭趕上此一潮流，即將落伍於後，自我衰退。這一個動態非常明確，勿容置

7　《人民日報》（海外版），1994 年 3 月 2 日，第 2 版，國家統計局公報。

疑。

以上所述兩岸經濟關係的進展，應該說比預期還順利，展望未來，雙方加盟關貿、香港歸還中國之後，台海地區經濟更將趨向一體化，兩岸經濟的向心力浪潮必更加澎湃，然而經濟潮流是這樣，政治走向卻是另一樣，而有一股離心力的逆流在作浪。

四、政治離心力的逆流

世界東西冷戰結束後，接踵而來的並不是一片和平景象，而是一種和而不穩的「冷和」狀態，世界地區性糾紛頻發，此起彼落，小亂不斷。在冷戰時期被擱置或積壓下來的種族、宗教、領土等種種問題到處噴火，又難收束，很不穩定。其中，亞洲冷戰體制基本上未得解決，朝鮮半島以及台海兩岸關係問題尚待處理。尤其是中國內戰雖是停止狀態，但是尚未正式結束，台灣海峽兩岸的政治、軍事的緊張關係，雖緩和但未消失，基本上仍是敵對的。兩岸和平統一的主要而基本障礙在於政治的對立一點。試問，台灣解嚴，開放大陸探親訪問，終止戡亂體制，推行民主改革，以及東西冷戰結束之後，兩岸政治對峙的內外形勢有何變化?

綜合來說，兩岸統一的障礙之重點，由外向內轉移。即過去以美日西方國家為首於與台灣問題的外在因素減弱，而台灣內部包括主張台獨或者獨台的分離主義之內在因素增強，茲先看阻礙兩岸和平統一的外在因素之變化。如圖所示，在冷戰體制下，遠東以美日為首的西方資本主義陣營為主要對抗共產主義勢力，把台灣當做反共反中基地，盡力支援台灣政權，反對中國大陸阻擋兩岸的和平統一。在這樣情形下，台灣問題成為冷戰體制中東西對抗以及中美對立的爭議焦點。台灣則利用中美對立和冷戰體制，覓求生存空間，反統拒和，四十餘年僵持不下。然而冷戰結束之後，形勢大有改變。

美蘇軍事對立消失，蘇聯體制自我崩潰，美國本身國力也消耗殆盡，經濟力量顯著衰退，已不再能夠以單一國家維持世界盟首之地位，諸如從伊拉克戰爭時攤派戰費給歐日沙負擔事例，就可窺見美國一葉知秋，已不如往昔。一方面，中國對內改革開放政策收效，對外積極參與國際政經合作。中美之間的對立關係，大有緩和之勢。在政治方面，美國的人權外交在亞洲不切實際，不得人心而後退。美國本身國內問題最多，諸如財政赤字、貧富差距、種族矛盾、社會犯罪以及人權問題等諸多問題積重難返。往後對外關係勢必經濟利益重於政治人權考量。例如前年美國政府決定向台灣出售一百五十架 F-16 戰鬥機一事，從內部經過來看，與其說是出於政治軍事考量，倒不如說她為於經濟利益打算才是真相。一樣的道理，以亞太地區經濟發展形勢為背景，往後美國非與中國加強政治經濟合作關係不可。所以圖中美國對台灣問題的防線，冷戰結束之後，從原有的實際轉變為點線，表示緩和鬆動。

日本的外交一直跟隨在美國後頭走，但是對亞洲問題，日本早已開始覓求「回歸亞洲」之路。例如六四事件之後，歐美國家對中國採取外交制裁，但是日本對中國所採取的態度就與美國不同，日本在亞洲問題上，以及經濟合作的考量上，需要中國合作的份量與質量很大，不能與美國同日而語。一樣道理，對台灣問題似已不與美國站在一線，而在覓求自己新的立場和定位。

總而言之，冷戰結束之後，美日對台灣問題的利害關係有所轉變，對中國的政治外交利害之份量已超過台灣問題。這當然並不排除提防中國強大，將重新利用「台灣牌」而來牽制中國、阻礙兩岸統一的可能性。不過，這個可能性是屬於另一個新形勢的問題。台灣內部分離主義的新動態是誘發「台灣牌」的一個關鍵，它已成為兩岸和平統一的主要障礙。

其次，談到內部因素。近幾年來，島內分離主義的抬頭猖獗，其背景大致有三。第一，解嚴，民主化。1987 年台灣解除戒嚴令之後，開放黨禁、報禁以及言論自由。「中央民意代表」全面改選，民意透過選舉表達機會增多。在這個過程中，四十餘年來，蔣父子政權下的黑暗統治下積壓下來的民怨和反感情緒一湧而出。這種反國民黨、反外省人集團統治的民情，雖是戰後台灣政治矛盾的基本架構，但很容易被分離主義誘導利用成為反統、反大陸情緒。第二、政黨和政權的本土化，台灣化。由於上述第一個因素，以本省人為主的在野黨民進黨出現，執政黨國民黨的「萬年議員」下台，政治特權消失，在台灣土生土長的年輕一代參政機會增多，國民黨的成員快速換代，國民黨本身不得不本土化、台灣化。李登輝當「台灣總統」就是一個象徵。所謂本土化、台灣化的概念，有兩方面的含意，一個是主觀的意識形態。由於出生、成長的背景是台灣，對台灣的感情、利害意識以及對大陸的認識自然與大陸出生的人迴異，儘管同是中國人還是不能一樣。另一個是客觀的政治條件。由於參與政治要靠選民選票，政策主張就要遷就選民意向，由是自然就要以台灣利益為第一優先。這一點，使國民黨與民進黨的很多主張越來越接近。當然，政黨政權的本土化、台灣化不等於台獨化或獨台化。不過它與分離主義的界線容易混合，成為分離主義勢力的溫床。

第三，後冷戰形勢的危機感。蘇聯體制崩潰後，台灣方面以為美國利用「中國牌」的必要消失，對台灣問題比以往大可不必顧慮大陸的反彈。殊不知事體的演變與預期相反，在後冷戰的新形勢下，美國更需要中國的合作，才能維持亞洲新秩序，相形之下「台灣牌」的利用價值減少，台灣期待美國卵翼保護的份量降低，令台灣朝野對大陸和平統一攻勢增加危機感。因此提出「台灣命運共同體」（民進黨）或者「生命共同體」（國民黨）概念以及當局接納野黨提案，朝野共同推動「加入聯合國」運動，意氣投合無間。而這一動作的理論依據就是「政治實體」、「獨立主權」、「分裂、分治事實」以及

「階段性兩個中國」論等一系列的分離主義主張。這種論調業已占領台灣輿論高地，其勢難當，對和平統一的前途，形成一股巨大的逆流。這一股逆流，若與外部結合，則在國際間就可能形成新的「台灣牌」。

綜上所述，台灣內部分離主義的溫床，乍看似乎在於民主化、本土化。但是如果把台灣的民主化和政治本土化當做與統一大業敵對，則兩岸統一理念就站不住腳，行不通。同時，光以民族大義來號召，也無補於事，收效有限。這一點，我認為目前大陸對台政策理論武裝最脆弱的地方。問題在於對台灣民主化、本土化的本質認識不夠徹底所致。

歸根到底，台灣的民主化、本土化的本質與人民當家作主的願望和台人自己管理台灣的訴求同出一軌，正如《台灣問題與中國的統一》白皮書中指出，這並不等於台獨或獨台的分離主義走向，這一點認識非常正確而重要。[8]經濟發展和政治民主都是現代國家和人民追求的普通目標，其中雖有社會主義和資本主義之分，但富裕與民主都是必要的。至於本土化，有很多方面，政治本土化確實是民主化的必然結果，對台灣多數人民有好處。其他還有社會、文化、語言等的本土化，這些也是全中國各個地方各個族群社會所需要的，沒有理由反對。

這時要問，台灣的民主化、本土化與中國統一的指導理念在本質上一致，為什麼大陸方面主張統一的論調，不但不敢大膽地支援這個動態，反而有所提防？考其理由，則在於這個動態容易被分離主義所利用。兩者之間界線容易混合。那麼再問，為什麼界線容易混合？或者民主化、本土化容易被分離主義利用上？扼要地說，台

---

[8] 國務院台灣事務辦公室與國務院新聞辦公室，〈「台灣問題與中國統一」白皮書〉，《人民日報》（海外版），1993年9月1日，第1、5版。

人對大陸的認識和信心不足，對大陸政治的疑慮很深所致。有關大陸方面的政治吸引力以及一國兩制問題，容後再述，這裡先來探討台灣人民心深層的取向。

五、台灣人民心深層的疑慮

台灣在中國歷史上一向處於邊疆。清朝把它當做「化外之地」，甲午之戰後，把它讓給日本。戰前半個世紀受到日本殖民地統治，戰後又在蔣父子獨裁政權以及一群外省人集團統治下，台人長期被壓迫，痛受「二等國民」之苦。台灣人民心深層一直切望著有朝一日台人「出頭天」，亦即台人當家作主、自己管理台灣的日子之來臨。這一點與中國社會主義革命的最終目的，中國人民當家作主的願望是一致的。台灣人也是中國人，新中國成立之後，大陸人民先實現了這個願望，台灣人民也正在擺脫蔣政權的統治，以民主化、本土化方式，追求這個願望的實現。由是可謂兩岸人民追求當家作主的願望是一致的。即是這樣，兩岸人民統一的政治理想沒有對立矛盾。即使社會經濟與生活方式之間兩岸有差距，則大可適用一國兩制的方式來處理。然而實際並不如此單純，台灣人民心深層仍然對大陸政治抱有不易拂拭的疑慮和不信任感。這才是今天兩岸政治離心力以及和平統一障礙的根源。這個疑慮與不信感根深柢固，好比冰凍三尺非一日之寒，是長期一而再的痛苦經驗積累下來的，茲將其原因背景，分做四點略述如下：

第一，兩岸隔閡百年的歷史原因。大家知道，自從 1895 年，台灣割讓給日本統治以及戰後兩岸再分裂迄今一百年，除去戰後數年以及近幾年之外，兩岸人民幾乎在斷絕往來狀態，這一個長期的隔絕，不消說，令雙方人民缺乏相識瞭解，加上在這期間的政治對立，偏向宣傳教育，更使兩岸人民的意識形態疏遠，很難站在同一個立場和利害上思考中國統一大業的問題。例如，要讓台人站在中國或者中華民族整體利益來考量台灣問題，除少數人之外，一般人幾乎做不到。一樣的道理，要讓大陸人來了解體諒台人的這個意識形態，也不見得容易。這未必是台人心胸狹窄或者大陸人偏見岐視的問題，而是中國近代史的悲劇，民族分裂的悲劇，需要雙方今後長期的交往與努力，才能擺脫。

第二，台灣戰後政治黑暗統治的後遺症。蔣政權以及一群外省人集團假以民族大義、反共復國的名目下，在政治上盡其壓迫台人、差別台人的能事，令台人深切感受到同民族一到政治一樣殘忍不可靠，台人一樣不能「出頭天」。再說，蔣政權下的反共、反大陸教育非常偏激惡毒，使台人對共產黨和大陸抱有深切的恐怖和不信感，對台人來說，蔣父子獨裁集團已經夠受，吃不消，何況大陸共產黨把國民黨趕走，比國民黨更厲害，由是更沒有信心與共產黨相處。這種心理是切實而有說服力的。

第三，大陸社會主義革命的失誤。文革十年動亂，給人民帶來人為的大災難。翻天覆地的大躍進、人民公社體制二十年後解體，意味著政策上的大失誤。社會主義的理想與現實差得很大，中國社會主義建設的現實，長期拿不出令人心服的優勢，到改革開放政策之後，大陸的形象才得到改善，但是迄今尚提不出政治改革的藍圖來。這些都使台人對大陸的疑慮，難予解除。

第四，兩岸交流的負面因素。一般來說，兩岸交流，透過經濟、文化以及旅遊探親等來往，能夠加深雙方的瞭解，有利於消除台人對大陸的疑慮，促進和平統一，然而仔細觀察，它有正面與負面效果，有利與不利的兩面。長期而言，應該是正面大於負面，總體是有利的。但是短期來看，這幾年來的兩岸交流，對消除台人對大陸的疑慮，有多大幫助？老實說，很難說。這期間，有近六百萬人次的台人赴往大陸，此數目約占台灣成年人口的半數。他們親睹大陸實況之後，對大陸的認識以及台灣統獨問題的想法。有何改變？這是一個非常重要的探討課題。一般來說，他們親眼看到大陸國土之大，人口之多，大項建設有相當可取之處，沿海城市經濟欣欣向榮，感受到共產黨並不像宣傳那麼可怕。另一面，確實也體會到大陸落後的一面，生活水準與台灣差距相當大，各項制度設施還不夠完善，一樣有腐敗、犯罪、向錢看的弊病，利弊綜合衡量之後的感受，對兩岸關係和中國統一的看法，依我認識，是慎重、急不得的態度居多。例如，在海內外台人容納統一論調的空間，經過兩岸七年交流之後的今天，依我所知，仍然很有限。可見台人疑慮未減，兩岸交流的負面效果，萬不可掉以輕心。

綜上所述，兩岸政治離心力的根源在於台人對大陸的疑慮。這個疑慮根深柢固，透過兩岸交流，也一時難消。再說，這個民心疑慮與上述經濟向心力結合起來看，又如何？應該說，兩岸經濟互利關係將會緩和台人對大陸的疑慮，這是正確的。不過嚴格地說，經濟交流的直接受益者是企業家，是所謂的台商，一般台人是間接的。所以兩岸經濟互利與緩和民心疑慮的關係是間接的，由是可知經濟互利與民心取向之間尚有一段距離。至於兩岸經濟互利與政治對立的關係，應該說前者將會緩和後者。兩岸政治對立的受益者是台灣統治階層，所以他們與企業家之間有矛盾。不過他們利用台人對大陸的疑慮來拒統反統，尚可占一席之地。這就是兩岸經濟向心力與政治離心力乖離而難予統合的癥結所在。又如上述，大陸社會主義的優勢既無說服力，中華民族利益為念的民族大義對台人也無號召力，則唯有以最理性的一國兩制方式覓求中國統一之路。這是非常適當而合理的構想與途徑，而如何來具體化、付諸以實現才是一大課題。

六、當家作主與一國兩制的可行性

台人的政治基本立場在於自己管理台灣，在台當家作主。兩岸的和平統一，一方面要基於中國整體利益，另一方面必定要滿足台人的這個立場和願望。在兩者之間覓求利害的一致點，釐定具體可行方式才能實現。從這個觀點來看，大陸所提的一國兩制的可行性很高，本文的基本認識是台人當家作主的願望，可以透過一國兩制方式來實現，一國兩制是保障台人在台當家作主最切實際、最合適而合理的方式。以下略述管見。

台人當家作主管理台灣的願望，如何實現？考慮歷史原因，戰後國共內戰、東西冷戰以及當前內外形勢，當令台灣政治的未來走向，大致有三個途徑，即台灣獨立、維持現狀、兩岸統一。先說台獨，它包括獨台、一中一台、兩個中國等主張。總歸一句，這個途徑確實走不通，因為大陸人民和海外大多數中國人不肯，而兩岸敵對下去，台灣終無安寧之日，如果利用外國勢力的幫助，則反而危害台人當家作主的目標，而且付出的代價不可估量。大陸人民和政府為何不許台獨？避開近代列強侵華、中國人民所受到的巨大災難不談，它違背中國整體的利益，危害中國的統一和安全。這一點，一些台人不能瞭解，不能體會，也不願意去瞭解，把眼光侷限於台灣一地光考慮自己的利害而忽視整體，進而責怪大陸不許台獨是橫蠻無理。台獨利用台人對大陸的疑慮心態，醜化大陸形象，主張分裂，甚至利用外國勢力支援獨立。如此一下，勢必升高兩岸對立與緊張，反而危害台人當家作主的目標。第二個途徑是維持現狀。台灣當局正在推動民主化、本土化，在維持現狀，這樣似乎能夠滿足台人自己管理台灣的願望。不過如上所述，台灣與大陸的兩岸對立關係一日不解決，維持現狀的矛盾越來越大，台灣始終是處於不穩定、不安寧的狀態，不是根本長治久安之計。再說，所謂的現狀，按理絕不是蔣政權統治時代的「現狀」，台人絕不再甘受這種「現狀」。現狀總必改變而已經在變，例如國民黨的台灣化就是一件值得注目的問題。它已蛻變成為一個獨台勢力，抗統拒和，其本質與台獨一樣，危害台人真正當家作主的走向。第三個途徑是兩岸統一，也就是以一國兩制方式的和平統一。以下將針對這一個途徑，來探討其可行性。

一國兩制方式，在《台灣問題與中國的統一》白皮書裡也一再指出，是「本著尊重歷史，尊重現實，實事求是」而提出的，即「在一個中國的前提下，大陸的社會主義制度和台灣的資本主義制度，實行長期共存，共同發展，誰也不吃掉誰」。[9]這個提法，我一直認為是非常切實而可行。如果不行，問題在那裡？即在一國而不在兩制。

先說兩制，由於這十餘年來大陸的改革開放，情況巨變，大陸的社會主義市場經濟，與台灣的資本主義市場經濟之間，同為市場經濟，非常接近，在這方面已無多大區別。所以原先構想的兩制，亦即兩岸不同的社會經濟制度之並存，現在演變得並不十分重要，而幾乎沒問題，問題及在一國。關於一國問題，台灣當局表面上主張一個中國原則，組織「國統會」，裡面則全力拒統，提出「兩府」、「兩區」、「政治實體」、「分裂分治狀態」、「獨立主權」、「對等地位」、「階段性兩個中國」等各種各樣怪語謬論。製造兩岸政治分離架構。反觀現代國家的組織原理，是一個國家只有一個中央政府，一個領土主權。主張兩個中央政府或者複數領土主權的論調，不但台灣的「中華民國」本身就站不住腳，在國際間也沒有存在空間。因為這種論調是危害各個國家的完整和安定，在國際社會上是危言聳聽

---

[9] 國務院台灣事務辦公室與國務院新聞辦公室，〈「台灣問題與中國統一」白皮書〉。

的。再說，台灣當局在自己法律（「國安法」）上規定「不可分裂國土」，自己又主張「分裂分治」，兩種標準，語無倫次。一國的領土主權問題，無論是在國內或國際間，若只以「有效統治」或「繳錢課稅」的實務關係來判斷，可以隨意分割變更的話，則所有現代國家四分五裂，天下大亂。日本對蘇要求北方四島領土的歸還，其依據在於主權，沒有什麼「有效統治」或「課稅」問題，是一個旁證。

不過，話說回來，當今一國兩制方式的適用方法，由於客觀形勢有所變化，似有必要另一種提法。即一國的原則不變，兩制的實際適用範圍應該有所改變。如上所述，兩岸不同的社會經濟制度逐漸接近。原先所指的兩制並存的重要性減低，而今天兩制的重點，已轉移到政治制度的兩制來。在《白皮書》提到，「兩岸實現統一後，台灣的現行社會經濟制度不變，生活方式不變……」，[10]然而其中沒有包括政治制度，這可能是有意的，也是留待探討的問題。依我推測，問題在於政治制度的兩制並存，是否會違背或危害一國原則一點。我認為在一國的前提之下，不同的政治制度乃可並存，但有條件。這個條件就是以一國為前提，台方的政治制度不可涉及領土主權範圍，亦即一種「限制主權」條件下的兩種政治制度。這種兩制方式的可行性之探討，應該有助於當今兩岸的政治對立的解決。

早在 1981 年葉劍英談話，闡明解決台灣問題的方針政策中表示，「國家實現統一後，台灣可作為特別行政區，享有高度的自治權」。[11]記得，台灣光復後，包括參加二二八民變的眾多台灣民主人士之心願，就是台灣的「民主自治」，這也是台人自己管理台灣當家

---

[10] 國務院台灣事務辦公室與國務院新聞辦公室，〈「台灣問題與中國統一」白皮書〉。

[11] 國務院台灣事務辦公室與國務院新聞辦公室，〈「台灣問題與中國統一」白皮書〉。

作主的具體目標，現在是實現的時候了。台灣成為特別行政區，具有高度的自治權，類如 1997 年以後的香港，台灣的條件不能不比香港更寬，也是必然的。在高度自治的特別行政區，在一國的前提下，有不同的政治制度是當然的，這應該也是一國兩制方式的範疇之內。即使這樣，台灣當局所提一連串的「兩府」、「兩區」、「政治實體」、「分裂分治」等問題都可透過這個方式得到一定的解決。所以一國兩制是可行的，它可以保證台人自己管理台灣當家作主而又有利於兩岸和平統一，合乎中國整體利益的合理方式。

七、結語

綜上所述，歸納三點做為結語。第一，兩岸經濟互惠的利益很大，但這方面的優勢，沒有相應地反映在促進兩岸政治和好關係上，兩岸經濟交流與政治關係沒有得到良好的結合。不僅如此，兩岸經濟的互忍互依之加深，反而引發台灣內部分離主義的危機感，而有意助長兩岸政治對立，抗統拒和，強求台獨之路。

第二，台灣政治民主化、本土化，大陸若把它當做敵對關係定位，則理短，站不住腳，難予和平統一，勢必走動武之路。應把台灣民主化、本土化納入人民當家作主範疇對待，覓求台灣與中國整體利益的一致點，實現和平統一。

第三，一國兩制仍然是解決兩岸和平統一的可行方式。然而，兩制的涵意應包括政治制度，即在一國之下有兩種政治制度的並存。一國原則要徹底，兩制也要徹底才有說服力，以利和平統一。

至於台人對大陸的疑慮之解除，需要雙方長期的努力。其中，大陸的責任為大。大陸應該不斷改善，以具體優勢來說服台人，解除台人深層的疑慮，以利兩岸早日和平統一。

表：經由香港兩岸間接貿易的歷年動態

年	台灣對大陸的輸出		比上年增減(%)	大陸對台灣的輸出		比上年增減(%)
	百萬港幣	百萬美圓		百萬港幣	百萬美圓	
1983	1228.0	157.8	-2.8	699.0	89.9	28.0
1984	3327.0	425.5	170.7	999.0	127.8	42.9
1985	7697.3	986.8	131.4	904.0	115.9	-9.5
1986	6328.4	811.3	-17.8	1124.9	144.2	24.4
1987	9566.9	1226.5	51.2	2253.7	288.9	100.4
1988	17489.3	2242.2	82.8	3733.8	478.7	65.7
1989	22592.6	2896.5	29.2	4577.8	586.9	22.6
1990	25570.4	3278.3	13.2	5969.8	765.4	30.4
1991	36403.8	4667.2	42.4	8782.5	1125.0	47.1
1992	49045.9	6287.9	34.7	8728.0	1119.0	-0.6
1993	100620.0	12900.0	105.2	11700.0	1500.0	34.1

資料:〈香港政府原產地別再輸出統計〉，由財団法人交流協会，《台湾の経済事情》，1993 年，第 145 頁轉錄。1993 年數字來自《華僑報》，第 1263 號，1994 年 1 月 25 日，新華社報導。

圖：後冷戰臺海國際形勢架構的變化

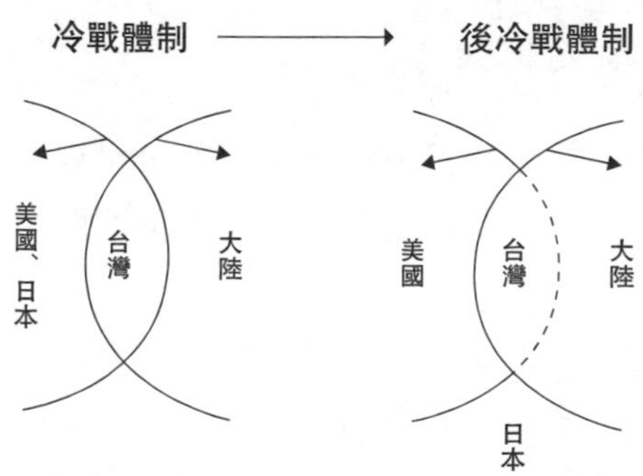

兩岸經貿前進的十年
兩岸合作光明的前景

從台灣經濟觀點說起

本文是1997年7月29日劉進慶在「第六屆海峽兩岸關係學術研討會」(1997年7月29日至31日)宣讀的論文。經刪節後，本文另以〈從台灣經濟觀點看兩岸經貿交流十年進展與未來前景〉為題，發表在《兩岸關係》1998年第3期(北京)。此處選錄的是無刪節版。

一、立場和觀點

祖國大陸自從改革開放以來，社會經濟欣欣向榮，為全世界所矚目，祖國的旺盛隆昌，令我海外華人揚眉吐氣。今年香港回歸祖國，為我中華民族洗雪百年國恥。

所有海內外全體中國人，更是興高采烈，歡欣鼓舞。展望澳門也即將收回，港澳的平穩過渡和持續繁榮，必將對台灣問題的解決產生強烈示範作用。深信一國兩制乃為解決台灣問題，促進祖國和平統一的最佳方法，際此一片大好形勢，吾人當即再接再勵，以利早日完成祖國統一大業。

本文的主要課題為：從台灣經濟立場，以經貿分工合作利益之磁力效應概念為分析觀點，來闡明兩岸經貿十年來的互補互惠互依關係之深度，據以展望未來十年兩岸經貿一體化之趨勢。此地所謂的磁力效應，是指雙方互需互補關係，好比磁力異磁端相引的作用特性，發生互相趨向靠攏、結合的作用。再說兩岸經貿一體化之含意，即指兩岸經貿的格局實現雙向、直接、自由，三通之全面展開，屆時台灣對祖國大陸的貿易、投資、金融等經濟往來相互依存程度均將超過對美日的水準，兩岸經濟處於息息相關，利害與共而共榮共富的狀態。

這裡要強調，促進此一趨勢的因素，不僅來自於兩岸本身的磁力效應，也是來自於亞太整個地區的大氣候走向所致。當今亞太地區的經貿動態，業已形成，世界最富於活力的成長中心，各個國家、地區之間的經濟互補合作關係更加緊密，而屬於廣義華人經濟圈的東亞地區經濟動態，乃是此一潮流中的主流部分。所以說，兩岸經濟合作的前景是光明而遠大的。首先來看，十年來兩岸經貿互補互惠的巨大磁力效應之動態。

二、十年來兩岸經貿的巨步前進

(一)兩岸貿易互補的磁力效應

十年來兩岸貿易交流，雖然尚停留在單向間接、設限半通狀態，可是在質量方面，已經形成一股任何勢力都阻擋不住的巨流。

從台灣方面來看。1987 年台灣對大陸的出口為 12 億美元。十年之後的 1996 年，增加到 191 億美元，十年之間增加 16 倍。同一個期間，台灣從大陸的進口，則從 3 億美元增加到 31 億美元，略為 10 倍之譜。兩岸貿易往來的此一增加趨勢，不能說不大。同時台灣的出口對大陸的依存度，則在這十年之間，從 2.3%提高到 16.5%，僅次於美國。[1]進出口的商品結構也不斷在高度化、多樣化，有目共睹，容不另贅述。

另一方面，在兩岸貿易中，台灣一貫獲得大幅度順差。因為台灣對大陸進口設限多，出口經常多出進口的 4 至 8 倍不等，說是兩岸貿易，實則台灣對大陸的單方出口，所以貿易順差也特別大。例如，1987 年台灣對大陸的貿易順差為 9 億美元，1992 年為 52 億美元，1996 年增加到 161 億美元。其間，從 1993 年以後，台灣對大陸的順差超過台灣對外貿易順差的總額。[2]這一動態表示著，台灣如果沒有兩岸貿易的順差，則早已淪為逆差地區。這十年來台灣從兩岸貿易所獲得的順差總額為 713 億美元，規模之大並非尋常。台灣持有巨額外匯存底，兩岸之順差為其主要來源。

以上的情況應該具有如下三點涵意。第一是兩岸貿易互補性效應非常大。尤其對台灣來說更是如此，台灣從兩岸貿易中獲得一面倒之利益。兩岸貿易與其說是互補互惠，倒不如說是祖國大陸對台灣的「光補」、「光惠」。

第二是一種特殊的「國內貿易」關係。換言之，在一般的國際這種一面倒的關係是不能長期存在的。所以這種情況的存在完全來自於祖國大陸對台灣的特別照顧，是一種國內關係。

第三是結構性互補互依關係。台灣當局明知是祖國大陸的特別關照，明知是所謂的「中央統戰」之一環，然而台灣方面已經無法

---

[1] 此一數值，來自以下各種報刊資料，再予計出。A、財団法人交流協会《華僑経済真情》（日本），1993 年，第 145 頁；B、《華僑日報》（日本），第 1263 號，1994 年 1 月 25 日，新華社報導；C、《民眾日報》（台灣），1996 年 3 月 1 日，第 2 版，國貿局情報；D、《人民日報》（海外版），1997 年 3 月 6 日，第 5 版；E、行政院經濟建設委員會《自由中國之工業》（台北），第 87 卷第 5 期，1997 年 5 月，第 72-73 頁。

[2] *Taiwan statistical Data Book*, Taipei: Council for Economic Planning and Development, 1996, pp.194-198.

也不願放棄這個「統戰」關係。可見台灣出口貿易對祖國大陸的依存度至深，形成結構性依賴，而不能也不便改變，只能接受這一既成事實。

兩岸貿易的結構性互補磁力效應不是孤立的事體，而與台商赴祖國大陸投資有相輔相成的良性循環關係。

(二)台商赴大陸投資的磁力效應

台商赴祖國大陸辦廠投資始於 1980 年代後半期，猛增於 1990 年代近幾年，前後歷經十年之久。開頭是貿易交流在先，晚幾步之後，貿易引路台商到大陸投資開辦工廠，投資辦廠反過來又帶動台灣對大陸出口的增加，貿易與投資互為因果形成良性循環而擴大兩岸經貿。

台商初期冒著禁令之險，暗地赴往大陸辦廠投資，其背景有台灣與大陸兩方面強烈的需求因素。首先是台灣方面因為工資提升，勞力短缺，勞力密集型出口加工業的競爭力衰退，因此，產生許多夕陽產業。這些夕陽產業如果轉移海外，尚可經營獲利乃至擴大事業，要不然就被迫關門改行。

其次是大陸方面。工資低廉，勞力豐富，又備有保護、優惠台商投資的辦法。更重要者，即大陸是同是中國人，歷史文化、語言習俗、社會生活相似相近，即使台商同樣赴外投資，祖國大陸具有獨特的優勢和吸引力。所謂的兩岸經濟之磁力效應，特別見於此一特殊因素。

換言之，台灣有資本與技術，以及國際銷售網路，而大陸則有勞力與資源以及宏大國內市場，雙方的經濟需求關係，順理成章，一拍即合，加上上述社會文化的共同點，倍加增長相互吸引力，好比磁石的異磁端相吸引效應，相互靠攏、惠補，結合為一體。這一個效應，又要看這十年來台商不管許多設限和障礙大舉赴大陸投資辦廠之事實，便可證實，不必多言繁述。

台商投資的情況，因為是間接、受限，有許多明暗管道和方式，所以其確切件數和數目不易掌握。不過，在有限的資料中尚可推測其一端。據台灣當局的核備統計，1991 年台商赴大陸投資的案件是 237 件，金額為 17420 萬美元，每件規模為 74 萬美元，1993 年這一年猛增到 9329 件，310684 萬美元，每件規模縮小為 34 萬美元，1995 年則 490 件，109270 萬美元，每件規模 223 萬美元，1996 年為 383 件，122920 萬美元，每件規模提高到 321 萬美元。六年來的核備投資合計為 11637 件，680737 萬美元，占台灣對外投資總額的一半以上。[3]

綜觀上述統計數字，可看出台商赴往祖國大陸投資，除 1993 年之動態比較特殊之外，投資金額年年穩步遞增，每件投資規模由小型的明顯趨向超出百萬美元的大中型投資。換言之，台商中小企業先去，大型企業也晚一步趕上來，可以說大大小小全部類型的企業以及行業都在前往祖國大陸投資辦廠以及從事其他各種各樣的事業。尤其要注意的是儘管去春台海兩岸有一度緊張形勢，然台商投資絲毫不受影響，整年投資額比前年增加 12.5%，尤其是從 3 月 8 月，形勢最緊迫的半年之間，投資趨向遞增之勢，完全與政治對立局面相左而前進。[4]兩岸經濟正是好比一場磁力，異磁端相引，而台商對島內政治的反應卻好比同磁端相斥相左。難怪台灣領導人加深危機感，忍不住提出「戒急用忍」加予「剎車」，設限大型投資，其背後原因乃在於此。

---

[3] 同上《自由中國之工業》，第 73 頁。

[4] 經濟部投資審議委員會《對外投資，對大陸間接投資統計月報》（台灣），1996 年 11 月，63 頁，以及同上《自由中國之工業》，第 73 頁。

然而，台商前往祖國大陸實際投資的規摸，不止於當局核准的數目，據各方估計至少有其兩倍到三倍之譜，台灣當局自稱大約21000件，250億美元。[5]不管其確切數目如何，這些數字以及動態業已足可證明台商對大陸投資市場的依存度極大而深。台灣領導人對兩岸經濟卻不「務實」，說什麼「戒急用忍」，設限禁止大型投資。阻止一時或有效、但是不能持久，反而逼使台商化明為暗，加深內部摩擦。

再說台商投資金額就算是250億美元，如從整個兩岸經貿往來看來，也不過是貿易順差總額731億美元的三分之一。換句話說，台灣將從大陸獲得的貿易順差來向大陸投資，套上一項財稅原則的話，即「羊毛出在羊身上」而尚有剩餘。這十年多來，台灣經濟之得以持續成長，得以產業升級，台灣社會之得以富裕。「台灣錢淹腳目」其一大根源著實來自兩岸經貿所致。姑不論台灣從兩岸經貿所獲得的好處多大，且說應深切體認到台灣經濟的出路在大陸，台灣光明的未來在祖國的統一。這一個方向好比一場強烈的磁力，是任何人，任何勢力都阻擋不住的。

三、未來兩岸合作的光明前景

這十年來兩岸經貿之經驗明示著，兩岸合作，台灣經濟才有出路，才能持續發展下去。大家知道，當今和未來，台灣經濟的兩大課題為產業升級和「亞太營運中心」（以下略稱營運中心）計劃的推動，而這兩大課題成敗的關鍵，卻都緊緊端賴兩岸合作的進展如何。

以下即將闡明過去一段和未來，兩岸經貿合作為台灣產業升級的槓桿，進而探討香港回歸和上海浦東開發的新形勢對台灣營運中

[5] 《中央日報》（台灣），1996年5月25日，第6版。

心的影響和展望。

(一)兩岸合作做為台灣產業升級的槓桿

從 1980 年代迄今，台灣經濟的中心點就是產業升級，亦即如何把勞力密集型的夕陽產業整理，將整個加工製造業提升到技術和資本密集型的高附加價值產業。這一個課題一面要疏導和整頓既有的夕陽產業，另一面要鼓勵開創高科技產業，把整個產業重新調整，令其高度化，是一件艱鉅的戰略工程。

台灣從 1980 年代初開始著手獎勵電子資訊以及機械汽車兩項主導產業。結果，汽車工業本身的扶植沒有成功，但是機械以及電子資訊工業有顯著的開發，收到一定的成效。不過在這一段期間，1980 年代成效尚不彰，而迄 90 年代以後，特別是近幾年才表露出其快速發展，產業升級有所斬獲。觀其結構內涵，可發覺與兩岸經貿合作的加深同步進展，有不可分隔的正面相關關係。以下以十年來台灣的出口商品結構和出口主要國家地區的結構動態來證實其一端。

先看進口，1987 年台灣的進口主要商品為電子（15.7%）、機械（13.1%）、化學（11.3%）三項，1996 年這三項的百分比變為 21.1%、14.5%、10.8%.基本上變化不大。主要進口國家為日本、美國兩國，十年之間情況也沒有多大改變。[6]主要的變化在於出口。

台灣的出口主要商品為紡織、電子、機械三項，這十年來從中取出 1987 年、1992 年以及 1996 年三個年次，觀察其所占百分比的推移。首先紡織部門為 16.9%、14.5%和 13.5%，逐年緩減。其次電子一項為 15.8%、16.9%和 21.5%，累年遞增，尤其近幾年的增加幅度較大。再次機械一項為 12.8%、19.6%和 24.8%，年年快速增長，十年之間增

[6] 同上《自由中國之工業》，第 84 卷第 4 期，1995 年 10 月，第 180-193 頁，以及同上第 87 卷第 3 期，1996 年 3 月，第 164-167 頁。

加一倍，幅度很大。[7]假如說，電子和機械兩項屬於技術、資本密集型的高科技產品，則這兩項出口和計的百分比，則從 1987 年的 28.6% 擴大到 1996 年的 46.3%。由是從出口商品結構的動態，可看出台灣的產業升級在 1990 年的近年有相當的進展。這裡要強調，這個進展與這一時期的兩岸合作的進展有密切關係，這一點可以從出口主要國家地區的變遷看出。

台灣的出口主要國家地區為美國、日本和香港三地。從 1987 年、1992 年以及 1996 年三個年次各個國家地區占出口總值百分比的推移來看，首先美國為 44.2%、28.9%以及 23.2%，逐年遞減，十年之間的減低幅度很大。其次日本為 13.0%、10.9%和 11.9%，維持原有規模。再次香港為 7.7%、18.9%和 23.1%，累年遞增、擴大幅度相當大，正好與美國形成對比，並即將超過美國登上出口首位地區。[8]大家知道，台灣對香港出口的大部分，約有 70%至 80%為對大陸的轉口貿易。總而言之，這十年來台灣的出口，大陸市場逐漸替代美國市場，兩岸經貿合作對台灣出口商品的高度化做出貢獻。這裡應該強調說，不僅是從商品貿易方面，而且從投資市場方面，也為台灣產業升級提供良好機遇，成為提升台灣產業這一項艱鉅戰略工業的有力槓桿。

上面已經提出，有上萬的各行各業的台灣中小型以及大型企業赴往祖國大陸投資興業，有上百億美元規模的資本和資金移轉大陸。這表示著，台灣眾多的夕陽產業轉移到祖國大陸繼續經營有利於產業升級。另一方面，台商赴大陸投資辦廠，同步帶動台灣對大陸的出口。所以在這期間，台灣經濟的成長、出口都在順利增長，

[7] 同上《自由中國之工業》，第 84 卷第 4 期，第 186-189 頁，以及第 87 卷第 3 期，第 170-173 頁。

[8] 同上《自由中國之工業》，第 84 卷第 4 期，第 190-191 頁，以及第 87 卷第 3 期，第 174-175 頁。

就職機會（失業率）也沒有惡化，可知產業升級可能帶來的空洞化以及整頓產業可能產生的社會負擔，都不成問題。可見兩岸分工合作可以協助台灣的產業升級，做出下面的貢獻。對台灣的產業升級課題來說，兩岸合作有好處，是必要的。

(二)香港回歸、浦東開發的新形勢和台灣營運中心之展望

1.「戒急用忍」措施的反動性格

1990 年代初，台灣為要突破經濟持續成長的瓶頸，遂於提出所謂的「亞太營運中心」計劃，用以劃設製造、貿易、金融、航運海運、通信以及媒體六個方面的區域經濟中心為目標。此一構想的背景，除為台灣產業升級更上一層樓之外，另有利用台灣的地利優勢，考慮香港回歸的變數以及面向祖國大陸和整個亞太經濟快速成長形勢，做出長遠持續成長打算。考其計劃內涵，略可概括為一種類似香港、新加坡型的國際經貿中繼服務基地之構想。它不但符合台灣本身在 1980 年代所指向的經濟自由化、國際化原則和方向，而且也符合大陸以及整個亞太地區發展形勢，也有利於兩岸經貿的更進一步合作。其實此一構想實質上考慮乃以祖國大陸市場為腹地，可行性相當高。1994 年，台灣當局正式宣布營運中心計劃為政策目標。

然而，在這一段期間，該計劃則不斷地受到台灣方面政治考慮的干擾和阻礙，而躊躇不前。其中最典型之事例乃為三通不通問題。如果兩岸三通直航實現，則台灣營運中心計劃中的航運海運、通信、媒體以及貿易中心等問題即將快速迎刃而解，推前一大步。由於台灣政治方面的阻擾，該計劃僅有加工製造一項，在電子與機械兩個部門的高科技化方面略有起色之外，其他項目幾乎停留在原地踏

步。更有甚者，去秋 9 月，台灣領導人突然開口對大陸政策說什麼「戒急用忍」方針，禁止台商的大型基建投資，並設限營運中心計劃不包括大陸市場為腹地。台灣官商輿論嘩然，不知所措，進而埋怨反彈。「戒急用忍」方針顯然自毀台灣自己整定的經濟自由化、國際化原則，不但對兩岸經貿關係的直接加予阻擋，而且阻撓和破壞台灣本身的營運中心計劃之進展。結果，一些台商業已著手進行大型投資案件叫停，營運中心計劃重新調整，展望渺茫。台灣財經界黯然無光，逼使兩岸交流不得不化明為暗。「戒急用忍」方針實在是對兩岸合作的宏大歷史潮流之一大反動，不得人心。

2.香港回歸對營運中心計劃的副作用

香港回歸祖國，深受影響最大的地區該是台灣。就兩岸交流一點來看，比如台灣以香港為中繼對祖國大陸的間接貿易和投資，在法律形式上都變為國內的、直接的往來，所以說兩岸三通問題到此不通也得通，不直航也變成直航。可是台灣方面，則在此一歷史性重大形勢轉移之際，仍然一意孤行，採取迴避、被動乃至如上述「戒急用忍」的反動措施，拒不進一步開發兩岸合作。同時，小動作頻仍，若不是求救於美日，就拜訪聯合國作秀，終究也打不開局面，而令使台灣社會加深閉塞無奈感。在香港回歸的重要時機，台灣卻為一件綁票兇殺案，[9]上萬人民上街指控領導人的政治責任，實則人民對領導人的姿勢發生疑慮，兩岸堵塞不通，連自己整定的營運中心計劃也打亂，社會一片上下相爭脫序亂象，台灣前途茫茫，乃為台人思危背後的問題根源。

基於以上認識，茲專就香港回歸對台灣營運中心計劃的副作用

[9] 即白曉燕綁架撕票案。——編者按。

來探討若干問題。著先應該重複指出，營運中心為一種類似香港型國際經貿中繼服務基地之構想。所以兩者之間有競爭也有合作的兩面關係。但是這兩面關係不是絕對的，而是相對的，可以擴大競爭面，也可以擴大合作面，事在人為。台灣原先的營運中心構想為要替代香港的地位和機能，果真如是就必擴大競爭面。然而事迄今日，香港回歸的平穩過渡與持續成長形勢業已肯定進行，台灣本應轉軌換面，朝向擴大合作面找出路，則營運中心仍有開展的空間與餘地。遺憾的是由於政治干擾兩岸加深經貿合作，不走順路，令使香港回歸對營運中心計劃的影響，加大負面作用。

第一、香港做為中國的國際金融中心，十分能夠持續繁榮發展下去，則台北走國際金融中心之路，已經遙遙無期。其理由不僅僅是香港的維持繁榮，而應加上台灣領導言行方針出爾反爾，連台灣長年追求的經濟自由化，國際化原則也隨便自毀不尊重，嚴重傷害國際金融中心賴以存在的信用原則，政治考慮隨意干預經濟機制原則，這是國際金融中心動作的最大禁忌，台灣的信用掃地，何談金融中心。

第二，貿易、航運海運、通信以及媒體中心計劃的可行性和實現、端賴與祖國大陸的三通之完全實現，以大陸市場為腹地的全面展開才有希望，別無他途。因為東北亞，甚至東南亞鄰邦各國都有它們自己的經濟中心，都在計劃創設他們自己的區域中心，台灣為他們提供服務的空間餘地相當有限。

第三，各項中心計劃中，唯有加工製造中心，台灣將能在電子、機械兩個產業部門，動用優質人力資源，高科技化。提升產業，所謂的「科技島」之追求目標，實屬合理而有依據。不過，台灣的基礎技術薄弱，研究開發投資起步晚，尚需一段投資蓄累。同時這方面祖國大陸的迎頭趕上腳步迅速，兩岸若能加緊合作，相輔相成，則雙方才能趕上世界先進。

3.浦東開發的兩岸合作為發展營運中心之機遇

如果說香港回歸對台灣營運中心計劃的影響負面大，則上海浦東開發對營運中心計劃提供正面機遇，兩岸合作的空間和餘地依然很大。

大家知道，浦東開發案，腹地大、項目多、條件夠；地利優勢有過於香港而無不及。浦東開發的特點有三：一個是國內市場與國際市場兩面指向。另一個是位置貫通長江沿區以及內陸腹地，為國內最大潛在市場之龍頭。再一個是上海具有近代繁榮過的歷史傳統，各項條件具備，而又是剛在重新起步階段，容易參與攜手合作。

基於這一個認識，再就台灣營運中心的可行性加予探討如下。第一，台北的國際金融中心條件，與香港差距大，小巫見大巫，很難並肩合作。然而對上海浦東的水準來說，雙方相差不遠，而台北略占上風。台北有豐富資金，大陸資金需求很強，台北與浦東的金融合作大有可為，從而提升和開發台北的金融區域中心，其可行性非常之大。第二，貿易、航運海運、通信以及媒體幾項的區域中心之可行性，與上述香港的情況基本上一樣，完全端賴三通的全面實現，而應該說與浦東開發合作的槓桿動力，比香港還大而持久。

第三，台灣計劃加工製造中心，追求科技島，坦白地說，香港製造業大量轉移到深圳、廣州，已經沒有同台灣合作的條件，但是上海浦東的製造業則不同，京滬地區的人口不少於台灣，人力資源豐多，具有深厚的一批科技人員，有充分的條件與台灣分工合作，尤其是在電子資訊高科技產業方面，集有全國各地聚來的人才，兩岸互補合作，必有利於台灣的科技島化。台灣的營運中心計劃若能與浦東開發配合，兩岸形成有機合作網絡，則中心計劃的前程似錦，對台灣欲要打開持續成長戰略，是一個難得的機遇。

四、一國兩制、和平統一為保證台灣民主繁榮的唯一道路，代結語

綜上所述，十年來的兩岸經貿合作有巨步的前進。兩岸互補互惠都有好處，實際上台灣一方所獲得的好處特別大。兩岸貿易規模在 1996 年增至 222 億美元左右，兩岸經貿之需求，好比一場磁力相吸引結合而一體化。貿易與投資相為因果，形成良性擴大循環。兩岸經貿合作十年來，對台灣經濟各方面扮演正面而建設性角色，例如經濟得以持續成長，積累巨額外匯存底，資金大量赴外投資，推動產業升級，人民富裕等，都給予正面的貢獻，事實大家有目共睹，勿容置疑。

展望未來，祖國大陸改革開發更加深入，經濟必將持續發展，社會欣欣向榮，亞太經濟一片大好形勢，如果兩岸關係得到改善，經貿關係形成雙方直接三通往來全面展開，則兩岸合作的前景似錦，台灣經濟的持續發展問題，當即迎刃而解。由是加深兩岸人民的相互理解和信心，有利於促進兩岸的一國兩制方式之和平統一。

遺憾的是台灣當局在政治方面迄今仍然迴避「一個中國」原則。從而干預兩岸經貿交流，阻擋兩岸合作的進一步發展。不過，客觀形勢將不容台灣當局繼續誤導下去。沒有兩岸合作的進展，就沒有台灣經濟的持續發展，台灣經濟如果不能持續發展，則台灣必將失去一切，連帶所有政治立場都會站不住腳。何況事實證明兩岸經濟之結構性互補磁力效應是任何台灣的政治勢力都阻擋不住的。同時，一國兩制、和平統一是從歷史現實出發，非常合理、合情，也受到國際社會肯定贊許的最佳方式，現在看香港回歸，就可證實了。

關於一國兩制方式解決台灣問題一點，記得本人於 1986 年夏在香山的台灣同學會學術討論會上撰文報告，表示衷心的贊同。[10]以來一直深信這一個富於創造性的中國統一構想。就是說，台灣人民的當家作主之一大願望，大可以用一國兩制方式來保證和實現。當今台灣的民主化、本土化都可以在這一個方式下維持做到，中國人自己十分能夠為台灣人民維護當家作主。奉勸台灣某些人千萬別想謀求依外人（美、日）籬下的「當家作主」，是另一個殖民地，「保護國」是騙人的。

一國兩制、和平統一的問題癥結在於兩岸人民的互信和台灣人民的信心一點。兩岸合作有利於加深台灣人民的對與祖國統一的信心，但迄今或空口無憑，尚嫌不足。現在，香港回歸祖國了，一國兩制方式可以用眼睛看到了。本人非常高興有具體事例可以證實一國兩制的可行性，這一示範作用必將把台灣問題的解決推進一大步。

回想自從日本投降，台灣從日本殖民地統治回歸祖國已歷半世紀多，奈因國共內戰遺留下來的台灣問題尚未得到解決，海峽兩岸尚未統一，萬分遺憾。際此香港回歸之年，首先希望香港平穩過渡，維持繁榮，祖國大陸持續發展。再則希望據此香港一國兩制之成功範例，取信於台灣人民，進而適用於台灣問題的解決，以期早日實現兩岸和平統一，是乃終生之願。

---

[10] 請參見本文選所收錄的〈台灣的經濟結構與一國兩制〉一文。——編者按。

邁向二十一世紀
兩岸經貿一體化的展望

本文是 1998 年 8 月 5 日劉進慶在「第七屆海峽兩岸關係學術研討會」(1998 年 8 月 4 日至 6 日) 宣讀的論文。本文已據劉進慶的校定稿修訂內容, 修訂處不再另注。

本文所附錄的〈中國第三次思想解放對經濟的影響〉是同年 1 月劉進慶發表於《中國評論》第 1 期的論文。這篇論文高度評價了中共十五大之後出現的「第三次思想解放」。以這篇附錄的論文為背景, 可以充分了解劉進慶撰寫〈邁向二十一世紀兩岸經貿一體化的展望〉之際對於中國經濟與兩岸經貿交流的思考。

一、兩岸經貿一體化的涵意——代序

自從去年後半以來的亞洲經濟危機中, 祖國大陸經濟儼然屹立不動, 為緩解金融危機和穩定亞太經濟, 作出積極的貢獻, 在國際間獲得廣泛的贊許, 大大提高祖國的國際形象, 個人甚感興奮。在同一時期, 中共十五大展開了第三次思想解放, 大膽著手改革國有企業, 攻克積年的難題, 為中國社會主義初級階段市場經濟, 進一步充實和創新內容, 描出藍圖, 為中國經濟邁向 21 世紀的持續發展, 創設條件, 誠是收穫豐碩, 廣受世人矚目和期許。

再說, 在這一次亞洲金融風暴中, 包括祖國大陸、香港和台灣在內的海峽兩岸三地所受的負面影響都比其他地區輕微, 可謂中國人經濟一般表現優異。考其內涵，並非偶然，這一點也值得我們拭目以待。

回看海峽兩岸關係，在這一段期間，雖然尚存一些歧見和曲折，但是在經貿交流方面，依然穩步前進。例如，1997 年，兩岸的進出口貿易總額達到 245 億美元，比前年增加大約 10%，台灣方面獲得 177 億美元的大量順差。台商赴往祖國大陸投資形勢，儘管有所謂的「戒急用忍」政策設限阻擋，然而去年一年的投資件數猛增到 728 項，比前年增加 90%，金額則達到 16 億美元多，增率 31%，每件投資規模相當可觀。[1]今年前五個月的投資額，比去年全年增加近一成。[2]這一個事實，正表示著，在風雨飄搖中，兩岸經貿合作乃然進一步加深，關係更加密切。可見今後兩岸經貿，無論如何即將更加需要互助合作，而邁向一體化格局發展。

所謂經貿一體化的涵意，並非意謂統一貨幣和關稅的共同市場或者經濟共同體的形成，而是指高度的經貿分工合作關係和互動、互補、互惠機制的加深發展，這一點特徵也可以用經濟協作體制（economic coordination regime）一辭的概念來規定，[3]重點在於高度協作關係。具體地說，現在兩岸經貿乃停留在間接，單向交流以及不能三通的狀態。嚴格地說，還不能說是互補、互惠的關係，而是在畸形、變相、一邊倒的狀態。依台灣和祖國大陸之間歷史、文化、社會以及地理之深厚沿緣來看，祖國大陸作為台灣的經濟腹地對台灣經濟持續發展，具有不可替代的重要性。一旦實現三通以及

---

[1] 台灣經濟部投資審議委員會，《歷年核准對大陸間接投資統計年報》，1997 年 12 月 31 日，第 72 頁。

[2] 《人民日報》（海外版），1998 年 6 月 8 日，第 5 版。消息來源為台灣《天下》雜誌最近公布的一項調查結果。

[3] 參閱饒美蛟主編，《中國人地區的經濟協作：華南與台、港、澳互動關係》，廣宇出版社（香港），1995 年，編者序文。

經貿的直接和雙向交流之正常化，則基於市場機制的運作，兩岸經貿必定走向一體化。進而包括香港、澳門在內的兩岸四地形成一個強有力的地區經濟圈（localized economic zone），互補互惠，分享繁榮。

本文的課題，在於總括本人過去十餘年來對兩岸經貿交流動態之觀察，加予整理，進而展望21世紀不久的未來，兩岸經貿必將走向一體化局面。

原來兩岸經貿交流的發展和深化，並不能光靠兩岸主觀意願就能達成的。這十餘年來，有內外兩大客觀環境之變化，才能助長這一個走向的蓬勃發展。這裡先談談外在環境的巨變。

二、兩岸經貿合作的外在大氣候

(1) 東西冷戰對峙關係的緩和與崩潰

台灣問題是東西冷戰的代表性產物。冷戰不去，則兩岸斷難來往。早在1971年中國在聯合國回復正當席位，次年尼克松訪中，亞洲冷戰體制從此開始鬆動。1979年中美建交，雙方對抗關係更加趨向緩和。1980年代，祖國大陸實施改革開放，步步為營、節節深化，這一連串時代大潮流的變化，創造兩岸經貿交流的基本契機。比如說，自從1983年，在台灣當局嚴禁兩岸來往的情況下，就可看到台灣民間對祖國大陸有上億美元的出口，次年則加倍猛增，之後累年擴大。

從1987年，台灣開放祖國大陸的親戚訪問，緩和經貿的間接來往之後，兩岸經貿化暗為明。1991年，蘇聯解體，東西冷戰終告結束，世界進入後冷戰時期，兩岸經貿則年年倍加增長，遂於形成一個難予阻擋的強有力互動潮流。

（2）關貿和貨幣基金體制下經濟自由化國際化浪潮和經濟全球化走向

戰後世界貿易與金融體制，是歐美發達國家所主導的關稅與貿易總合協（GATT，以下簡稱關貿）[4]和國際貨幣基金（IMF，以下簡稱貨幣基金）為中心來運作。關貿以自由化、多角化、無差別待遇為指導理念，旨在推廣自由貿易制度。貨幣基金則以基金制度來督導各國對外經貿收支的平衡和匯率的穩定。戰後在這一個世界經濟體制上，跨國企業活動從 1960 年代初顯見活躍。但是當時，第三世界和發達國家之間的南北關係矛盾極大，除去台灣，韓國，菲律賓等反共最前線國家地區之外，一般發展中國家都對跨國企業活動有所疑慮，儘量覓求自力更生之路來發展經濟。於是這一段期間，世界經貿雖然有所發展，但是相當有限。

隨著聯合國貿易開發會議（UNCTAD）活動的興起，第三世界聲勢逐漸抬頭，形成一股力量。以 1973 年的石油危機為轉折，發展中國家的立場和利益受到一定的重視，南北關係有所改善，雙方的對立矛盾得到緩和。契此，發展中國家開始積極利用外資，引進跨國企業來發展對外經貿，推動經濟成長。

1980 年代，東西冷戰對峙關係的進一步緩和，世界經濟快速擴大和發展，參與國際分工合作有利於發展經濟的形勢更加明朗化。關貿和貨幣基金體制的機能和影響力同步加強擴大，為迎合此一潮流，各國爭相積極從事經濟自由化、國際化，以及民營化改革，採取外向型出口導向工業化開發戰略。隨著這一開發戰略的落實，

---

[4] 台灣一般翻譯為「關稅暨貿易總協定」。——編者按。

國際貿易巨步發展，國際投資以及證券金融市場加倍活躍。尤其是亞太國家地區，有美日的積極帶動以及四小龍、東盟、祖國大陸的趕超，成為全球中最快速的成長區域。進入後冷戰時期的 1990 年代，這一形勢更上一層樓，1995 年關貿改組為世界貿易組織（WTO，以下簡稱世貿），一方面，世界經濟的全球化（economic globalization）顯見發展，同時，經濟區域化（economic regionalization）以及區域經濟合作化（regional economic cooperation），也同步加速發展。

總而言之，兩岸經貿交流，無非也在這個大氣候下；十餘年來，迎合時代潮流，應運而生，乘勢蓬勃發展。

(3) 亞太經濟合作化的興起

早在 1970 年代，環太平洋的亞太地區，在環繞美日和四小龍的經貿關係上就出現了一個新型的三角經貿分工合作架構。也就說，日本出口設備、零件部品到四小龍，在工資低廉的四小龍加工，製成品出口到美國市場，形成一個環太平洋的三角經貿循環結構。這一個循環模式，從 1980 年代後半，擴大到東盟和祖國大陸，形成一個更大規模而全面性的亞太國際分工合作體系。1989 年，亞太經濟合作會議（APEC）應運而生，其背景就在於此。

同時，亞太地區的很多地方，也自然而然地形成了許多各色各樣的局地性經濟合作圈，諸如華南經濟圈、泰銖經濟圈、新馬印（尼）成長三角地以及黃海經濟圈、渤海經濟圈或者日本海經濟圈等等。這些經濟圈的最大特徵，就是跨國境、跨地區的經濟分工合作。這裡所謂經濟圈，並非意謂貨幣和關稅的共同市場，而是指鄰遭地區經濟緊密的分工合作以及互補、互惠機制之形成。從這一個意義上來說，兩岸經貿交流無非也是一種區域性經濟圈。大處來看，它可以屬於華南經濟圈的一個構成部分，小處來看也可以台閩經濟圈的範疇來看待。

總之，兩岸經貿合作之走向，是亞太經濟地區合作化大潮流中的一個支流，是客觀形勢為背景的一個特殊時代產物，順者興、逆者衰。另一方面，我們還要說，兩岸經貿合作本身有它強有力的內在需求，要比外在環境的潮流更加重要而具有決定性影響。

三、兩岸經貿互補之內在需求

這裡所謂的互補，不僅是指生產要素，市場規模或者經營資源互補，而且也包括地緣、人緣以及歷史文化等廣泛而多方的社會互補性。同時，兩岸的這一互補性，具有其他國家地區所不能替代的特殊優勢條件，這裡稱之為優勢性互補，重點在於不可替代性和特殊優勢條件。這些優勢性互補，可分三方面來說。[5]

(1) 兩岸在經濟因素與市場腹地之互補優勢性

先說經濟基本要素的互補性，亦即包括技術在內的生產要素，市場規模以及經營資源之優勢性互補條件。眾所周知，祖國大陸擁有豐富的人力、資源以及廣大的市場，台灣備有剩餘資金，加工技術以及中小企業經營販銷能力，兩岸在產業分工合作上的互補性非常大。兩岸之間此一資源賦存條件是最合乎地區經濟分工合作理論的架構。言者多、道理順，已經屬於一種常識，容不贅述。

這裡有必要特地強調者，即此一互補性之不可替代性。尤其從台灣來看，更是如此。祖國大陸的人力和天然資源之豐，市場規模

---

[5] 在這個標題旁，劉進慶手寫補充：「一體化的內在磁吸效應」、「互補、互求因素。外在推動環境」。——編者按。

之大，是其他國家地區所難予替代的。比如說，南美、俄國雖地大物博，但人口不密，市場不旺。又如印度、南亞國家，則人雖多但資源不豐，市場購買力低。再如東南亞，人口雖密，但地隘市場規模小，資源存量業已有限，經濟底子淺，成長持續不過幾年，工資很快就上漲，人才又短欠。至於中東、非洲國家地區則更不用談，南非也不例外，總觀全球，祖國大陸的經濟條件，無疑是當前以及未來世界最富有潛力的投資市場和經貿夥伴。台灣要另找一個優於祖國大陸的投資貿易市場，幾乎不可能做到，何況台灣對祖國大陸具有如下特殊性互補。

(2) 兩岸在人緣、地緣和時緣之互補優勢性[6]

第一是人緣的優勢。所謂天緣，首要是指兩岸同是中國人，台灣人和大陸人都是中國人。我們姑不必說血濃於水，且要說兩岸擁有共同的歷史文化之根柢，共享相同的語言、習俗以及相似的社會生活。這些因素在經濟經營方面，有利於建立人際關係的網絡，促進商機信息的交流協作，在投資辦廠以及僱用勞工或者勞務管理上，發揮很大優勢，是其他國家地區所不可替代的。這一點幾乎勿容置疑。[7]

第二是地緣的優勢。純粹從地理上來看，兩岸同是華南地區，一衣帶水，隔海相望，以今日交通之發達來看，則近在眼前。如果從人文地緣來看，大多數台灣同胞的祖代來自對岸閩南、粵東地區，祖地以閩粵為根。在人們的心理深層裡的這一地緣情分，具有難予形狀的社會親和力，不管在經貿交流也好，或者在共同從事經濟經營活動也好，卻有不可計量和不可替代的優勢，是乃自明之

[6] 劉進慶在「人緣、地緣和時緣」上，補充「三緣」二字。——編者按。
[7] 劉進慶在這段文字旁補充:「習俗相近」。——編者按。

理，不用多言。

第三是時緣的優勢，亦即天時之利。首先應該說，上開世界外在大氣候，即冷戰的結束、經濟的自由化、國際化以及全球化和區域化，亞太經濟合作化等等形勢都是有利於助長兩岸經貿交流的外在天緣。這裡要特別指出的是內在時緣，亦即今天祖國大陸經濟發展的良好形勢，對台灣來說，是一個非常難得的天時之利。祖國大陸改革開放以來二十年，社會經濟欣欣向榮，在各方面都有創新的進步發展。尤其是近年社會主義市場經濟進一步落實，經濟高度而低脹成長，利用外資增加，對外貿易累年擴大，國際收支大幅度順差，儲備巨額外匯，在亞洲經濟危機中屹立不動。這一個經濟社會繁榮景象，是中國近代以來少見的大好形勢。十餘年來，台灣在兩岸經貿往來從祖國大陸年年獲得上百億美元大額順差。祖國大陸之所以付得起這一筆巨額外匯而不以為然，這並不是為了統戰就能作得到的，而是因為有雄厚經濟力和外匯支付力量才能辦到的，此舉一例，即祖國大陸是在對日本貿易中罕有獲得順差的國家而受到注目。一方面，台灣就是有了這一批外匯，才不至陷落於國收支逆差的困難，才備有豐富的外匯資金，才能克服這次金融風暴，這不是台灣天時之利，是什麼？

綜上所述，兩岸之間有特殊的三緣。這三緣之中，人緣和地緣是基礎，具有歷史文化社會的深厚關係，不是一時或者偶然的條件，而是長遠存在的根基，它遇到天時之利而發揮其作用，使兩岸經貿的互補、互惠關係比任何國家地區都優勢而無法替代。

（3）兩岸經濟轉型升級之互補優勢性

兩岸經貿交流，給兩岸經濟的轉型升級，提供很大有利條件。尤其對台灣的好處非常大。

先說台灣方面。這三十年餘來，台灣經濟持續發展，從 1980 年代以後，台灣遇到迫切需要經濟轉型和產業升級，也幸好在這個時候利用兩岸交流為槓桿來服這個難關。台灣許多勞力密集產業搬遷到祖國大陸投資，這使台灣的夕陽產業得到出路，讓台灣經濟花了最小的社會經濟成本而順利轉型升級。尤其台灣的中小企業赴往祖國大陸往投資辦廠，得以繼續維持其活力，兩岸經貿交流的機遇之貢獻至大。一方面，這也帶動了台灣對祖國大陸的出口，有利於台灣經濟的持續成長。

1990 年代以來，台灣以電子、機械為中心繼續求升級，獲得一定的成果。然而光靠這兩項技術密集加工業還不夠支撐整個經濟，還須要謀求全方位的經濟轉型升級，才能持續發展。台灣經濟當局的所謂「亞太營運中心」構想就是反映這一個背景的最確切例證。這一個構想，明確劃定以祖國大陸市場為發展腹地，乃是一個切實合理，具有可行性的計劃。不料遇到所謂的「戒急用忍」政策而告擱置。

再說祖國大陸方面。由於台商赴往祖國大陸投資辦廠，刺激祖國大陸企業經營的進步，特別是台灣的加工技術以及中小企業的經營管理和販銷藉能力具有獨特優勢，給祖國大陸企業，地方鄉鎮企業作出示範效應，有利於企業管理的升級和現代化，也促進祖國大陸對外出口貿易，雙方互動、互補、互惠。

綜上三個內在需求的互補性優勢，其中兩岸之間的特殊三緣因素最重要而是優勢性的基礎。至於生產要素、市場以及經濟結構上之互補性，乃以人文三緣的結合才得以發揮其優勢性互補。

也許有人會說，台灣過去不與祖國大陸來往，也能發展經濟，而發展得很好，往後也不用與祖國大陸交流，一定能夠發展。這一句話，是說過去，也只說對了一半。改革開放之前，祖國大陸經濟走自力更生之路，對外少往來，況且東西敵對抗爭，兩岸完全無法來往。在這種情況下，台灣受美日支援卵翼，復興經濟，並參與國際經濟順利發展，有一定良好表現，這是事實，也值得肯定。不過時代已經變了，並且變得很大。冷戰結束，祖國大陸改革開放，經濟發展獲得豐碩成果，是有目共睹的。再說，現代的世界形勢如上所說，經濟全球化，地區經濟合作之大潮流方興未艾，一個地區很難自我孤立於這個形勢之外而維持繁榮。總之，兩岸經貿的互補性，好比一場磁力，相互吸引，正負長短互補，在經濟上產生強有力的互惠、互利市場機制。就是因為它具有特殊優勢條件，所以任有政治干擾，也阻擋不住兩岸來往。兩岸合則利，分則損。

四、兩岸經貿一體化的市場動力與契機——亞洲經濟危機

(1) 間接、單向的變相之交流正常化市場動力

以上說明兩岸經貿互補性很強，按理，交流的結果應該能達成雙方互惠。但是事實上，由於人為的設限和政治干預，兩岸經貿交流，還停留在間接、單向的變相狀態，所以並沒有達到真正的雙方互惠之地步。應該早日正常化，即指直接、雙向公平交流的狀態。不然問題多，矛盾大，不利於經貿交流關係的長期穩定。

第一，間接交流在成本、效率以及時間上浪費大、損失重，明顯違反市場經濟原則，對雙方企業都很不利。第二，單向的一邊倒交流，產生一方的大順差與一方的大逆差，是不公又不平，難於長久繼續下去。第三，這種變相交流，尤其在台灣財經界方面很不滿，不得人心，不改變只會擴大政經矛盾和官民對立。所以往後，直接、雙向和三通的正常化市場壓力會越來越大。如果不及早改善，會出問題，在國際經貿組織方面，也不會容認這一個變相、偏差、畸形

的經貿關係。

(2) 兩岸參加世貿組織後之正常化壓力

如上所說，世貿（WTO）的指導理念為經貿的自由化、多角化和無差別待遇。除非有特殊情況，一時可以緊急避難為由，限制對方經貿，但是不能遠期設限差別。不久的將來，有日一天，兩岸總要共同參加世貿，屆時現在的兩岸經貿交流之變相關係，難能再繼續下去，一定需要正常化，亦即自由、多角，無差別的經貿來往。顯而易見，這個局面己是不久即將面對的事體。

以上兩方面的市場壓力，己經是一種常識，不必贅言。最近一年來的亞洲經濟危機，才是進一步促進兩岸經貿一體化的新生市場動力。

(3) 亞洲經濟危機對兩岸經貿一體化的影響

去年後半，亞洲遭遇到未曾有的金融風暴，以來亞洲各國經濟陷於動 不安之中，迄今尚脫險。然而這一經濟危機卻給兩岸經貿關係的走向，帶來轉折的契機。這裡分成以下三方面來說。

A）經濟危機考驗出祖國大陸經濟影響力超越台灣

先說亞洲經濟危機對海峽兩岸三地經濟的影響。總的來說，比起亞洲其他國家地區影響大致可以說輕微，突顯出中國人經濟在這次危機中表現特別優異。其中，特別是祖國大陸經濟儼然屹立不動，初步幾乎沒有受到影響，並進一步努力堅持人民幣匯率不貶，為緩解亞太金融危機和經濟穩定，作出了積極的貢獻，大大提高祖國大陸在國際社會負責的形象，是不可否認的。香港則在金融、股市和房市三者之中，藉此機會，調整泡沫化的股房市而防衛金融市場，成功地保持香港的國際金融市場地位於不動，短期內雖有所困難，但是長期影響應該不是很大。至於台灣，則股市匯市都受挫折而下跌，匯率則步日本之後，貶值特近40%之譜，幅度相當的大。[8]不過比起日本，沒有不良債，尚可維持一定的成長，所以也可以說影響不算大。綜上所述，這裡可以指出，經過這一次危機，明顯可看出兩岸經濟，祖國大陸的經濟地位和影響力量業已大大超過台灣，在亞洲以及世界經濟中舉足輕重。令美國也體認到與祖國大陸加強經濟金融合作來穩定亞洲外匯金融的重要性，其份量甚至比日本還要重。

B）台灣經濟依賴祖國大陸市場至深

透過這次經濟危機的貨幣金融機制，令人體認到，台灣經濟幸好有了這十餘年來的兩岸經貿交流之成果，才有承受這次金融風暴的能力。這一個承受條件，除去要有健全有效的金融管理體制之外，主要在於充裕的外匯存底，健全的外債結構以及經常收支的順差結構。其中，貿易順差是個關鍵。有了充分的貿易順差，才能積累豐多的外匯，才能控制外債，而才能承擔得起金融風暴中抄家的攻擊。

這十餘年來，台灣從兩岸經貿順差積累了大量的外匯。先從台灣各香港貿易的巨額順差來看，依據官方統計，從 1988 年到 97 年的十年間，台灣獲得順差共計有 1520 億美元之多，其中大部分是

---

8 *Taiwan Statistical Data Book*, Taipei: Council for Economic Planning and Development, 1997, p.194; *Industry of Free China*, Vol. 88 No. 3, March 1998. pp.178-184.

對祖國大陸轉口的順差。再依據匯集各方面零碎的統計來看，到去年底為止，台灣從兩岸經貿積累了一共大約有 905 億美元的順差。[9]這一個數目相當可觀，然而尚嫌低估。即使 905 億美元，至少比去年底台灣外匯存底的 835 億美元還要多。其意義非常重要，就是說十餘年來，如果沒有兩岸經貿的這一個大量順差來源，則台灣就沒有那麼多外匯存底，而早就遇到收支逆差的困難，不能不向外舉債，遇到類似這次金融風暴，則其後果不堪設想。這一個說法，可以從韓國在這次金融風暴所受打擊來作旁證，韓國就是因為役有像兩岸經貿這種特殊外匯來源，外匯存底薄，外債結構偏差，才受重傷。

依據台灣最近經濟動態，其出口能力和增率逐漸衰退。今年前半年出口比往年微增，順差減退大不如往年。理由是東南亞以及日本的出口一落千丈，對美歐的出口增加有限，今後，出口貿易對祖國大陸市場依賴度勢必升高。這一段期間的動態，明確浮顯出台灣經濟依賴祖國大陸至深，並可看出兩岸經貿一體化的內在強有力市場動力之面貌。另外，尚有一股外在市場動力正在起。

C）創建亞洲貨幣金融合作體制的走向

經過這次亞洲金融危機，亞洲各國之間要求建立亞洲共同貨幣制度的聲勢越來越大，這是可預料得的。如果沒有這樣一個組織來穩定亞洲各國外匯金融運作，則以後類似這次金融風暴還會再發

---

[9] 此一數目，來自以下報刊資料，加予匯計算出：財團法人交流協會，《台湾経済事情》（日本）1993 年，第 145 頁；《華僑日報》（日本）第 126 號，1994 年 1 月 25 日；《民眾日報》（台灣）1995 年 3 月 1 日，第 2 版；《人民日報》（海外版）1997 年 3 月 6 日，第 5 版；《自由中國之工業》，第 87 卷第 5 期，1997 年 5 月，第 72-73 頁；《中央日報》（台灣）1998 年 2 月 3 日，第 4 版。

生，而各國經濟發展的成果又會再次受到掠奪和破壞。所以亞洲各國從這次的痛苦經驗，吸取教訓，來探討貨幣金融合作機構之創設，是有必要的。

然而前不久，台灣當局建議以兩岸金融合作來支援東南亞國家困境。對這一個提案，有兩點疑問，第一，台灣在這一段期間，為緩解亞洲經濟困難最負責任的辦法，是堅持台幣不貶。依台灣豐多的外匯存底，良好的經濟基本面，應可以做到而沒有做，只顧自己利益而不理別人立場，容認台幣貶值，加大香港和韓國的困難，何不來個亡羊補牢，尚未晚。第二，如上所述，台灣置最重要的兩岸經貿關係正常化不談，最近這一段期間，又口口聲聲喊「戒急用忍」，而突然來了兩岸來金融合作之議，其用意何在，未免令人莫名其妙。個人認為台灣當局的作法不認真，投機取巧，無非在「作秀」。

未來在亞洲貨幣金融合作的探討中，海峽兩岸三地經濟的外匯金融力量相當可觀，包括香港在內的祖國大陸外匯金融的地位相當重要，可與日本比肩而無遜色。台灣如能早日放棄岐見，實現直接、雙向、三通的格局，兩岸經貿一體化，則必然更加提升海峽兩岸三地經濟金融力量和地位，屆時有利於主導亞洲貨幣金融合作組織的創設，共同為亞太經濟作出貢獻，從而台灣本身也可獲得經濟的長期安定和繁榮。

總之，這次亞洲經濟的危機，是兩岸經貿正常化的契機，也是未來一體化的良機。

五、兩岸經貿是連理枝，同根生——代結語

兩岸經貿一體化乃是極為合理，合乎市場經濟原則、合乎兩岸人民利益的。為何台灣當局一直反對三通，不願兩岸經貿正常化？

其根本理由不在經濟，而在政治「安全」，就是說，開放三通，發展兩岸經貿太快，會威脅「國家安全」。於是要問，何為台灣的安全？一般而言，經濟合作是政治安全保障的基礎，一樣道理，個人認為兩岸經貿一體化，才是台灣政治真正安全的最佳保障。

大家知道，台灣政治的本錢就是經濟力量，厚植台灣經濟力量才能鞏固台灣政治定和安全。台灣如果沒有經濟發展，那有政治安全？阻擋兩岸經貿合作，就是阻礙台灣經濟發展，必將導致台灣政治不安。這裡要特別指出台灣政經關係的一大矛盾，亦即台灣一面大賺祖國大陸的外匯，另一面則用這個外匯特買美國武器來抗拒祖國和平統一，台灣的安全建立在這一種政經極端矛盾之架構上，問心有愧，安有安全感可言！這一種「安全」，好似沙灘上樓閣，絕非長治久安之道。

再談經濟留根問題。台灣採取「戒急用忍」政策，說的理由是為要經濟留根。於是要問，何為經濟留根？它指的大概不讓大型企業出走，於是要問，何為企業留根？一般來說，企業有大型企業和中小企業，台灣的企業見長於中小企業，大型企業未見有優勢。台灣大型企業實際上卻非常需要大陸市場來發展，留根不留根的提法，在企業戰略上來看很不合理，又作不到。祖國大陸廣大市場對台灣大型企業是連理枝、同根生。何來留根可談。

再說何為企業之根？如果說是企業的基本質量，則一般可分資金、技術、人力三方面來探討。首先是資金。資金根本沒有什麼根，不必多談。其次是技術。台灣的技術之優勢在於加工技術，這種應用技術只能優勢一時，終會隨經濟條件的變化而轉移他地。日本的加工技術轉移到四小的事例，就是一個有力證明。第三是包括經營資源在內的人力。台灣確實有豐富的科技和經營管理人才，這方面具有優勢。尤其是中小企業的經營能力，一群中小企業主的進取、打拼、靈活的經營能力和精神面貌，是值得肯定的。假定這就是台灣經濟的根，我們應該指出，台灣中小企業動力的來源，很多來自中國人獨特的社會文化以及人際關係之特性，看香港經營人才之例，便可領會。因此，隨著市場經濟的發展，假以時日，則祖國大陸的經營管理人員也會學習趕上來。從這一點來看，兩岸是連理枝，是同根生的，對台灣中小企業來講，沒有什麼留根不留根可言。

總而言之，台灣經濟的前途，在祖國大陸。兩岸經貿互補互惠，一體化是大勢所趨，相信不久的將來一定實現。海峽兩岸同胞應該利用所有人力物力資源來分工合作，發展經濟，共同協力振興中華。展望 21 世紀，包括兩岸四地在內的中華經濟，將在世界經濟中登上領導地位。祖國的前途，是無限光明的。

附錄：中國第三次思想解放對經濟的影響

一個曾經「一窮二白」的中國，自從改革開放以來，經濟快速發展、成果豐碩輝煌。90 年代以來，尤其是近年，經濟持續兩位數成長、外資大量流入、通貨膨脹迅速回穩、對外貿易猛增擴大、短期內累積巨額外匯儲備等等，其動態往往超出人們的預料。老實說，包括筆者本身在內，越是專家內行，越是不知其所以然，幾乎難以套用當今經濟理論來解釋清楚，因而莫名其妙。對此奇跡性的發展，最通俗的說法，就是說自從鴉片戰爭一個半世紀以來，一直衰退走下坡的中國，從抗日戰爭的存亡邊緣站起來，從文革浩劫的深淵底谷爬上來，正在往上衝，好似一條巨龍在飛騰起舞的形象。筆者自愧專業淺薄，卻暗喜我中華民族欣欣向榮，中國正逢一個偉大的民族復興之歷史階段。

近二十年來，中華民族的生機和活力，確實來自鄧小平理論指導下的一系列思想解放，它把中國人民的意識形態改變過來，把中華民族的潛在動力解放出來，朝向經濟建設、集中發展生產力。鄧小平的接班人江澤民繼承鄧理論的法寶，使國家安定團結、生氣勃勃，中華民族隆盛，並把國家整體前進的步伐推進一大步，令人興奮和欣慰。

中共十五大可以說推動了中國的第三次思想解放，筆者從江澤民報告領會到三個重點：一個是鄧小平理論的體系化；另一個是經濟體制改革中的公有制形式多樣化；再一個是政治體制改革中的民主法制。第一點可以定位為鄧理論的完成與發揚光大。第二點是經濟改革的加深和攻關。第三點是政治改革的上台和起步。我是學經濟的，一向很關心中國社會主義市場經濟的動態和研究，所以容我針對第一點與第二點提出管見。

鄧小平理論的三點精華

（一）實事求是為社會科學的基本方法

現代社會科學，無論是政治學、經濟學或是社會學，其基本治學方法原來就是實事求是的認識方法。也就是認識事實，從實踐經驗中覓求規律，深究法則和建構理論，是把歸納法的經驗法則來作理論基礎。尤其是政治經濟學，特別是馬克思的《資本論》和其經濟學，完全是一部實事求是的社會科學。由是可知鄧理論是最忠實的馬克思主義理論。為何一些革命家、領導人往往會忽視這一點呢？因為革命時期是非常期，不僅要冷靜理性以赴，也有必要用感性熱情來帶動，依靠精神力量來領導。但這是短暫的、不能持久。一到和平建設時期，還是要用實事求是的認識方法來思考問題，認識社會經濟問題。鄧小平忠於實事求是的社會科學方法，是一位冷徹清晰、洞察超群的革命家及和平建設的領導人。

（二）不能超越階段的歷史規律

原來馬克思以及馬克思主義理論的歷史發展階段論，是論斷向社會主義社會的轉移應該是在資本主義發展的最高階段之後，也就是在帝國主義的最後階段轉移過渡。而且社會主義制度要比資本主義制度優越。帝國主義階段是資本主義的矛盾對立最深刻的時機，同時也是資本主義生產力達到最高峰的階段，可見社會主義社會的出發點應該在社會生產力水平非常高的狀態上。

可是 20 世紀的社會主義，卻出現在最貧困的不發達國家，如俄羅斯、中國以及亞非拉地區，這種發展過程本身不符合馬克思主義的歷史發展規律，而是倒錯歷史發展規律。20 世紀很不尋常，一方面，帝國主義列強加深自我矛盾，引起兩次世界大戰，給人類帶來巨大災難；另一方面，殖民地以及被壓迫弱小民族藉此機會掀起民族運動，展開民族獨立鬥爭。在此期間，社會主義勢力主要任務是抵抗法西斯和帝國主義侵略、支援各地區民族運動，而本身並無餘地來實踐社會主義建設。

戰後，社會主義開始著手國家建設。資本主義國家受到社會主義崛起的脅威，因而一面圍困社會主義，另一面不得不修正資本主義的弊病來維持繁榮發展。社會主義的國家建設和實踐，則始終脫離不了貧困，停留在落後狀態，無法證明優於資本主義。在此情況下，要死守貧困的社會主義就是犯了超越階段的錯誤。實事求是，要實踐社會主義就不能超越階段。鄧理論遂提出社會主義初級階段論來解放思想，克服這個困難，這是一項偉大的思想突破。

（三）初級階段論的創新和思想解放

如果忠實於實事求是的科學方法，忠實於馬克思主義理論，則不能不承認 20 世紀的社會主義出現在生產力落後的不發達社會，是倒錯歷史發展規律的社會主義之實踐。首先要認識在不發達國家建設社會主義的條件還不成熟，很不足夠。中國的現實是不發達狀態，此一認識是基本，是思考實踐中國社會主義所有問題的出發點。但這種認識、這種提法，沒有人提過，也沒有人敢提。因為當時強建設社會主義的核心問題為階級鬥爭，以階級鬥爭為綱。然而鄧理論卻大膽地突破這個死框架，提出社會主義初級階段就是不發達階段的看法，主張以經濟建設為中心，發展生產力為首要，是第一次思想解放，是偉大的創新。鄧小平表現其高度的智者之勇。

1992 年初鄧小平南巡之後，中共十四大提出社會主義市場經濟論，實事求是地歸納十餘年來改革開放，發展生產力的實踐經驗而獲得的開發戰略理論，是初級階段論的進一步發展，也是第二次思想解放。從經濟學上來看，其創新的核心點，即在於勞動力的商品化和勞動市場的發展。勞動力的商品化，本來被視為資本主義化的最大特徵，所以很多人認為這是中國經濟的資本主義化之分水嶺。無論如何，社會主義市場經濟論帶來的第二次思想解放，促進了勞動市場的擴大和發展，也給 90 年代的中國帶來兩位數的快速成長，大家有目共睹、不必贅述。

第三次思想解放：公有制形式多樣化

（一）經濟改革的創新點

中共十五大最大的特點，就是公有制形式多樣化。全面進一步認識公有制經濟的含義，它不僅包括國有經濟和集體經濟，還包括混合所有制經濟中的國有成分和集體成分。據此認識，為改革國有企業，而進一步引進現代企業制度資本形態的股份制，特別引人注目。中國社會主義經濟仍然以公有制為主，而由於所有制形式多樣化，公有資本形態採取公司股份制，其主導作用將放在對企業的控制力，也就是用控股權的掌握來維持公有制經濟的主體地位。從而推動國有企業改革，可以廣泛吸收社會分散資金，緩減國家財政壓力；也可以實施戰略性改組，形成跨所有制、跨國經營的大企業集團，進而提高經營效率、促進國內外競爭、提升社會生產力、發展國家經濟。

這次所有制改革，是 1984 年以來有關城市工業經濟改革，諸如政企分離改革、廠長責任制改革、物價體系改革、勞動僱用改革等一連串改革措施的最後一個環節。由於這一次改革的難度相當艱鉅，在方法上是一個創新，也是另一次思想解放，因而十分重要。

（二）對公有制形式多樣化的初步感受

中共十五大報告內容非常豐富、新穎、精彩。

（1）國企下海，搞活經營和經濟：把鐵飯碗的國有企業推進市場機制的大海，讓它自由競爭，優勝劣敗，自我茁壯，參與現代企業的行列。這一份改革處方，可以說是最切實有效的方法，國有企業肯定會搞活。不過在方法上，好比開刀動手術，好比是一種劇藥，問題仍不少。但是過去一連串改革都能過關，加上圍繞國有企業改革的各項條件已經相當成熟。相信這一次攻關也能過關。

（2）公司股份制，不分公私企業，也不分姓資姓社，有利於建立現代企業：股份制是現代企業組織的普遍形態，不分公私企業。資本主義經濟有股份制，社會主義經濟也可以有。同時，資本主義所有制有多樣形式，社會主義所有制也可以有多樣形式。發達國家，好比日本大型企業的資本股份，由少數機關大股東和眾多個小股東所有，少有個人大股東存在，形式各種各樣。社會主義中國往後也可以有這樣情況。但機關屬於國家系統這一點則有所不同。

（3）混合經濟制類似台灣，而將超越台灣：外國人把這次中國公有資本的股份制改革，看作是一種國有企業的「民營化」政策。我以為不然，公有制經濟與私有制經濟並存的體制叫作混合制。依我觀察，台灣戰後經濟的體制是混合經濟，其公有制經濟的部分非常大。由於私有制經濟的發展，最近慢慢減少，這一點大陸與台灣雙方有類似之處。這一次大陸的經濟政革更進一步，既然公有資本形態改為股份制，企業資本中將有國有、集體以及私有三種成分的混合所有制經濟出現，企業資本所有形態更加靈活，這種制度無疑將超前台灣。

留待解決的諸多問題

這一個創新超前的改革，需要很多條件和配套來配合才行得通。以下是其中比較重要的配套和問題，急待解決。

（一）股份證券市場以及廣泛的金融、資本市場之建立和發展

公有資本的服份制改革，其中一個用意是要廣泛吸收社會分散資金。用什麼方法，如何吸取散資，是一個大問題。大家知道當今中國的股份、證券市場還不發達，還不成熟。金融制度和金融機構也還不齊全，區域差又很大。在這樣情況下，在有限而特定的股份市場放出公有資本股份，不但起不了廣泛吸收社會分散資金的作用，反而會出現一些偏差和弊病。所以要建立和發展金融、資本市場體制是當務之急。

（二）大量下崗職工的就業機會之創造和社會保障、福利制度之建立

國有企業改革必將大量過剩人員截減，勢必放出上千萬的下崗職工。對這批人員要準備安排其出路，保障他們的生活。資本主義國家如此，社會主義國家應做到。可是就業機會的創造目前供少於求。社會保障、福利制度的建立緩不應急，還要國家財政的配合才能作到。這些配套的建立是一項非常艱鉅的政經工程。

(3) 防止國有企業集團的壟斷，促進市場競爭環境

國有企業改革的主要目的如上所述, 是把國有企業推進市場的汪洋大海, 促進競爭、搞活經營、提升社會生產力、發展國家經濟。但是市場經濟發達國家的經驗告訴我們，市場的競爭會導致不競爭，產生壟斷。因為優勝劣敗，勝者會圖謀不競爭的有利狀態，尋求市場壟斷。國有大企業集團不但規模大、後台也大，最容易形成壟斷、妨害市場競爭。為要搞活國有企業，應讓國企之間具有競爭關係。同時，也要讓一些私人企業以及外資企業參與競爭，維持國際水平的市場競爭環境，才能獲得所期成果。

初級階段生產力的升級與公有制優勢

在此再三確認, 社會主義初級階段的首要任務以經濟建設為中心，提升社會生產力。近二十年來，改革開放帶來經濟起飛發展，成果卓著，世人共認。經濟改革來自思想解放，每一次思想解放，都推動一次大改革，都促進生產力的提升和經濟迅速成長。從而改善人民生活, 從貧困狀態起步、升到溫飽, 再到小康水平。接下去，即將向富裕和共富社會挑戰。

這一次公有制改革, 是要消除由於所有制結構不合理而產生的生產力之羈絆。無論任何經濟制度，一般來說，公有制經濟以效率低、經營差見短。中國國有企業為低效率、虧損經營一向被人詬病。對國有企業改革, 有人說唯一辦法是私有化, 別無他途。既然如此，若把國有企業民營化, 則社會主義經濟不等於瓦解了嗎？為解決這個問題，提出了公有制形式多樣化，引進資本股份制，國有企業面向現代企業發展。一來促進企業市場競爭，克服國有企業經營效率

問題，二來可在資產佔優勢下，控制國民經濟命脈、主導經濟發展、維持公有制主體地位。這不失為一個積極而有效的辦法，對整個社會生產力的提升，將具有正面作用。

為何要堅持公有制？我認為公有制包括土地公有。所謂社會主義制度，我認為必定要優於資本主義制度，比資本主義制度具有優勢的制度才是社會主義制度。從這個觀點來看，中國的土地公有制之優勢非常重要，也已經可看出其實際表現來。例如當今中國的城市開發、工業區開發、交通道路、機場港灣以及各種基礎建設企劃非常快，效率非常好，顯然應歸功於土地公有的因素所致。下一步要解決農業、農民問題，這個土地公有制的優勢是一個關鍵所在。

老實說，中國社會主義市場經濟最大、最重要的問題並非國有企業問題，而是具有 8 億人口的農業、農民問題。農業、農民問題的根本解決方法與方向，依我來看，簡言之，就是減少農民人口，擴大農家經營規模，促進農業近代化。這個方向需要城市工業先發展，吸收農民到非農業部門的條件成熟，才能做到，需要很長一段時間。所以把國有企業改革先實施，是正確的戰略安排。同時，城市工業經濟改革告一段落之後，下一步是農村經濟與農民問題的解決。屆時包括農地以及城市房地在內的土地問題是關鍵問題，土地公有制為要解決這些問題，到時一定發生很大優勢。人口密度高的發達國家日本的負面經驗教訓告訴我們，農家停留在小農經營，具有適度規模的現代農難於建立，城市房地產投機帶來經濟泡沫化，其根本原因來自土地私有制，前車之轍不可復。

跨世紀振興中華——代結語

本世紀的中國，是內憂外患、動亂不斷、反帝反封、革命翻身的世紀，是中國人民爭取國家統一、民族復興的世紀。在這過程中，中國共產黨的最大貢獻，與其說是中國社會主義的建設，倒不如說是領導和完成國家的統一，從事振興中華的大事業作出貢獻這一點。歸根結底，這一百年中國的主要潮流還是中華民族的愛國主義、中國民族主義。尤其是客居海外華人特別有此切身感受。至於社會主義建設，共產黨努力實踐，其中也犯了一些錯誤，但再接再勵，打了一個好基礎。近二十年來，幸賴鄧小平理論的領導，找到了出路，打開新局面。

香港已經回歸祖國，平穩過渡業已落實，中共十五大的成功舉行，保證了我中華民族之復興再跨出一大步、更上一層樓，邁向跨世紀的新境界。幸哉中華。

亞洲經濟危機對兩岸經濟之影響和兩岸經貿協作之啟示

本文先後宣讀於「第八屆海峽兩岸關係學術研討會」（1999 年 7 月 12 日至 14 日）以及「跨世紀亞洲人民反對美日帝國主義運動國際研討會」（1999 年 7 月 26 日至 28 日）。本文分別登載於《台灣研究集刊》（1999 年第 3 期，題目為〈亞洲經濟危機對兩岸經濟之影響和兩岸經貿協作的新形勢〉）以及《台聲》雜誌（1999 年 9 期）。本文登出時有部分刪節，此處選錄的是無刪節版。

「跨世紀亞洲人民反對美日帝國主義運動國際研討會」是台灣勞動黨為紀念建黨十周年而舉辦的大型國際會議。與會者分別來自：「全亞洲反對美日帝國主義的侵略與宰制運動聯盟」（AWC）以及其下的韓國和日本實行委員會、韓國的「民族正氣守護協會」、「民主勞總」（KCTU）、「進步政黨推進委員會」、菲律賓的「新愛國陣線」（BAYAN）、「學生聯盟」（LFS）、「農民運動組織」（KMP）、「五一工聯」（KMU）、印尼「進步互助基金會」（YMB），以及馬來西亞「勞工資源中心」（LRC）。會議集中討論了四項議題：(1) 帝國主義全球化和亞洲金融危機問題；(2) 美日新的、帝國主義的軍事同盟和擴張主義問題；(3) 韓國和台灣海峽兩岸在帝國主義干涉下的民族分裂對峙的問題，以及 (4) 在印尼和馬來西亞逐漸成長的人民運動的問題。會後發表了共同聲明與決議。

兩岸中華經濟的良好表現與新形勢之機遇

亞洲金融風暴和經濟危機給這一地區帶來重災與輕災兩極化的影響。其中祖國大陸和台灣的兩岸經濟，幸好屬於少有而難能可貴的輕災區。兩岸在金融風暴的狠打急衝中，在世界經濟廣泛面臨危機之下，尚能維持經濟穩定和高度增長，比起包括日、朝、韓在內的眾多重災國家與地區之困境，成績特別優異，是一次兩岸中華經濟力量的良好表現。

然而進一步透視，則經濟危機對兩岸的經濟影響卻有所不同。最象徵性的事例就是人民幣維持不貶而台幣則貶值四分之一，兩岸所採取的抗災策略迴異，之後的對外經貿表現也不盡相同。一樣是輕災區域，在這一段期間，祖國大陸提升國際政經地位和形象於屹立不搖之中；而相比之下，台灣經濟侷限於狹隘的迴旋空間，沒有餘地。

這一次經濟危機，不但將兩岸經濟的先天條件和後天構造性特點突出，而且也把兩岸之間經貿力量的消長表露出來。祖國大陸經濟的總體力量與影響力業已遠遠超過台灣一步，是兩岸經貿逆轉形勢的一大轉折點。而這一個轉折，意味著兩岸互補關係新階段的來到，勢必將帶來兩岸經貿協作之新形勢。兩岸實現「三通」，進一步互補協作的需求更加迫切，兩岸中華經濟一體化發展的腳步必將邁進一大步。

祖國大陸改革開放和兩岸經貿交流為防災奠定基礎

經濟危機對祖國大陸和台灣經濟的影響之所以輕微，其近因主要來自兩岸都具有外貿順差大、外匯存底多、外債結構好以及健全的金融管理制度之優越條件。先說祖國大陸，從 90 年代以來，外貿年年有近百億美元順差，這兩年都超過 400 億美元，外資又源源流入。結果，目前擁有約 1460 億美元的外匯存底，僅次於日本，居世界第二。外債大約 1400 億美元，其中短期債務只佔 12%，結構健全。金融外匯制度進一步改善，從 1996 年底取得 IMF 第八條國家資格，亦即國際收支的經常賬匯兌完全自由化，而資本賬項目的收支尚保留管制，逐步開放。因此，祖國大陸具有充分能力和條件對付國際短期投機資金在外匯市場炒飆，無懈可擊。考其遠因，無疑是祖國大陸改革開放二十年來，經濟年均增長率高達 9.9%所帶來的輝煌成果。

再說台灣，80 年代，外貿端賴與美日三邊連環，即年年從美國市場獲得上百億美元順差來平衡對日逆差，並積累剩餘外匯。90 年代，擴大對祖國大陸輸出，外貿結構轉型為四邊連環，即由祖國大陸市場賺取上百億美元順差來支付對日上百億美元巨額逆差，以維持平衡。結果，台灣經常保有 800 多億美元外匯存底，次於祖國大陸和香港排名第四，外債僅有 1 億美元（公共外債）。90 年代以來，台灣金融外匯制度逐步自由化，但仍有所管制，特別是金融危機之 1997 年年底以來，對本地法人之遠期無實物交割採取禁止措施。所以對國際短期投機資金之炒飆有一定的應付能力和有效的管理制度。台灣經濟在其有限的先天條件之下，這二十年來年均增長率為 7.7%，長期持續高度而穩定地增長，厚植經濟實力，是抵御經濟危機的基礎。其成就值得贊許。

然而，這裡特別要指出這十年來台灣經濟的成就，有重要一部分與兩岸經貿交流的成果有關。這一段期間台灣經濟所面臨的主要課題為轉型問題，即謀求產業升級、提高產品附加價值和進一步拓展經貿。兩岸經貿交流恰好為台灣經濟轉型提供了一個有力槓桿。

以 1987 年台灣解除戒嚴，開放大陸探親為契機，兩岸經貿交流逐步化暗為明。雖然是間接而單向交流，台灣對祖國大陸出口年年快速增長擴大，從 1993 年超過 100 億美元，順差也超過百億美元。假定 1998 年的順差為 150 億美元，則這十年來台灣對祖國大陸貿易的順差積累，概算約有 1027 億美元之譜。同時，台商赴大陸投資隨貿易之擴大而年年遞增，據台灣當局從 1991 年以來的統計，共有 21505 件投資，總額 129 億美元。這一數目尚屬低估，一般的看法為 4 萬件以上，超過 200 億美元的實際投資，比台灣投資其他地區的總額 180 億美元還要多。

以上的數據，儘管精確度有所保留，然其動態確切在表示著兩點事實。第一，兩岸經貿為 90 年代台灣獲得外匯的主要來源，若無祖國大陸的這一筆大額出口順差，則台灣外貿早已滑落為逆差結構，也無法保有現在的巨額外匯而來厚植金融實力。這一點與韓國外匯短欠受到金融風暴嚴重打擊的情況比較，就可一目瞭然。第二，祖國大陸的投資市場成為台灣產業得以順利升級的槓桿。台灣眾多中小企業赴祖國大陸投資開廠，使台灣勞動密集型夕陽產業在祖國大陸繼續生存營利，減輕台灣為調整產業應付出的經濟成本和社會痛苦，有利於引進高科技彌補產業空洞化而升級。90 年代台灣技術密集的電子 OEM（品牌原裝加工）產業之快速增長就是一個有力的旁證。這些重要事實台灣學術界卻隻字不提，既不客觀也不公平。不過，一般民眾心知肚明，兩岸民間經貿合作有增無減。

總而言之，祖國大陸和台灣兩岸經貿在亞洲經濟危機中所受影響輕微，正是表明祖國大陸改革開放成果豐碩，兩岸經貿交流互補合作有成，兩岸合則兩利之一次具體表現，也是兩岸中華經濟之榮。

人民幣不貶與台幣貶值策略突顯出兩岸經濟特性之差異

從國際經濟觀點來看，一般地說，每一項經濟政策的利害權衡，大致有國際平衡與國內平衡以及內外平衡之三種策略取捨。祖國大陸在這一次經濟危機中，維持人民幣不貶值顯然是採取內外平衡策略之結果，亦即從考慮本身的利害得失以及顧全亞洲各國家和地區在經濟危機中的困境來選擇人民幣不貶之策略。相對的，台灣則採取內部平衡優先策略而讓台幣適度貶值，以維護本身經濟利益。以下扼要地歸納兩岸策略之長短利弊的要點。

先說人民幣不貶之經濟方面得失。第一，從對內利弊來看，長處主要是有利於保持返債能力，輕減進口成本，安定物價以及支援香港金融體制的安定等四個方面。短處是不利於促進外銷，引進外資，改革國企與創造就業機會以及爭取 8%增長等四個方面。其中最大包袱為「保八」，除外銷市場極度蕭條之外，國內在遭遇到未曾有過的特大洪災下，要達到此一國家目標，其難度之大，不言而喻。第二，從對外利弊來看，長處是為緩解亞洲經濟危機做出積極貢獻。再說，假定人民幣貶值，則各國幣值難免再貶，勢必加深整個亞太外匯貨幣市場之混亂而不可收拾，結果中國本身也得不償失。短處是中國要承擔吃苦讓利。除此之外，有很重要的非經濟利益考慮，即用於建立國際信譽和改善國際關係。中國為他國承擔讓利吃苦，不但是再一次表示大國負責的態度，而且透過支援港幣連匯美元制，間接協助美元為基軸的國際貨幣制度之安定，從而改善中美關係，提高中國的國際政經地位。總之，大得大失、權衡長短，取諸於內外政經利害之平衡點。這才是人民幣不貶的基本策略所在。

再說台幣貶值之得失，則完全基於優先內部平衡考慮。第一，維護本身的出口和增長。東南亞以及韓國都是台灣外銷的有力競爭對手，這些國家貨幣大幅度貶值，逼得台幣不得不貶。第二，護盤股價股市。金融風暴波及台灣的 1997 年，當初當局為要安定匯率而抬高利率，致使股價下跌，股戶叫苦。堅持三個月後，10 月中旬，影響所及不得不考慮台幣適度貶值。第三，政治因素的考慮。執政黨面臨 11 月地方首長選舉，為選情之利害而操盤匯率安定股市。除此之外，也意識到江澤民將於 10 月底訪美，操貶時期在 10 月 17 日，一周內香港股市受累遽跌。從其時機來看，難免傳出台灣有政治意圖之臆測。不過，基本上就是為本身經濟利益考慮，才是台幣貶值的策略本質。

兩岸的不同外匯策略，來自兩岸經濟特性之差異。先說台灣，因為台灣為出口導向型經濟，出口依存高達 43%，2200 萬人口的內部市場和擴大內需相當有限，要靠外銷才能帶動增長，惟有隨波逐流，選擇台幣適度貶值之策略，別無他途，是以島嶼的小型經濟為依據。再說祖國大陸，人民幣不貶的策略成為世界熱門話題，議論紛紛而莫衷一是，不易為一般人所瞭解，需要進一步探討其深層依據。

誠然，為大力推動國企改革，產生上千萬的下崗和失業人員，為要創造大量就業機會有必要「保八」，維持經濟高度增長。然而人民幣不貶何來「保八」？因為中國的出口依存度高達 20%，捨拓展外銷難求增長，這是評論人民幣非貶不可的基本論調，其實不然。因為祖國大陸有十分遼闊之國內經濟條件，有廣大的國內需求和潛在市場，據此帶動持續增長。祖國大陸外銷絕大多數偏靠東部沿海地區，其中之 48%又是由三資企業承擔，出口依存度 20%之數值是以名目 GDP 計算而得，其實偏高。世界銀行評估中國以購買力平價的人均所得，高於名目所得之 4 倍至 5 倍，若用 4 倍計算，則實質出口依存度只有 5%之譜。所以中國靠出口來帶動增長的重要性實際上未必很高。再說，中國是一個擁有 13 億人口、廣大國土的發展中國家。近二十年的經濟發展僅確保人民溫飽乃至小康的生活，離富裕水平尚有一段距離。過去這一段經濟發展主要集中在東部沿海地區，還有廣大的中西部低度開發地區，擁有豐富的人力、物力資源留待開發，需要進一步擴大國內市場，促進整個國民經濟的地區性分工協作。所以依靠國內貿易和消費投資市場來帶動持續增長的條件和可行性非常之大。這就是祖國大陸的大型經濟之特性。

總而言之，在亞洲經濟危機下，從人民幣不貶與台幣貶值之策略以及其依據中，可看出兩岸經濟結構之特性。此一特性具體地表現在這一年來兩岸經濟動態的消長中。

金融風暴後一年來的兩岸經濟動態與外貿消長

亞洲金融風暴第二年的 1998 年，是考驗兩岸經濟的一年，也是實證上述外匯策略與經濟特性效應的一年。這裡主要從宏觀經濟的角度來探討這一年來兩岸經濟的動態表現。

首先綜觀兩岸經濟概況。祖國大陸交出來的成績單是增長率 7.8%，消費物價降低 2.5%（迄 9 月底），登錄失業率 3.3%，糧食生產 4.9 億噸，農業連年豐收，外資實際投資 400 多億美元，比前年減少 8.9%，出口增長率負 0.5%，順差約 436 億美元。人民幣不貶顯然不利於出口和外資流入，然而外銷尚可持平，在遭遇到未曾有的大洪災之下農業尚能豐收，最後結果幾乎達到「保八」的目標，屬於高度增長，這一份成就實在難能可貴。這裡應該補充說明失業率不包括 3.5%的下崗人員，上千萬的待業人員並非經濟危機的影響而是屬於內部經濟改革所產生的問題。

台灣經濟增長率 4.9%，物價上漲 1.4%（迄 10 月底），失業率 3.0%（9 月份），僑外資投資 25 億美元（迄 9 月底），比前年減少 22%，出口增長率負 9.4%，順差 59 億美元。台幣貶值 1/4，出口尚難保住現狀水平而大幅度減退, 秋季以後突然爆發一陣企業財務危機之風波，阻滯景氣，增長率遂於未達到預設目標的 5.5%。然而, 總觀亞洲諸多國家與地區的經濟都在零增長或者大幅度負增長的情況下，獨有海峽兩岸經濟達成 7.8%的高度增長和 4.9%的安定增長, 此一表現可以說非常優異, 令人不能不感到兩岸中華升龍之勢。

在外銷市場蕭條不堪的形勢下, 兩岸持續增長的共同點是主要依靠內需。祖國大陸政府大力投資基建和住宅等公共設施。台灣則民間投資大幅度增加帶動景氣。這一次亞洲經濟危機的一個重要教訓, 就是內需的重要性。內需的迴旋空間在左右持續發展的走向。祖國大陸之所以能克服難關「保八」, 其主要依據就在此。有人說，中國的統計數字不值得信, 這種論調自曝淺見無知, 不值一理。無論如何，祖國大陸有必要繼續謀求高度增長是客觀形勢的需求所致。不過內需雖重要, 但是長遠來看, 外銷的重要性仍然不可忽視。以下特地從外貿觀點來看這一年來兩岸動態的消長和趨勢。

1998 年兩岸的出口，祖國大陸為 1838 億美元，比前年微增，是二十年來第一次持平增長。台灣的出口 1106 億美元，是 1982 年以來的一次大幅度出口減少。觀其內容，兩岸的共同點，都是在對日本和東南亞國家大幅度減退, 而以對歐美外銷的增長, 尤其對歐洲的大幅度增長來彌補。然而不同點在於祖國大陸在亞洲地區的減少幅度都比台灣小, 而對歐美的增加幅度都比台灣大。祖國大陸的外銷優勢, 主要在人民幣不貶之下而工資水平與東南亞國家比較尚具有優勢所致。

其次，概觀兩岸的外銷消長之推移，早在 1992 年就開始面臨轉折。這一年祖國大陸的外銷 849 億美元，超過台灣的 815 億美元。從此兩岸外銷之差距逐年擴大，1998 年祖國大陸的出口超過台灣大約 700 億美元，為數不少，台灣的外銷規模僅佔祖國大陸的六成之譜。再看兩岸外貿順差的推移，祖國大陸的貿易收支從 1990 年開始進入順差軌道，1997 年規模猛增超過 400 億美元，1998 年達到 436 億美元。台灣的外貿，則從 70 年代以來，長期維持順差，80 年代年年超過百億美元，90 年代開始減退，維持在 60 億至 70 億美元之間，1998 年不到 69 億美元，有逐步滑落之趨勢。

從以上的觀察可以指出兩岸經貿關係有三方面的消長趨勢。第一，由於台商大舉赴祖國大陸投資，生產據點轉移到對岸，台灣的相當一部分傳統勞動密集型外銷產品已由祖國大陸的外銷替代。第二，這一段期間台灣的外銷，則靠升級產業的高附加價值產品之出口來維持增長。第三，由於近年祖國大陸產業，如電子、機械部門的快速發展，與台灣產品在外銷市場上開始形成競爭關係，部分產品在歐美市場逐步取代台灣。其中，象徵著兩岸經貿力量消長的最典型事例就是對日貿易關係。

眾所周知，台灣對日貿易長期一直是逆差，而此一逆差越來越大，1998 年達到 170 億美元，為數相當龐大，台灣始終不能加以改善和擺脫。幸好以祖國大陸的巨大順差來彌補才能維持平衡。然而，很少有人注意到祖國大陸對日貿易基本是順差結構。從 1988 年以來，祖國大陸對日貿易一直是順差，1989 年為 26 億美元，1997 年擴大到 203 億美元，1998 年大約在 150 億至 160 億美元之譜。這裡應該強調，日本是外貿的順差大國，除非資源輸出國家不談，無論是先進國家或者是發展中國家，日本的外貿收支對任何國家與地區都是順差，惟有對祖國大陸是逆差關係，而其規模相當大。日本從祖國大陸進口商品中製成品佔 81%（1998 年迄 9 月底），日本市場是世界最難打進的地方，可見祖國大陸外銷競爭力水平之高相當可觀。

祖國大陸對日順差和台灣對日逆差都是結構性的。三者之間的連環關係，兩岸定位不同，則台灣的立場有必要以對祖國大陸的順差來平衡對日本的逆差，而祖國大陸未必以對日順差來平衡對台灣的逆差。這一年來，台灣對日逆差擴大而對祖國大陸順差卻減少，總體順差略減或持平。祖國大陸對日順差雖減少，總體順差則再擴大。台灣依賴祖國大陸市場的必要性越來越大而不可或缺。這是市場力量的自然規律。

兩岸中華經濟勢必趨向一體化

這一年來，在經濟危機中兩岸外貿動態的消長，呈現祖國大陸經貿的優勢遠超過台灣。祖國大陸在人民幣不貶之下外銷尚能持平，留有十分迴旋空間，台灣則台幣貶值仍欲振乏力，保不住現狀水平，毫無餘地。這一個動態走向，基本上受制於兩個方面的基礎因素。在發展階段方面，祖國大陸改革開放，向社會主義市場經濟軟著陸，經濟全面在加速起飛階段當中，而台灣經濟則走到後起飛成熟階段，正面臨產業再次升級的新階段和轉型課題。在經濟結構方面，祖國大陸是大型經濟，台灣是島嶼的小型經濟，條件與特性迥異。正因為是發展階段和經濟結構不同，所以兩岸經濟互補性非常強，協作化的需求很大，合則兩利。經濟危機就是進一層合作的機遇。包括政治問題在內，台灣若不釜底抽薪，徹底改善兩岸合作關係，則只有滑落一路。試問，台灣沒有繁榮的經濟，怎會有安定的政治和久遠的安全感?

台灣產業再升級的涵義，離不開結合祖國大陸市場為腹地的構想。回到台灣當局本身於 1995 年 1 月釐定的「亞太營運中心」計劃之基本點，覓求兩岸各種各樣產業的多方面協作關係，建立互補互惠分工的合作架構，早日付諸實踐，這才是台灣產業再次升級和經濟根本轉型的捷徑。此路已開，首先應撤除本身架設的「戒急用忍」屏障，實現「三通」和雙向交流，就可讓「亞太營運中心」計劃落實一大半，誠是事半功倍。特別是兩岸高科技加工製造、貨幣金融、航空海運三方面的提攜合作，各項條件齊備，弩弓待發。據此，未來台灣必然邁向中華經濟乃至亞太經濟的一個副中心發展，大有可為。

總之，台灣經濟的出路捷徑和光明前途在祖國大陸，兩岸中華經濟勢必趨向一體化。這是亞洲經濟危機給兩岸經貿關係的重要啓示。

亞洲金融危機對香港經濟的影響

本文是 1999 年 7 月 27 日劉進慶在「跨世紀亞洲人民反對美日帝國主義運動國際研討會」(1999 年 7 月 26 日至 28 日) 宣讀的論文。

一、兩岸三地針對亞洲金融危機的外匯政策之特點

兩岸三地對亞洲金融風暴所採取的匯率策略, 依其經濟條件之不同而各不相同, 恰好形成三個戰略類型。即台灣採取國內平衡優先策略而讓台幣適度貶值, 大陸考慮內外平衡策略而堅持人民元匯率不貶, 香港則選擬國際優先策略而固定港幣匯率。所謂國內平衡優先, 即考慮本身的出口成長以及股房市之穩定等利害關係來調整匯率。內外平衡即衡量本國的宏觀經濟之平衡發展之外, 還考慮外國以及國際經濟的得失而來決定匯率策略。國際平衡優先是一時犧牲國內股房市以及經濟成長來維持對外經濟關係之穩定。香港以港幣釘住美元的匯率制度不變, 來維護香港國際金融中心地位之穩定和對外信譽作為優先考慮, 而來容認房股市滑落, 短期間忍受景氣蕭條, 就是國際優先策略的典型事例。

二、香港採取國際平衡戰略的依據

第一, 維護國際金融中心地位之穩定與信譽, 就是維護香港經濟的骨幹和命脈。香港自從 1980 年代初, 回歸祖國日程上台之後,

逐步把出口加工業的生產基地遷移到深圳、廣東地區。經濟轉型重點快速移到金融和房地產服務業，特別是發展國際金融業務，成功地把香港經濟推動向國際金融中心升級。同時，外匯政策從 1983 年採取港幣釘住美元的固定匯率制度，獲得良好效果，得以維持這十多年來的金融市場之穩定和繁榮。

第二、香港房股市從回歸祖國之前幾年，掀起一片「回歸景氣」，開始飆漲，經濟泡沫化，注定早晚要面臨調適局面。香港當局有意藉此機會調整泡沫化市場而容認股市滑落。不過，確實沒有料到這一次金融風暴影響如此深刻，經濟危機如此長期，以致經濟受到很大打擊。

第三，港幣匯率固定化與人民幣匯率不貶之利害一致，相輔相長，有利於香港與大陸兩地經濟相互依賴關係的安定與發展。

三、香港股房市動盪波及美日和全球

1997 年 10 月 17 日，台灣當局基於種種因素之考慮，逐於放棄護盤匯市，容認台幣貶值。後浪推前浪，同月 20 日，國際投機資金（炒家）大力襲擊香港匯市，大量拋售港幣。香港為要維護固定匯率，致使利率激升，導致同月 23 日的股市暴跌。影響所及，接踵波及紐約股市而再擴大到東京股市大幅度跌價。整個世界經濟頓時面臨危機恐慌之邊緣。由此可見香港市場扮演體現全球經濟的靈敏觸覺角色。

四、香港經濟付出不少代價後再上繁榮軌道

香港在完全自由的市場體制下，以堅持匯率不變而來維護其國際金融中心地位之安定與信譽，這一件事與照顧股房市之間的利害

關係，幾乎難予兩立，只有兩者之間取捨擬一。因為國際投機資金的炒法，基本上以當地貨幣打擊當地匯市，即一面出售當地貨幣期貨（遠期買賣），另一面則大量借貸當地貨幣而來大量拋售，逼使匯市飆亂匯率滑落，到期清算差價，撈取差額暴利。由是當炒家大量借用坐地貨幣時，金融當局勢必採取提升貸款利率。利率一攀升，則不利於股市。香港當時採取 300%的懲罰性折款（周轉性短期借款）利率，以致嚴重打擊股市。同時，在這一段期間，香港當局動用了大約 140 億美元的外匯準備金，來護盤匯市。一方面，股房價節節下跌，香港市場每況愈下。固定匯率的一面使服務業收費相對昂貴，連帶影響觀光旅遊業不振。結果，這兩年來整個香港經濟蕭條不堪。

試看這一段期間各項經濟主要指標。先看香港股市大起大落情況，恆生指數最高 16400 點（97 年 7 月），最低 7900 點（98 年 7 至 9 月），97 年平均 14400 點，98 年 9500 點。其次，1998 年一年，經濟成長率-5.1%，出口-4.6%，失業率 4.7%。對此香港當局採取大規模公共投資，例如釋放公有地蓋建住宅，興建大型新機場，大興土木以擴大內需，但是效果不彰，緩不濟急。

大陸方面在這一段期間也在各方面支援香港，例如 98 年夏，國際炒家再度襲擊香港匯市時，大陸以其豐富外匯在背後鼎住香港匯市。再說，放寬大陸遊客赴港，支援香港旅遊業等等。

幸好香港經濟的蕭條已近底谷，景氣正在復甦。其最大癥候乃為恆生指數之快速回升。這 6 月份從 2 月的 9900 點大幅度攀升到 14000 點。大陸上海、深圳股市也同步在上升。背後有大陸經濟的穩步發展與美國為首的國際資金之還流亞洲動態。

總之，這一段期間香港當局針對亞洲金融風暴的克難策略是正確的。香港苦節兩年之後，終於成功地再上繁榮軌道了。

當前台灣的經濟困境與勞動處境及其未來出路

本文是勞動人權協會機關刊物《勞動前線》編輯部藉劉進慶返台清明掃墓之際，邀請劉進慶至勞動人權協會接受採訪而形成的論文。本文由王武郎與臧汝興進行採訪與整稿，經劉進慶本人審閱修改後刊出。發表時的標題為〈訪問知名台灣經濟學者劉進慶教授談當前台灣的經濟困境與勞動處境以及其未來的出路〉，登載於 2001 年 5 月《勞動前線》（台北）第 34 期「五一特刊」。

一、台灣邊陲經濟在下沈

要談目前台灣經濟危機的困境與未來的出路，首先要概略的提到戰後台灣資本主義發展過程中的一些特點。

戰後台灣經濟是在繼承戰前殖民地經濟的基礎之上，由追隨內戰敗戰將蔣介石集團來到台灣的江浙財團資本，與台灣本地的土著資本同盟所產生的邊陲型資本主義。一開始時是在冷戰時期的一種「開發獨裁的發展形式」，即寄生蔣政權絕對主義專制，來進行資本的原始積累，而江浙財團資本和台灣的本地土著資本都在此階段得到快速積累而膨脹，此為特點。

另外，台灣戰後社會的經濟發展過程也是一種殖民地之後的經濟發展，也是戰後多數的發展中國家社會必然會發生的一種「新殖民地化」的發展。對於台灣而言應該是一種以美、日為中心的，半邊陲的「新殖民地型」資本主義經濟，而以中國大陸、東協其為邊陲，特別是新興工業化國家地區中的台灣和韓國，其經濟的發展特點是接近美、日中心國家，而成為次中心的地位。目前台灣經濟發展的困境，（乃至包括日本現在發展的困境），反映 90 年代以來，台灣歷經幾十年努力所得來的次中心地位，逐漸在衰微下沈。

二、經濟全球化給台灣帶來新課題

其實目前的困境是 90 年代以來世界性的經濟全球化趨勢所帶來的。所謂的「全球化」，我們應該說其背景是來自於冷戰的結束、世界國民經濟的圍牆更加的降低，資本與勞動力的跨國移動更加的擴大，加上美國經濟的復甦的帶動；美國配合 IT 革命（資訊革命）新經濟的大力推動發展也給全球性「市場機制的專一化」傾向日益加強。全球化的概念——按新自由主義理論的解說——會帶動全球的繁榮，發展中國家也會因此而得到一些發展，但實際上則是出現「兩極化」的發展現象。即是：一些地區更加的發展，另一些地區是相對的更加落後，整體上的差距是在拉大。為了預防「兩極化」的負面影響，因此在全球化發展的同時，區域化趨勢也在同時進行中。

最代表性的即是歐洲的歐盟與美洲的 NAFTA 和東南亞地區的東盟的茁壯。但就東盟而言目前只限於亞洲（東亞）的局部，應該再包括東北亞的日本、韓國與中國大陸、台灣、香港等兩岸三地的全面區域化。經濟區域化的發展是必然的趨勢，是一種世界性的潮流。東亞的區域化發展，雖因南北韓的問題和兩岸間的政治問題還沒有解決，其發展暫時擱置下來，但是，南韓和北〔朝〕鮮的局勢在兩金會談之後，有所鬆動；而兩岸的僵局仍持續下去，至今未見突破。

全球化帶給我們一個新的課題。我們先以日本的經驗為例，日本的發展今天遇到不少困難。其經濟特別在金融方面，在金融資本全球化的衝擊下露出很大弱點，加上其整體經濟、產業結構本身在轉型的調整過程中出現問題，處理不好，從 90 年代初泡沫經濟破滅至今，都很難再復甦起來。為何要以日本為例來看目前台灣經濟的危機與困境，是因為台灣經濟一直在跟著日本的後頭走，日本的困境大可以用來解釋台灣目前困境中的一些問題。諸如泡沫經濟和產業轉型結構調的問題同樣困擾著今日台灣。

三、另一次轉型升級的攻關局面

台灣的困境之遠因始於 80 年代產業升級的不順利。但是到了 90 年代初期，在單項的電子、電腦產業的加工發展上卻得到了機遇，即得到了美日電子、電腦產業的集中委託生產訂貨，使台灣 90 年代成為電子電腦產品的世界性加工基地，讓台灣的經濟暫時的鬆了一口氣。因此在 90 年代，一般看來台灣產業升級還算是成功的，也就是電子產業搞活了；而傳統的勞力密集產業則順利的移到大陸去，讓以中小企業為主的勞力密集產業在產業結構的轉型調整中沒有受到很大的痛苦，而剩餘的勞動力則由電腦、電子加工產業和其他第三產業來吸納，勞工就業機會並沒有發生很大的問題。

但是目前的條件卻是在變化中。也就是，中國大陸在近二十年改革開放的經濟發展之後，已經成為世界性的一大加工區基地，其條件類似台灣的 60 年代至 70 年代一樣，有著豐富的勞動力，有上億人口的剩餘勞動力在等待全世界資本的投資和僱用這些勞動力。在此形勢之下，幾乎讓台灣傳統的勞動密集產業不能再存在下去，它們如果不外移至大陸去，在台灣唯有關廠廢業，毫無生存的餘地，而只有到大陸才有生存的空間，此為經濟原則，不是「是否留根於台灣」的問題，因為傳統的勞力密集加工產業，其「產業的根」本身就很淺。

這些產業移去大陸，自然在台灣會有「產業空洞化」的問題出現，「產業空洞化」的問題在 90 年代之所以不嚴重是因為電子資訊產業發展起來了，但是現在則是沒有新興的產業能夠發展起來，並且包括電子資訊產業在內也在大規模的外移至中國大陸。因此目前在台灣能生存下來的產業就只有新竹科學園區和南科中的尖端的電腦產業加工、半導體製造等等，不過這些產業能夠吸納的勞動力卻是很有限，台灣的失業每況愈下，非常嚴重難有改善空間。以上是目前台灣經濟困難的第一個因素。

而台灣經濟困難的第二個因素則是，在製造加工業的發展在台灣已經沒有希望之後，而金融、服務業的發展前景，卻因為島內金融業本身存在著結構性的問題，有著巨大的呆帳，所謂的「不良帳」。本來是需要大膽的改革才能克服，但是大膽的改革恐怕影響經濟情勢的穩定，而不敢著手大刀闊斧的改革，此現象也與日本的情況很相似。不過由於沒有根本的解決問題，金融業問題的陰影依舊存在。

目前台灣的資金也大量的外移至大陸去，這並不只是因為隨著製造業前往的關係，而是在台灣經濟的特質。台灣經濟經持續三十年的成長之後，經濟力量的優勢，已不是在「製造加工」方面，而是移到資金、金融方面的優勢。台灣已成為國際上的投資地區，但是這些金融、資金在台灣已沒有投資獲利的機會，它必然要外移到海外辦廠，或投資證券等，以增加利潤，這是台灣經濟必然要走的方向。

不過，資金大量移到大陸去，則是有其特殊的因素，因為在目前世界各地，投資機會最豐富也最有希望的就是中國大陸市場。不論日本、美國、歐盟或看東南亞各地都沒有如此好的市場條件。所以台灣資本外移至大陸是一種必然的趨勢。

總的來講，目前的台灣經濟危機是一種非常深刻的結構性危機。透過日本的經驗來看，結構性的經濟危機要恢復，恐怕是需要花費很長的一段時間，三年、五年不等的中長期時間，在這段期間，台灣的經濟會是處於一種欲振乏力的困難局面。

四、兩岸加深分工合作，台灣經濟才有出路

那麼往後台灣的經濟要怎麼辦？我們要靠什麼來吃飯？這問題首先是要從台灣的經濟轉型和產業升級著想，否則長期的結構性經濟衰退將難以避免。就台灣目前的經濟條件而言，要升級則避免不了與中國大陸在經濟方面的合作關係。而這二十年來，中國大陸的改革開放，其經濟起飛已是世所公認，並且其經濟力量也已十分強大。

過去二十年來的兩岸經貿往來，主要是單方面的交流為主，這期間台灣的外貿是「單行道」般出口至大陸，每年都積累了大量的順差，從幾十億美元成長到近二百億美元左右不等，這些順差剛好可以拿來彌補台灣對日的貿易逆差。因此從日、台、大陸間的三角貿易關係，再包括美國的話則成為一個四方平衡（square trade balance）的經貿關係。但是此一平衡互補的經貿關係漸漸的遇上困難，首先是兩岸在加入 WTO 之後，台灣對大陸的順差勢必大量減少，對日本的逆差恐將付不起，則台灣會淪為逆差地區。

而台灣的產業升級，仍然只有透過與大陸的合作互補來解決才有出路，別無他途。若說要與東盟、美國、日本間進行產業合作，

以此成為產業升級的「槓桿」，依種種現實的情況幾乎是不可行的。也唯有依靠中國大陸，藉著中國大陸市場作為「槓桿」才有可能促成產業升級，而這需要台灣方面在政經立場和策略方面必須進行很大的改變，否則也克服不了問題。事實上要指明一點，即是台灣經濟對大陸經濟的依賴度是非常高的，出口中的 18%要依賴中國大陸。WTO 加入之後，兩岸間的貿易額隨即必將超過台灣對美的貿易額。目前台灣對大陸的依賴關係是不能否認的事實，要承認這一關係，才能在此基礎上，找出克服台灣經濟困境的答案。而這會是牽涉到兩岸間的經濟合作與政治關係如何改善的問題上。

因此，談到以後台灣靠什麼產業來維持繁榮，除了要依靠尖端的半導體、電腦產業的加工之外，還是不夠的。況且有很多的企業外移的工廠其留下來的剩餘勞動力，是無法依靠這些產業來吸收。而且今天在台灣，加工業早是已經過時，農業又不行，服務業在島內也找不到市場的情況下，那麼該怎麼辦？很清楚，即是唯有和中國大陸擴大合作。

我具體的想法，即是台灣要成為國際性的服務業中心，有點類似先前行政院提出的「亞太營運中心」的構想，此構想是有其合理性，值得重視。此中心的構想就是要以大陸市場為腹地。而台灣如要發展國際服務業也必須要和大陸建立一個好的合作分工體制的關係。譬如說，大陸沿海地區的海運服務業專由台灣來承擔；空運的一部分也可讓台灣來做，由此也可發揮台灣地緣上的經濟戰略優勢。此外，如果大陸的一些重工業及其高級零組件、機械工業的生產，一部份可以拿來給台灣做，讓台灣目前比較高技術的勞動力能夠發揮，經濟上建立這樣的互補合作協力的關係，則在台灣未來還是會有很多的就業機會可以創造出來。

那麼這牽涉到的就不單只是兩岸三通，或所謂單純的經貿正常化的問題，而是政治上的問題。

五、消除兩岸政治敵對為突破困境的前提

如果政治問題不早解決則根本談不上上述的構想的實現。政治上的基本問題如果能夠透過雙方政治談判早日解決，我們可以要求大陸方面與台灣間的正式的分工協作體系早日的建立起來，上述所提的行(產)業由台灣方面來做，其原則即是兩岸三地的經濟合作，以保持台灣的工資水平，起碼要維持目前台灣的生活水平，避免台灣的工資水平因為經濟的交流而降低。由於此種合作分工協力的體系是以國際服務業和以高級零組件、機具工業等面向大陸市場的生產的加工基地，這樣就能維持台灣的工資水平與就業機會。也可以像香港目前「一國兩制」般限制大陸勞動力流向來台灣，而台灣的勞工、人才如果願意到大陸發揮的也可依願到大陸謀生發展，如此也可紓緩、減少台灣勞動力市場的壓力。

簡單的講，如果沒有這樣與大陸的整體經濟分工協作體系的重整再編的話，現在台灣的產業升級結構調整將難以實現，如果一再推遲此產業升級結構調整的問題，則台灣經濟的困境將會更往下沈淪，經濟、社會的不安是會愈來愈加深。所以，歸根結柢要解除台灣經濟的困境，社會的不穩定，唯有兩岸基本的政治問題要趕快早日解決，才有可能談到將來建立兩岸間正式的互補的合作分工協作體系。這可能是解除台灣目前經濟困境唯一的辦法，如果台灣方面還是刻意的昇高對中國大陸的敵對關係；助長「敵視大陸」心態的存在，這無異是一種盲從的政經「自殺行為」。

在資本的外移已是台灣避不開的動態趨勢之下，那麼要創造台灣的就業機會除了上述所提的構想之外，也還要有吸納大陸服務業資本的設想，譬如上述國際航運的服務業生意由台灣來做，等於讓大陸資本來幫忙台灣的國際服務業；此外，讓大陸國有企業重工業

資本，向台灣投資，等於幫忙扶持台灣的機械、高級零組件加工、儀器的產業。既然台灣的資本可以去大陸，也該設法讓大陸的資本和企業能來台灣投資。這樣採用各種形式的經濟交流來互補，就能解決目前經濟困境和勞工失就業的問題。

當然上述所創造增加的勞工就業機會是難以立刻解決吸納目前的失業人口，但是會日後長期對台灣勞動市場需求的增加有正面的幫助，也會間接的創造出工作機會給目前的失業工人。但如果這個兩岸的分工協作形式沒有儘快建立起來，則隨著兩岸經濟交流愈深，台灣這方面失業率必然會愈來愈高，但是我們不能因為資本、加工業外移而反對他們外移，況且也反對不了。而企圖制止台資至大陸或敵視台商至大陸，如此敵視他們其實等於是敵視自己（的將來發展），這不是根本的辦法。重要的是建立兩岸間的互補分工協作，其前提即是政治問題要透過早日談判來解決。我個人認為「一國兩制」的模式在香港的實踐已經有三年，其兩制運作的經驗是正面的、積極的。香港回歸中國之後，其世界性的金融中心地位並未動搖；香港經濟也已恢復；香港的持續繁榮發展也是有目共睹，值得我們思考，對台灣來說，今後恐怕也沒有別的出路吧！而這對改造社會的進步運動來說，也是目前為止，台灣能夠擺脫在戰後所形成的「新殖民地型」邊陲經濟發展模式的唯一道路。藉著兩岸間的互補的分工協作體系所客觀形成的「民族經濟體」，將一向依附外資、外國市場、外國技術的台灣資產階級轉變為民族資本家。將勞動人民所創造的價值（財富）的轉移，儘量的不被外資轉移至海外，這也會對台灣勞工爭取其所創造的社會財富合理分配更有利。此外，兩岸間的政治分歧化解之後，台灣社會的勞資基本矛盾，改造社會等的問題，人們也才會看得更加的清楚，對於問題的改善解決才有幫助。而社會財富的增加，政治的穩定，也會給台灣社會福利、社會保障制度的充實完善化提供財政的、社會的基礎。

六、全球化和加入 WTO 對勞工得失參半

經濟全球化對國際勞工的影響，一般來說是正、負兩面皆有。資本一般皆往低工資、勞動市場豐富的地區流向，全世界資本朝向中國大陸市場去，即是典型事例。這樣也讓大陸下崗工人、農村的剩餘勞動力有就業僱用的機會增加。但以台灣的情況而言，則是負面較大，由於我們的資本外移、出現「產業空洞化」，造成就業機會減少，失業率增加。全球化在理論上是會對全球的資本市場、勞動力市場、生產資料、資源市場的發展造成「均衡化」、「平均化」的影響，但這只是理論層次的說法，在現實上卻不然。反倒是造成「兩極化」、「拉大差距」的現象。得到好處的地方與吃虧的地方相比較，其發展的差距是在日益拉大。

就海峽兩岸而言，對大陸（勞工）是好處多一點，而對台灣勞工是負面較大。由此來看就會更清楚的發現，在兩岸關係加深的同時，對台灣勞工產生的一些負面性影響，其實是來自於經濟「全球化」的因素。這個問題不是台灣獨有，日本、韓國也同樣碰上有此情況，日本正苦於居高不下的失業率的困難。

另外，在全球化的過程中，所出現的「公有企業民營化」問題，因為民營化減低了對勞工工作權等的各種保障，也必然會造成勞工的不安，激起勞工的反抗。就目前全球化的動態發展來看，民營化幾乎成了趨勢。全球化要求市場機制掛帥，要求市場自由競爭，而公營企業往往有政府的政治的、其他非經濟因素的保護，難以面對如此高度競爭的環境，各國的公營企業紛紛被迫進行民營化。在台灣，特別是加入 WTO 後，在此形勢之下，儘管勞工不斷的進行反抗，此趨勢要扭轉也不容易。面對勞工的反對，國家在推動民營化時，至少應該是有一過渡的期間的準備，在推動的程序與過程的安

排上照顧好勞工的各項權益，特別是勞動就業市場的安排，以減少勞工所受到的各種負面的影響與衝擊。

此外，從台灣工運的發展與勞工社會地位的提昇來看，全球化對台灣勞工也產生另一些負面性影響。台灣的勞工隨著 60 年代加工出口的發展，勞工在社會的數量日增，也成為新的社會階級，但在戒嚴體制下勞動三權的行使都被禁止。解嚴後，工運處於低度的發展之中。但在 90 年代之後，台灣官方順應全球化潮流的過程中，不論國民黨政權或今日的民進黨政府，其採行的皆屬於保守主義右翼政權的「新自由主義」政策。表現為製造勞動市場的彈性化，僱用的不穩定，削減社會福利開支，更大力的推動民營化……等等；並且以改惡勞動法，來打壓進步的工會運動。這種「新自由主義」的攻擊，對組織力、意識化等實力皆有待發展的台灣工運而言，會是一大挑戰。

但總體而言，台灣在面臨全球化的挑戰和「區域化」發展趨勢同時進行，更需要透過兩岸間經濟的互補的分工協作體系的建立，以擺脫目前困境與日後所面對的問題。而要加深兩岸經濟的合作也只有上述政治問題的突破才有可能。台灣一般的勞工市民大眾也必須認清此情勢和建立兩岸間經濟的互補的分工協作體系的重要性，將此要求儘快反映在政治的要求之上。

但如果單只抱著資本外移會讓台灣吃虧，最好不讓他出去的想法和作法則不但解決不了問題，而且會讓台灣的經濟情勢和地位弄得更加下沈。更不能有把大陸經貿關係切斷的想法和做法，這是行不通的。因為在經濟的現實上，台灣企業是從日本進口零組件、設備、技術，稍為加工出口至大陸去，經由一次加工、二次加工之後，再出口到美國市場去，是一種經貿的四方關係，不能任意的切割開那一部分。因此，台灣如只幻想依靠美國、日本，就不必依靠大陸，那是不切實際的，因為現實上今日美、日的經濟也要依靠中國大陸市場才能持續發展，間接幫忙台灣的出口導向。

七、一國兩制才能維持現狀持續發展

至於，要以繼續維持或強化「戒急用忍」政策來確保台灣的經濟，或認為此一政策可限制資本外移，防止工作機會的減少。從東亞區域經濟合作的觀點來看，這種作法是消極的，也是沒有出路的，甚至是一種「坐以待斃」，對廣大人民很不負責任的作法。如果台灣人真不想讓中共來管，那就更應該思考「一國兩制」的合理性與迫切性。現在台灣人不能再停留在冷戰時代的思惟，自認為是一個主權國家，而在國際社會中卻得不到別的國家的承認，這是不務實的。台灣要維持此「國家」的局面，長期保持與大陸敵對和對抗，在國防外交耗費大筆的預算，排擠了其他預算的支出，這顯然對經濟社會的發展，人民福利的照顧相當不利。從這一點也可以看出台獨的本質並不是在追求多數勞工人民大眾的利益。

時機已經到了應該具體的大膽的來談「一國兩制」得失的時候。「一國兩制」是一個主權國家之內，有兩個制度的市場的運作，台灣可仿效香港用「兩制」的範例來處理，讓「現狀」維持的更好。也就是說，如果台灣要「維持現狀」的話，則現在更需要利用「一國兩制」來達到這個目的。不然，以目前的經濟情勢，台灣的現狀將是愈來愈下沈，浮不上來。如果兩岸早日透過政治談判，確認一個中國原則，消除敵對關係，合理協議，樹立建全的「一國兩制」，則不但可讓台灣的現狀不致有繼續惡化下去，而且進一步可讓台灣找到一條持續繁榮，安定和平的康莊大道和光明的未來。

中國和平統一的物質基礎

兩岸經貿一體化動態

本文是 2001 年 7 月 16 日劉進慶在「全球華僑華人推動中國和平統一大會－新世紀東京大會」(2001 年 7 月 16 日至 17 日）宣讀的論文。本文收錄於《全球華僑華人推動中國和平統一大會－新世紀東京大會論文集》，東京：日本僑報社，2001 年 7 月。

在保留本文大多數文字的基礎上，劉進慶另外改寫出一篇題為〈新世紀海峽兩岸經貿一體化的加速和「一國兩制」的切實性〉的論文，2001 年 7 月 21 日宣讀於「第十屆海峽兩岸關係學術研討會」(2001 年 7 月 21 日至 24 日)。因內容重複過多，故不選錄。

一、先說為何要反獨促統

直截了當地說，推動中國和平統一的要諦在於反獨促統。先說，為何要反獨？就是因為反獨，不讓台灣獨立，台海才有和平，有了和平台灣才有安定和繁榮，安定和繁榮就是最合乎台灣同胞的社會經濟之根本利益。再說，為何要促統？中國的統一，是中國人的大是大非問題，世界上只有一個中國，台灣是中國固有的領土，國家主權的完整神聖不可侵犯，海峽兩岸的統一是大勢所趨，人心所向，一定要實現。這個大原則，沒有討價還價的餘地。姑且不論這個大是大非問題，且說為何要促統。當前，我們要促統，就是因為反獨還不足，還要提防以下美國為首的一股反獨而「和而不統」的勢力，粉碎他們想把中國兩岸的分裂狀態固定化、永久化的陰謀。

本人出身台灣，是土生土長的台灣人。二次大戰日本投降，台灣光復，說是台灣回到祖國的懷抱，但是實際上到現在已經半世紀多了，台灣和祖國還沒有完全統一。想起受日本殖民統治之苦的先代，在戰後有生之年，沒有看到祖國完全統一，這是台灣有心人的一個沈痛之歷史教訓。祖國統一、振興中華，是所有炎黃子孫的心願，我們應該早日解決台灣問題，越早越好。兩岸早日統一，在統一的中國之下，一國兩制，台灣享有高度自治，台灣人得以當家作主。台灣人在偉大祖國的懷抱裡，在世界上共享中國人的榮譽，實現永久安定的當家作主之地位，是最合乎台灣同胞長期以來的歷史願望。所以促統是最合乎台灣同胞之歷史的政治的根本利益。

總而言之，反獨促統是最合乎台灣同胞的根本利益，所以我們為要維護台灣同胞以及全體中國同胞之根本利益，才要竭力反獨促統，老老實實地推動中國和平統一。

二、兩岸經貿一體化為中國和平統一的物質基礎

兩岸政治與經濟的動向一向相左矛盾。政治關係相斥，越走越遠；經濟交流卻相引，越靠越近。本文暫置政治問題不談，要專從當前兩岸經貿一體化動態的觀點，來闡明我們全球華僑華人反獨促統的呼籲並不是憑空而來的，是有其客觀形勢和具體事實依據的，是順乎台灣人民意願的。這十餘年來，兩岸經貿交流順步發展，年年擴大、日益加深。即海峽兩岸反獨促統的物質基礎，業已置兩岸政治軍事的緊張局面於一邊，而領先一步鞏固起來，並且在兩岸加入 WTO 的展望之下，即將加快一體化的趨勢，是乃有目共睹。

這裡所指兩岸經貿一體化的涵意，並非意謂統一貨幣和關稅的

共同市場或者經濟共同體的形成﹐而是指兩岸經貿交流所帶來的地區分工合作關係和互動、互補、互惠機制高度發展。事實上兩岸經貿相互依存關係已經達到「你中有我，我中有你」的境地，特別是台灣經濟依賴祖國大陸市場的程度至深，已經是割不斷，分不開的。這一個趨勢正表示著台灣同胞深層心理的意向，是兩岸和平統一的客觀條件和物質基礎。

三、兩岸經貿一體化的條件齊備

(1) 兩岸經貿一體化的經濟因素

1) 生產要素的合理互補關係

先說經濟基本要素的互補性。亦即在兩岸之間，包括資本、勞力、技術在內的生產要素，市場規模以及經營資源之互補條件具有很大的比較優勢。眾所周知，祖國大陸擁有豐富的人力，資源以及廣大的市場，台灣備有剩餘資金，加工技術以及中小企業的經營資源，兩岸在產業分工合作上的互補性非常大。兩岸之間此一資源賦存條件是最合乎地區經濟分工合作理論的架構，順理成章，容不贅述。

2) 大陸市場之比較優勢

從台灣來看，這裡要特地強調，祖國大陸的人力和天然資源之豐，市場規模之大，是其他國家地區所難予替代的。比如說，南美、俄國雖地大物博，但人口不密、市場不旺。又如印度、南亞國家，則人雖多但資源不豐，市場購買力低。再如東南亞，人口雖密，但地隘市場規模小，資源存量業已有限，經濟底子淺，成長持續不過幾年，工資很快就上漲，人才又短欠。至於中東、非洲國家地區則更不用談，南非也不例外。總觀全球，祖國大陸的經濟條件，無疑是當前以及未來對台灣來說 是世界最富有潛力的投資市場和經貿新天地。台灣要找一個優於祖國大陸的投資貿易市場，幾乎不可能做到，加上大陸改革開放政策對台灣具有特殊機遇。

3）大陸改革開放之天時機遇

祖國大陸這二十餘年來，改革開放政策非常成功，每年持續有9.8%的高度成長。1997 年，雖遭亞洲金融危機之風暴衝擊，但人民幣不貶，出口乃繼續維持高成長。祖國大陸的經濟發展給台灣經濟帶來很大的好處。台灣 1980 年代以後，遇到迫切的經濟轉型和產業升級需求，也幸好利用兩岸交流為槓桿來推動產業轉型。台灣許多勞力密集產業移到大陸投資，使台灣的夕陽產業找到生存空間，讓台灣產業花了最小的損失而順利轉型升級。尤其台灣的中小企業赴往大陸投資辦廠，得以繼續維持其活力，兩岸經貿交流所帶來的機遇之貢獻很大。一方面，台商到大陸投資，也帶動了台灣對大陸的出口，有利於台灣經濟的持續成長。

（2）兩岸經貿一體化的血地史緣因素

再說，兩岸經貿一體化的非經濟因素，即指兩岸地理歷史文化因素。第一是兩岸的血緣。台灣同胞的祖先來自海峽對岸福建，廣東。兩岸人民都是中國人，是同胞，台灣人和大陸人是骨肉親。兩岸擁有共同的歷史文化之根柢，語言相似，習俗相近。這些因素在經濟經營方面，有利於建立人際關係網絡，促進商機信息的交流協作，在投資辦廠，僱用勞工以及勞務管理上，發揮很大優勢，是其他國家地區所不能替代的。

第二是兩岸的地緣。從地理上來看，兩岸同是華南，隔海相望，一衣帶水；以今日交通之便來看，則近在眼前。在人們的心理深層裡的地緣情分，加上血緣因素，具有難予形狀的親和力，不管在經貿交流也好，或者在文藝社會活動也好，真有不可計量和難予替代的合作條件之優勢，是乃自明之理，不用多言。

第三是兩岸的史緣。台灣被日本割讓以前的兩百多年，兩岸經貿往來頻繁。台灣出口農產品到對岸，從對岸進口日用品，互補互惠，兩岸經貿在歷史上原來就是一體的。今天，兩岸經貿一體化的趨勢，彷佛回復到一百年前兩岸社會經濟唇齒相依的情景。廣義的史緣如果是指歷史文化，即應包括兩岸的「神緣」。兩岸同胞在媽祖信仰有深厚的心靈之共性。由是可知，兩岸社會的親和因素，不但在物質方面，而且在精神方面都齊全無欠。因此，兩岸在備有非經濟因素的凝聚力之下，經貿交流的相引「磁場」效應，應運而生。

以下，專從經貿方面來看其動態。

四、兩岸經貿的「磁場」相引效應：一體化動態

兩岸經貿交流現段階乃侷限於間接，單向交流以及不能三通的狀態。嚴格地說，還不能說是雙方互補、互惠的關係，而是在畸形，變相，一邊倒的狀態。即使這樣，兩岸經貿交流依然好似一場「磁場」相引效應，日益擴大發展。以下，因篇幅關係，僅限於提示兩岸貿易和投資兩項統計資料，來證實經貿一體化動態。

（1）兩岸貿易台灣單向依賴大陸市場的動態

如表 1 所示，[1]兩岸貿易從 1980 年代，嚴格禁止的戒嚴時期就開始有往來。不用說，1987 年解除戒嚴以後它就快速發展。1990 年代更上一層樓，2000 年的進出口量達到 324 億美元，其中台灣對大陸的出口 262 億美元，進口 62 億美元，台灣的順差 1994 億美元。總結兩岸經貿的特點：第一、增加速度之快和數量之大。台灣出口量從 1990 年到 2000 年的 10 年之間，增加 6 倍。台灣對大陸貿易量已經僅次於美日，排位第三。第二、台灣順差規模之大。去年 200 億美元的順差為台灣順差總額的一倍以上。這二十年來順差的累積額達到 1593 億美元，光是 1990 年代的順差就有 1515 億美元。這個順差就是台灣豐富外匯存底的來源，就是台灣對外投資的本錢。如果沒有大陸的貿易順差，台灣就沒有今天的經濟地位。第三、台灣對大陸出口依存度之高。去年的指數是 17.6%，僅次於美國。如果包括香港在內，實際上，台灣對大陸的出口依存度已經超過美國。再從表上可以看到，兩岸貿易交流的轉折，在於 1992 年。這一年是大陸全盤轉向社會主義市場經濟的一年，之後大陸經濟發展更上一層樓、欣欣向榮，台灣對大陸的出口也隨著增加。現在，兩岸正面臨著加入 WTO 的新局面，可斷言是一個大轉折的重要時期。奉勸台灣好好掌握這一個機遇。

（2）台商投資大陸謀求生存的動態

其次，談到台商對大陸投資的動態。如表 2 所示，[2]台灣當局的統計從 1991 年開始。到 2000 年的十年，台商對大陸投資累計一

---

[1] 參見本文選所收錄〈兩岸關係與台灣民意之研究（1）〉之表 1。——編者按。
[2] 參見本文選所收錄〈兩岸關係與台灣民意之研究（1）〉之表 2。——編者按。

共 22974 件，金額 171 億美元。台商對大陸投資的數值，實際上比當局的統計還要大，一般認為實際投資額大約 4 萬件，400 億美元之譜。總結台商對大陸投資的特點，第一、台商投資大陸與大陸經濟的動向有密接關係。例如，台商投資大陸在 1993 年猛增，是受到前年大陸的社會主義市場經濟改革之影響所致。第二、台商封大陸投資策略主要依據經濟原則，而少受政治於與的影響。比如，1997 年一年，儘管前年有李登輝的「戒急用忍」政策，禁止大型投資項目赴往大陸，即使這一年有亞洲金融風暴，台商對大陸投資不但沒減，反而增加。第三、投資大陸的主要行業為電子產業，是台灣的主導產業。電子佔投資全體的 28.0%，其次依順序為食品 9.6%，金屬 8.3%，塑膠 7.8%。可以說台灣的主要產業都全般進出大陸。第四、投資規模開始為中小型，逐次轉移到大型企業。現在，台灣大型企業之中有 2/3 到大陸投資。第五、投資地區開始集中於華南，逐次擴大到華中、華北以及內陸等地。

綜上所述，台灣經濟順著經濟原則和市場機制，依賴大陸市場的程度至深。它已經明確顯示著兩岸經貿一體化走向。兩岸加入 WTO 之後，此一一體化走向，勢必更上一層樓。這不僅是台海兩岸經貿交流的必然形勢，也是亞太以及經濟全球化的世界潮流，是抗拒不了的。兩岸經貿一體化對台灣企業非常有利，財經界大方要求開放大三通，是有其客觀道理。

五、一國兩制才能維護台灣廣大民眾的利益——代結語

可是話說回來，兩岸經貿關係的加深和一體化，眼前對台灣中下層廣大民眾未必有利。因為企業出走大陸、產業空洞化、失業增加，工資水平難予改善。老實說，台灣勞工對兩岸經貿交流的進展，心有疑慮，這一點，非常重要而往往被忽視。特別是兩岸雙方加入

WTO 後，經貿一體化的進程更將加速。要如何創造台灣工人的就業機會，要如何維持台灣的工資水平，或者要如何維護台灣一般的生活水平，不讓它降下。目前最有效的辦法，就是兩岸提高合作層次。大陸經濟已經有能力帶動台灣經濟的發展，使台灣產業升級。大陸可以在市場、高附加價值加工、汽車部品、金融、航運、服務業等方面，讓一部分生意給台灣承擔。兩岸之間安排勞力密集型產業與高附加價值產業的分工合作，大陸協助台灣產業升級。為要實現這一個協作體系，其方法就是台灣接受一中原則；和平統一，一國兩制。

總而言之，兩岸先要坐下來談，經過政治談判，台灣接受一中和兩制，才能解決台灣經濟長遠的困境，才能維護台灣廣大民眾的利益。和平統一，一國兩制，是保證台灣人當家作主，維持台灣經濟繁榮，生活安定的最佳方法，這就是本文的結論。

從兩岸經貿十年交流
看三通政策與台灣經濟

兼談世貿、三通對勞工的衝擊

本文是劉進慶應林書揚之邀，為 2002 年 7 月 28 日台北「新民主論壇」所準備的發言提綱。

林書揚 (1926-2012)，是台灣史上坐牢最久的政治犯，達 34 年又 7 個月。出獄後曾任台灣地區政治受難人互助會總會長、勞動人權協會會長、勞動黨榮譽主席。

一、兩岸經貿十年交流的大浪潮

1. 台灣對大陸出口和投資的猛增（3 倍半和 16 倍）。
2. 從間接、單行、一邊倒，到雙向正常化發展。
3. 兩岸經濟一體化趨勢：區域分工互補功能（大陸工業化的世界性磁場效應）。
4. 政經相左的亂步動態：「經熱政冷」、「民逼官從」——政經背道而馳。

二、台灣經濟特性的優劣
島國經濟、惟優質人力資源是賴。

1. 國際性：經貿致富→依賴國外。

2. 邊陲性：美日扶持、加工出口→承包委託（OEM）生產、依附外資。
3. 商人性：中小型家族經營、金融．行銷優勢→科技根淺底薄。
4. 後工業化階段：製造業衰退→服務業擴大。

三、經濟全球化下的世貿、三通之衝擊

1. 企業大競爭時代——開放、自由化、國際化。
   - ○ 資本跨國流動。
   - ○ 科技猛進、技術移轉。
   - ○ 勞動條件加緊。
2. 勞工受難時代——失業。
   - ○ 裁員、資遣→失業增加。
   - ○ 工資受制約→收入減少。
   - ○ 加緊勞動條件、提高工作密度。
3. 大陸經濟旋風帶來台港日韓產業空洞化。
   - ○ 弱勢企業倒閉、出走海外（大陸）。
   - ○ 經濟蕭條（物價下跌）、成長緩慢。
   - ○ 失業者增加、再就業難。

四、兩岸三通直航政策的利弊

1. 經濟上利大於弊。
   - ○ 政府：[1]升級轉型，整體經濟持續成長，但是弱勢產業空洞化加速，農業遭殃。
   - ○ 企業：大陸豐富的商機，販銷市場，低廉勞力。
   - ○ 勞工：裁員、失業、勞動強度提高。

[1] 這份發言大綱原寫為「產業」，劉進慶在打印稿上更正為「政府」。——編者按。

2. 政治上不利於當權者

大陸優而廉商品大量流進台灣市場；兩岸人民來往增加對台灣民眾的意識形態、社會心理的影響。

- ○ 反共心防壁壘的鬆動；兩岸人民互信的加深；同族意識和同胞情懷的回復。
- ○ 訴求改善兩岸關係、促進平和統一的壓力將加大。

五、擁護勞工利益的策略

1. 加強勞工職業訓練：特別是針對基層勞工，以培訓電腦 IT 操作技術之能力為重點。
2. 大膽開放引進「中資」來台投資、創造就業機會。
   例如：大型基建工程、電子、汽車零組件加工業、資金和股市其他。
3. 實現兩岸政治談判、謀求釐定在兩岸當局輔導下的有序分工之產業發展政策。
   例如、電子、零組件加工；機械、汽車零組件加工；台港上海三地金融網絡合作機構與制度之樹立；大陸沿海航運事業；觀光旅遊事業；中文媒體文化事業等。

說明：世界電子產業未來發展潛力依然很大，大陸未來汽車工業與市場的潛力也非常之大，兩岸產業合作在這部門可發揮優勢。基於此一認識，在兩岸當局協議合同下，特別釐定某部分商機讓給台灣，兩岸之間有序競爭，分工協作，共同發展世界性電子、汽車產業。

六、改觀、前進——代結語

1. 台灣真正的安全保障在：
   - ○ 「大陸併吞台灣」是虛嚇，台灣經濟靠邊大陸是實像。

- ○ 單靠意識形態掛帥和美國保台承諾就能養活台灣 2300 萬人?
- ○ 台灣沒有經濟（生活）的安定和繁榮，那有政治的基礎和久安?

2. 兩岸僵局不利於台灣（經濟）的因素與時俱增。
   - ○ 大陸經濟已經具有帶動台灣經濟再次升級轉型、持續成長的力量。
   - ○ 「進步的台灣、落後的大陸」的一部台灣人的看法本身就是落後，令台灣沉淪而不能自拔。
3. 和平統一，一國兩制有什麼不好?[2]
   - ○ （高度自治）。
   - ○ 「台人治台」。

附表：台灣對大陸進出口貿易與出超之動態統計，1981 至 2001。[3]
附表：台商對大陸投資的動態統計，1991 至 2001。[4]

---

[2] 第 3 點是由劉進慶親自在這份發言大綱的打印稿上以手寫方式補充的。——編者按。

[3] 參見本文選所收錄〈兩岸關係與台灣民意之研究 (1)〉之表 1。——編者按。

[4] 參見本文選所收錄〈兩岸關係與台灣民意之研究 (1)〉之表 2。——編者按。

國家圖書館出版品預行編目(CIP)資料

劉進慶文選：我的抵抗與學問 / 劉進慶著. -- 初版.
-- 臺北市：人間, 2015.10
冊； 公分

ISBN 978-986-6777-96-7(上卷：平裝). --
ISBN 978-986-6777-97-4(下卷：平裝). --
ISBN 978-986-6777-98-1(全套：平裝)

1.臺灣經濟 2.政治經濟 3.臺灣問題 4.文集

552.337 104019921

劉進慶文選：我的抵抗與學問（上卷）

著　　者：劉進慶
文選策劃：林啟洋・林邵雪瑛（中華秋海棠文化經貿協會）
文選主編：邱士杰
出 版 者：人間出版社
發 行 人：呂正惠
社　　長：林怡君
地　　址：台北市長泰街五九巷七號
電　　話：02-23370566
劃撥帳號：11746473　人間出版社
初版一刷：2015 年 10 月 25 日
定　　價：上下卷合售 700 元